U0142031

文學叢刊之四十七

西北高原行

夏美馴著

文史哲出版社印行

國立中央圖書館出版品預行編目資料

西北高原行 / 夏美馴著. — 初版. — 臺北市
: 文史哲, 民83
面 : 公分. — (文學叢刊 ; 47)
ISBN 957-547-843-6(平裝)

855.107 83000591

㊼ 文學叢刊

西北高原行

著者：夏美馴
出版者：文史哲出版社
登記證字號：行政院新聞局局版臺業字五三三七號
發行人：彭正雄
發行所：文史哲出版社
印刷者：文史哲出版社
台北市羅斯福路一段七十二巷四號
郵撥〇五一二八八一二彭正雄帳戶
電話：三五一一〇二八

實價新台幣五〇〇元

一八十三年一月初版

ISBN 957-547-843-6

西北高原行序

夏鐵肩

翟羽是夏美馴教授的筆名，他精於古物藝品的鑑識，曾在國立歷史博物館主持研究工作二十餘年，博學多聞，出版過好幾種專談藝術文物的專著，極受學術界重視。他的寫作路向，並不拘泥一格，近十餘年來，任教於大專院校，授課之餘，也常有散文、雜文和紀遊作品在各報副刊或雜誌上發表，有相當高的知名度。

作者在抗戰八年中，一直從事戰地新聞工作。先是「八一三」京滬戰起時，由江蘇老家，經武漢奔向大後方重慶，接受正規的軍事訓練，再轉而接受新聞專業教育，然後於民國二十九年秋天，奉派擔任蘇魯戰區的戰地記者。在槍林彈雨中，冒著生命危險去採訪戰爭的實況，寫過有關大小戰役和戰地軍民生活的特寫報導不下數百篇。同時又主辦軍中小型報紙，作爲專供戰地軍民唯一的精神食糧。那時候作者美馴先生正當青壯之年，橐筆奔走於漫天烽火的最前線，其勇毅豪邁的英氣，實與直接執干戈以衛社稷的戰士可以劃下等號。

赴難來臺的四十年時間裡，美馴先生都是致力於研究與教育工作，兩者都有很高的成就。自開放探親和兩岸文化交流以來，美騆先生多次前往大陸各大城市，或探親、或旅遊，或參加文藝團體的訪問和學術討論會活動。足跡所至，幾遍全國，而以西北高原之行，收穫最爲豐富，所寫紀遊之作，也以古都北平、古長安，古西域及河西走廊等處的風光和文化面貌，描繪特別翔實細膩。

民國七十九年六月，美騆先生與我共同參加一個作家訪問團，第一次到大陸去。第一站是到湖南省會長沙，亦即他夫人鍾緯恒女士的故鄉，遊覽了岳陽和張家界等幾個重要的景點。隨後再去上海、杭州、蘇州等幾個重要城市。這些都是我們的故居或舊遊之地，再熟稔也不過了。全程一共十九天，除了與各當地文藝界的朋友們接觸之外，也與許多闊別半生的親友們歡喜重逢，回首從前一切恍同隔世，大家都有滿懷的感慨。等我們回到臺灣，美騆先生快筆先揮，半個月內就連續有好幾篇文章見報，我卻至今也沒有寫過甚麼，說來實在慚愧。

美騆先生是個多福多壽的人，他與夫人鍾緯恒女士伉儷之情，老而彌篤；二三兩代個個優秀孝順，有的在國外發跡，成就非凡，年年都要迎養兩老到歐美小住。在國內的與兩老一宅兩院，晨昏定省，更是孝養無虧。最難得的是兩老精神體力非常康強，這與美騆先生和夫人平日樂觀澹泊，誠厚謙和的性格，大有關係。

今（八十三）年元月三十一日，恰逢他們賢伉儷八十雙慶，美騆先生接受兒女的建議，特別整理出五十篇散見各報刊的文稿，輯成本書，藉作紀念。本書許多篇文章是紀錄新的遊蹤，卻也羼入了一種濃得化不開的感舊情懷。讀起來一方面有「臥遊」之樂，一方面也體會到作者那種「樂觀奮鬥」的人生觀，是多麼値得年輕人學習。美馴先生是我交好五十餘年的學長兼摯友，他要我爲本書寫序，自是我的榮幸。爲了慶賀他們賢伉儷的八十雙壽，敬撰雙嵌壽星壽婆之名爲聯，祝福兩老「壽比西北高原」。聯附本文之后：

美意延年，書成緯略。

馴致積學，鶴算恒新。

序

應未遲

「我的朋友」夏美馴先生，筆名「翟羽」；勤於寫作，數十年來筆耕不輟，作品散見於各大報刊。我雖然不是篇篇讀到，但他結集出版的書也已經不下六本之多，承他每出一書，必送一本，所以絕大部份的文章，都曾過目，留下深刻印象。今（八十三）年算是他八十華誕，去年他以實足七八高齡，遠征西北高原，在隴西、新疆等地，暢遊多日，促使他出版這本長達近三十萬字的「西北高原行」，其中雖收入不少舊作，不過都經重加潤飾，以新面貌出現的。他出版「西北高原行」的動機，可能是爲了八十自壽而出的書，憑著一股永不服老的衝勁，我在想：翟羽兄他不甘坐享奉養，仍謀有所貢獻，而絕對不願虛渡此生。

翟羽兄事業有成，家庭美滿，兒女都能克紹箕裘，光大家風，早爲朋輩所欽羨；然而他卻從不以此爲足，仍然像古代的徐霞客一樣，經常雲遊四海，遊必有記。我雖少於翟羽兄將及十歲，而且遊蹤所至，也不下於他，但正如我自己所說的：「遊而無記」，除了很少的例外，大都沒有留下甚麼文字紀錄。和翟羽兄相較，祇有慚愧的份，對他過人毅力，一向由衷敬服。

「西北高原行」中所記述的地方，我僅去過西安一地，「西出陽關」雖早就嚮往，但多次有意一遊，終未成行，此生能否一償宿願，未敢逆料。幸而在翟羽兄的遊記中能一窺眞貌，紙上漫遊，恍如親歷·因此更樂爲之序。相信讀者如能細加玩味，也可以從翟羽兄細膩的筆觸、生動的描繪中，領略西北高原的山河壯麗、人文奇特，油然而發思古之情，沛然而興籌邊之志，初不僅作一次文字上的巡禮而已。

我與美馴兄爲五十年前老同學，同客蓬島忽又四十餘載，平日過從甚密，也曾不止一次相與同遊。但正所謂「君子之交淡如水」，即使逢年過節，喜事生辰，向少酬應。而今欣逢他八十大壽，不可無詞以賀，草此蕪文，一方面祝他康強逢吉遐齡永繼；另一方面也藉以介紹他的新著，願見他筆不停揮，續創佳作。

篇首寄語

人生無定，世事本就無常；就我活在的這一個時代，體驗所得到的，憂患多，喜樂少。童年居家生活，嬉戲自如，無拘無束，享受著天倫之樂，僻處的農村不靖，有時會受到膽戰心驚，夜不安枕的苦惱。及長外侮侵凌，投入抗日的愛國運動，身體力行，置生死於度外，親歷烽火，轉戰於危殆震撼的殺戮疆場，其艱辛，其苦難，肉體所受的一切災厄，堅持、掙扎，認是微不足道的一項考驗。敵後生涯，環境有著大小不同的轉變，因應情勢，如何謀求活下去來制服頑強的敵人，相與所有善良的國人，血肉拼鬪的相與暴敵週旋，務使敵人倒在塵埃，視爲最大的標的。詎料，本是共同抗日的新夥伴，逐漸形成遠比敵人還要敵人的兇殘暴力，軟硬兼施的加重。那一幫自外國人的異己，抱著「你的就是我的，我的還是我的」一種謬論，進行著兄弟鬩牆的內鬥，美其名「槍桿子裡面出政權」的作爲經典和教條，不計一切的逞兇逞狠，視著當然。國軍在敵後的抗日奮戰，還被曾爲自家人喊做「頑軍」、「頑固派」、「反動份子」，其惡毒、誣蔑的宣傳，當做口實，誰能來分清辨別。一個衰頽的國家，正與一個侵略的國家爲求生存在存亡搏鬥的時侯，竟然同是一個軍令下的，另一個黨卻擁有數量龐大的武力，目無法紀的爲所欲爲，同室操戈，終於造致中國人史無前例的空前劫難，也成爲中華民族最大的不幸。在此過程中，我能僥倖渡海客寓台灣，竟達半個世紀，定而後安，使得生活溫飽，兒孫繞膝，而那艱難痛苦的生活，危殆驚駭的歲月，早經隨風消逝。我依舊念念難忘的，劬勞二老，死無葬身之地，臨終還是處於顛沛流離，悽涼漂泊的日子裡，留在大陸的所有親人，俱曾有著一段忍辱偷生的歲月。有的，早經含恨以終，就這樣不明不白的為時代所犧牲。

我愛寫作，以一平凡的個我，就寫一些平凡無有新奇的小小事故。

我將我所經歷的，體驗的，耳聞目擊的實人眞事，提著我的拙筆記述成文，大都曾經刊露於報章雜誌，用以表達我心深處的累積情懷。經我兩個月來的重讀修訂，日以繼夜，不稍停息，終於、選妥五十篇付印，留著自認滿意的少許墨痕筆跡，藉供同處於這一時代的人們一點回味，也讓年青人體念往日的歲月是如何過的。

我在台灣，從軍中到教育崗位，年華似水，於勞碌中悄悄流失。今年遠去新疆、甘肅、陝西等省旅遊，身心愉快，仍是次女麗華隨侍照顧，而她十七位的同事以及她們的先生，無不熱忱的相處，使我有過意不去的沾光，想寶刀不老，永遠游刃有餘的健康就是幸福。

和朋友說笑，我是「東南海島滯留客」，若徵下聯，應是「西北高原過來人」。惜不懂平仄，似欠工整。所以決定用「西北高原行」五字作為書名，來概括其它。篇名五十，內容有長也有短的，既難強求長短一致，也無法使其平均平衡，如此不刻意的限制字數，在我來說，是信筆所至，收放自如，較比稍能自由發揮我所欲寫的意念所在。我將它劃分九項。主要的是我近年蹤跡所及，有大陸的省市歷史、地理、人文、古蹟、雄關、要塞和名勝地方，國外涉及東南亞各國與美加的暢遊，（在台灣已經出版的五本書中，所曾寫過的山川形勝，不再重複。）由於我是喜歡動的一個人，因此，旅遊對我來說，是我最愛的一好，但是兒女們散居國內和外邦，他們爲著生活而奔走，爲事業在打拚，同遊同玩的機會自會減少，內子近年好靜也很少外出，旅遊興趣相對的打了折扣，何況不復當年說走就走的那股豪情。好在，抗戰期間的東西南北調動遷徙，山嶺荒野，城鎭農村，足跡所至，留著苦樂的餘味；即或飽受敵人火器轟炸的生死邊緣威脅，迄今仍多新鮮的感受，不無尙存恐怖的陰影。我曾經用雙腳走過的十四個省市所在，流血流汗，爲保衛國家，爲愛護人民所付出的代價，自信深具道德的意義存在；年來有些地方已經重臨，不無稍慰我的思戀，以及再溫早經消失的舊夢。（內子也曾有美東、美西、四川、三峽之旅。蘇、湘、贛、浙、陝、豫、冀、粵等地漫遊、探親與悼念亡魂。）

在我腦海最深刻的印象，就是難以消失的一些事實，說它是歷史的遺痕也不爲過。對日抗戰期中的生活，在痛苦中煎熬和危險自不必說，而日敵瘋狂凌虐中國的殘酷手段與慘痛的欺壓，實難忘懷，汪僞助長敵人的惡行，覺得對漢奸的懲治，似乎有一點寬鬆。至於，中共的倒行逆施，殘民以逞，企圖奪取政權的目的，妄顧手段的卑劣奸詐，導致大陸的民生落後、善良人民被殺的幾達三千萬人。眞是國何不幸？族何相殘？試問，來自外國的馬列，怎可爲師爲父？結果是大家看得都很明白，大陸今時如不加緊體制的改革，中共必將自沉於茫茫大海中，成爲中國歷史上最大的罪魁，這是毫無疑問的。

念往事，懷故人，是人不可避免的。值得記，值得寫的，整個生命的歷程，現我擁有無職的自由，就中我也選了幾篇納入本書之中。

山川壯麗，國土風光，海外景色，個己感受，我用自我的角度，來加以樸質的筆述，無它，總想留下眞實。自忖寫來質既不純，辭不夠美，情節並非動人。但這一本書的印行，我要感激的，家人親朋的鼓勵，至友的題署、作序、設計封面與幫我修訂與校勘的可貴熱忱。

出版書籍，編校及其它，其苦，其樂，點滴在心，說也多餘，不說是好。

民國八十二年十月

西北高原行　目錄

伍、血淚斑斑空留恨

陸、國外與大陸的遊蹤

柒、故人新知皆存念

附　錄

壹、故國山河戀猶在

懷古都——北平和南京

我愛北平、萬里長城、頤和園；我愛南京、鍾山之陽、玄武湖。我更愛博物院、館中陳列的歷史文物和藝術品的展示。

民國八十年的春假，紀念我與妻鍾緯恒女士的金婚，我們夫婦在次女麗華的陪伴下，隨著中華文物學會的先生、小姐們，作大陸十日之行。首先由香港轉機飛往北平。那天正是大雪初停，氣溫五度，滿街白楊的枝幹一片枯黑，行人在縮瑟中奮力踏車蜂湧疾駛；郊外寒鴉繞樹哀鳴，野地間有早麥青青，大都黃土無垠，成群的綿羊低首放牧，又是一番景象。明清兩朝遺存的古典建築、皇宮、北海、頤和園、景山等地，顯示著厚重，莊嚴、雅麗、開闊之美，在其他的地方是很少見到的。故宮博物院設在紫金城各棟建築物內，陳列著很多中華文化資產；文華殿的「中國文化精華展」，有：新石器時代的器物，如：彩陶、黑陶、玉、石、骨、牙的製作和雕刻品，商、周、春秋、戰國、西漢、東漢的銅器、牙雕等。銅器的體積既大，文飾又精，如人面紋銅方鼎，青銅象尊，一在湖南寧鄉出土，一在湖南醴陵出土，均係商代物。西周淳化大銅鼎，陝西省淳化縣出土，是我國發現最大的銅鼎。「刖人守囿」銅輓車，山西聞喜縣出土。春秋青銅禁，鑄有相互纏繞的蟠螭，下鑄十二隻虎形足，禁面四周鑄有十二隻虎，是民國六十八年在河南省淅川縣出土。青銅尊盤，口沿爲多層套合蟠螭，腹部與底部鑄有龍形和豹形紋飾。西漢金縷玉衣，出土在河北省滿城縣，是中山靖王劉勝殮服，由二、四九八塊玉片和一、一〇〇克金絲編綴的。西漢彩繪陶立侍俑，侍俑，儀衛俑、俱在江蘇省徐州市出土，時在民國七十五年。東漢的撫琴陶俑，民國七十六年在貴州省興仁縣出土，形象、動作塑造寫實、準確。東漢說唱陶俑，於民國五十二年四川省郫縣出土，丑角形象，表現無遺，是說唱藝術表態的最佳典型。

看到的陶瓷，一代勝似一代。東漢青瓷五聯罈，釉色接近灰黃，堆塑得非常有趣，浙江省黃巖出土物。唐抱鴨壺三彩女俑，山西省長治縣出土。坐姿雙髻，穿著襦裙，神態安祥，優雅超越習見的三彩女俑。北宋青白釉磁注子，民國六十年安徽省懷寧縣出土，人形戴冠，著右衽長袍，背後是雙條把手，兩手握著細長壺嘴，神似文官抱笏朝拜狀，造形奇特。北宋窯青瓷蟾蜍水盂，民國七十二年十二月，在浙江省慈谿徵集而得，另一荷葉托著三足蟾蜍，兩者型色俱佳。明代「時大彬製」的楷書款紫砂壺，民國七十五年出土於福建省漳浦縣，原是萬曆年間戶工二部侍郎盧楨墓葬物。清鬭彩花鳥紋提梁壺，雍正年製，型貌極美。粉彩縷空轉心瓶，工藝精巧繁瑣，是乾隆時期的瓷器珍寶。

中國歷史博物館據稱珍藏文物三十多萬件，陳列的「中國通史」，分朝劃區展示文物和文獻資料，從一七〇萬年前到公元一八四〇年止。先從「原始社會」開始，有元謀人牙齒化石、藍田人頭骨化石和石器，北京人化石。還有母系氏族社會以後的廣東馬垻人，山西丁村人，湖北長陽人，廣西柳江人，內蒙河套人。北京周口店山頂洞人的化石和採集、狩獵、磨製工具，以及石製，骨製生活用具與陶器的眞品或複製品。其次，即是夏、商、西周、春秋這些朝代歷史，看到殷墟甲骨和商周青銅器，著名的有：司母戊鼎、龍虎尊、大盂。鼎、秦公簋、吳王夫差鑑、和蔡侯鎛鐘等。及之，戰國、秦、漢、三國、兩晉、南北朝、隋、唐、五代、遼、宋、西夏、金、元、明、清的歷朝歷史，展出文物有：戰國時代鐵器、漆器、絲麻織物，金屬貨幣，度量衡器、磚和瓦當陶質的下水道建築材料；秦代陶俑、陶馬、琅玡石，陵陽虎符，「海內皆知」磚，半兩錢和權、量；漢代的「齊鐵官印」封泥，陶製城堡、樓閣、車馬、糧囷，地動儀模型，銅馬，長信宮燈；三國、兩晉、南北朝時期的文學、書法、繪畫、雕塑、陶瓷成就的藝術傑作；隋、唐、五代時期的螺鈿鏡，金銀平脫鏡，唐三彩，石窟藝術；遼、宋、西夏、金、元時期的瓷器與三大發明的火藥、印刷、指南針；明、清時期的五彩、鬬彩瓷器；中國歷史皆由中華民族子子孫孫血汗熔鑄所形成，從傳世瑰寶和出土珍品中，即可了然文物的重大象徵，它是中華民族的優越、聰明和智慧的結晶。

定陵博物館，那是明代十三陵中的神宗陵寢，是「竭內府之金錢，窮工匠之工力。」乃成。葬的朱翊鈞和他兩個皇后孝端、孝靖。地面建築曾受毀燒，民國四十八年十月經中共發掘而建立博物館，現有明樓和寶城；地下宮殿放著三口棺槨，三個漢白玉雕刻的寶座，側置一個嘉靖年間燒製的青花瓷大缸。文物館中陳列的有金、玉等物，萬曆金冠和皇后鳳冠，工藝非常精巧；金冠二龍戲珠，是出土物中翹楚，有一頂鳳冠，計用三、五〇〇多粒珍珠和一五〇多顆寶石點綴，光彩奪目。據說在挖掘之初，找到入口的墓門，就曾整整費去一年的時間。

我終於登上長城的關塞要隘，居庸關的精巧石刻仍在，內城呈顯殘缺。爬上八達嶺，山勢峻險，城牆蜿蜒，遊客群集。那些駱駝、騾馬穿梭往返於長城外的古道邊，顯示著塞外的風光。

南行時值江南綠柳桃紅，田野麥苗青碧，菜花黃嫩，正是清明，舊地重臨，感慨自必增多。中山陵、明孝陵、玄武湖，長江大橋，憑弔溯往，任滾滾濁浪流去，也難洗盡往日情懷。

南京博物院舉辦「長江下游五千年文明展」。生我育我的長江下游地區，陽光雨水充沛，氣候溫潤潮濕，物產資源豐富，早在三十到一萬年前的舊石器時代，已有人類生息，繁衍。經考古發現安徽和縣猿人，巢縣猿人；江蘇丹徒蓮花洞，吳縣太湖三山島，溧水縣神仙洞等地，有著古人類化石和文化遺物。及之，新石器時代，如：浙江餘姚河姆渡、嘉興馬家濱、江蘇吳縣草鞋山、海安土墩、南京北陰陽營、武進寺墩等地文化進步，促成文明的發展。

由於人類創造歷史，乃有古代文明的光輝。因此，在文物陳列展示的，劃分九項主題：一、凝聚人文之美的玉石器。二、文明發端的青銅器。三、東南的髹漆。四、舉世聞名的陶瓷。五、傳播文明的交通工具。六、衣被天下的紡織刺繡。七、精巧美味的江南飲食。八、玄妙虛幻的佛道神靈。九、依水臨河的江南建築。

綜觀這一系統的展覽，給我印象較深的，長江下游是琢玉中心，乃有「良玉雖集京師，工巧則推蘇郡」之說。良渚文化遺址發掘，春秋戰國、漢代、宋明清時期，具有輝煌的琢玉成就。陳列的玉石，有徐州出土的銀縷玉衣，計用二、六〇〇餘塊和八〇〇克銀絲編綴而成。石刻有東漢男女蹲坐，搭肩摟腰，親昵接吻的形象，還有梁代巨大的辟邪。（南京出土的不止一隻，北京仿有東漢石刻辟邪，）引我特別重視的六朝（東吳、東晉、宋、齊、梁、陳。）青瓷，絕大多數出自墓葬，以南京附近、鎮江一帶、太湖周圍，從精品中選展一百一十一件，部分具有確切記年，其中，南京光華門外趙士崗吳墓出土的「赤烏十四年會上虞師袁宜造」的青瓷虎子，南京清涼山吳墓出土的「甘露元年五月造」青瓷熊燈，胎質堅硬，釉色勻淨，較漢代更爲細密。宜興紫砂壺陳列大型的不多，仍以小壺爲主，且有加塗滿釉的白、藍二種小壺出現。（北平博物院陳列的明代時大彬製的大小不一的紫砂壺，其一刻有「江山清風山中明月」字樣。）還有名工陳鳴遠製的筍形水注，唯妙唯肖。釉下彩繪青花瓷器源於唐代，展有青花瓷枕殘片，是否爲長沙窯瓷，未見說明卡片。另見宋代青花瓷碗二件，浙江龍泉金沙塔基礎下出土。元代是青花瓷成熟時期，明代被稱爲青花瓷器黃金時代，胎釉精緻、青色穠艷，造型祥和，紋飾優美；由於景德鎮燒造是選用「蘇麻離青」的進口青料所致。彩瓷可分彩繪瓷器與彩釉瓷器，最早在西晉晚期越窯點彩，便是彩繪瓷器，并有釉上彩和釉下彩的區別。實際釉上彩是在瓷釉上繪彩，後經低溫烘烤，更有五彩、粉彩和琺瑯彩等；釉下彩是在瓷胎上繪畫，上塗透明釉，於高溫下一次燒成，傳統的釉下彩，僅有青花和釉裡紅兩種。至於，彩釉瓷器，是將各類色素溶合于釉料中，燒製出各種釉色的瓷器，於觀賞時，得見陳列的，有景德鎮官窯紅釉、藍釉、黃釉、孔雀綠等彩釉瓷器，工藝精美，確是大飽眼福。

其中貿易瓷，作爲中華文明的使者外銷海外，也值得欣賞。我國瓷器行銷海外，早在唐代業已開始、銅官窯、越窯的瓷產就是一例。並且，在東亞、西亞、東非、甚至歐洲等地，曾有我國瓷器出土紀錄。元代以後，長江口更是主要的出海所在，浙江龍泉窯和江西景德鎮窯等，便是燒製外銷瓷器的主要產地，韓國全羅南道木浦島附近我國運瓷的沉船出土一、八一〇件瓷器，就是一項說明。明代永樂、宣德年間，鄭和從一、四〇五年起七下西洋，其中六次是由江蘇省太倉縣瀏河口出海的，載有大量瓷器輸往西亞和東非各國。由於，瓷器主要產地是長江下游地區，因此，載運人貨大型的海船，就是明代在南京龍江寶船廠建造的，如今，仍有遺址和當時的鐵錨、木材等實物可考。

十里洋場的上海，已無昔日繁榮，我以懷古心情，遊覽具有明清兩代南方園林建築藝術風格的豫園。樓閣、假山、石獅、龍檐的精巧與玲瓏，頗具特點。

上海博物館以青銅器做爲重點項目之一，我曾專注於夏代的文物。記得在北平看到清乾隆年間大禹治水的玉山，由北京水運揚州，經過十年的雕鏤，歷三年行八千里路，始從揚州運返，體積壯偉、雕鏤精工。由此進一步瞭解的：「公元二十一世紀，禹治水成功，被推爲夏族領袖，死後其子啓繼位，從此爲王位世襲制代替禪讓；夏之主要活動地域，在今河南西部和山西南部，以河南偃師二里頭遺址，命名二里頭文化」。記載於中國歷史博物館的櫥櫃說明中。上海博物館青銅器中，標明二里頭遺址發現的，用陶質塊範法鑄造夏代青銅器，有容器、樂器、兵器和工具等；造型複雜的名稱怪異是我國著名的最早青銅禮器，史稱「萌生期」的，有著夏代晚期（公元一八—前十六世紀）的「二里頭爵」，嘴形侈張，流尾横長，把式較寬，前端捲曲伸展，腹下三足細短。圓釘紋「斝」體圓把腹突出，敞口、三腳肥滿下尖分立，專家認定，這些遺存物是夏代文化部分實證。惟其表面粗糙，尚無紋飾，認是我國中原地區最早的青銅器。

陶瓷器在上海博物館中，值得記述的，如：新石器時代（公元前四、一〇〇—二、三〇〇年）的大汶口出土的鏤空高柄杯，認是黑陶，造型美極。漢代黃釉陶狩獵紋壺，唐代三彩女座陶俑、陶駱駝，另外，唐至五代的邢窯穿帶壺，宋代鈞窯海棠式洗，南宋哥窯五足洗，元代青花纏枝牡丹紋罈，明洪武年間的釉裡紅唐紋菱花托、釉裡紅牡丹紋大盤，永樂青花果紋水注，萬曆青花龍紋透雕盒子，五彩雲龍紋蓋罈，清康熙釉裡紅螭龍紋瓶，雍正青花裡紅龍紋大瓶，乾隆琺瑯彩竹菊鵪鶉瓶等，華麗精細，竭盡中華陶瓷工藝的至美。數度大陸之行的最大收穫，在陶瓷的歷史文物方面飽覽無遺，滿足我的興趣所在。

（民國八十年四月）

河山無限萬里情

香港之行

珠江三角洲南端，廣東省寶安縣一顆東方明珠的香港。在清道光二十二年（公元一八四二年），接受鴉片戰爭失敗的事實，簽訂南京條約，「割讓香港於英國」。一八六〇年的中英北京條約「割九龍司海岸於英國」，一八九八年的展拓香港界址專條的簽訂，英國「租借九龍九十九年」，大片國土拱手讓人，辱國喪權，山河破碎。彼時已爲葡人租借澳門，形成南方兩個天窗，一九九七年，悉將由中共所接收。

事實與教訓，教育與體驗，既痛恨滿清的專制腐敗，更對英國深惡痛絕的船堅砲利霸道，我對英國的現實直到如今，依然毫無一絲好感。可是，交通的運轉，去東南亞各國得在香港停留，去大陸各地也得住宿香港一宵。既往我被香港拒絕入境，目前任我憑證自由的出入。畢竟香港、九龍是中國的土地，所住的畢竟多是同胞，還有其他一些友好，我仍有一腔民族情感喜愛。

過香港、宿香港，勢必要花費，錢鈔的調換，自始便有消耗。多次的停留香港，自有一番觀感和一些認識。

給我印象深刻的，莫若交通。過港的海底隧道，穿山的洞穴，高架的道路，海上的輪渡，使得如織的行人和車輛，井然有序的通行，給人有著安全、利便的印象。商場滿市，要啥有啥，貨源不絕，恕我吝嗇，從未做過一次採購團的大員，在我物質慾望低迷當中，實在並無需要。

吃在香港，穿在香港，行在香港，較住在香港有著稍多的樂趣。海上食府，馳譽世界，在色迷五彩的燦爛燈光裡，波影搖曳，培增綺麗，「歡迎光臨」的耀眼霓虹燈光招引下，汽船接渡著我們，踏上珍寶海鮮舫的豪華水上浮宮。樓有四層，左右兩端有翹檐的角亭，配合著中央的飛脊殿堂，光耀和柔，通明似晝；人坐其間的酒食爭逐，自覺不虛旅途勞頓中的一點享受。民以食爲先，人人喜愛美食，促成香港的繁華似錦，不無是一原因。有人指明香港夜景是世界爲最，也會讓人陶然如醉。晚風習習，驅散暑熱，或遨遊海上，或一登扯旗山巔，滿眼燈火，閃耀著深淺濃淡的光影，展示著美妙奇幻的迷彩，不斷在夜空中鬥艷；再有那海波的助長襯托，格外播散獨特的燦爛美感。這時，人已迷惘，被擁在柔光五色的溫馨寧靜的懷抱中。人們從未想到在黑暗裡籠罩著的諸多眞象，更不會去探究整個香港內層的種種，它到底掩藏著多少罪惡？還有壅塞居住其中的人們，內心的酸楚與沈痛。

迷與醉又砢嘗不介入於每一個都市人心，何必介意於港九？可是，相隔不遠的廣大土地人民，他們在閉塞與無奈的現實生活當中，他們不敢想，也不能想——一時的迷失與醉的生活滋味又該如何？當然，接近的深圳、廣州等地在逐漸繁華的追逐中，似欲一嘗迷與醉的享受生活後而期待永久。

白天的香港海洋公園，入山下地的種種建設，確是有著大的魄力，大的手筆，大的奇蹟。峻嶺深海，地狹人稠是這兒的特性，利用特性建成的海洋公園，算是創舉。走道與纜車連接的上下貫通，長達二〇〇公尺的電扶梯便於人行，縮短行的距離，減輕登山與到達平地的跋涉之苦。山頂建有海洋館，分成三層，建築別緻，飼養著海洋魚類百餘種，游弋於海草與礁石間，伴以彩色繽紛珊瑚，有如海底景觀。海濤館內建有海洋、岩岸、沙灘，揚起一公尺高的滔滔白浪，撲打亂石發出的巨響；雖是人工的技巧，卻收以假似眞的身寄駭濤邊緣的效果。海洋劇場依山建築，是衆多遊客聚集的所在。碧水盈溢，便於表演。海豚、海獅在導演指揮和樂聲起時，跳高、鑽圈，頂球、跳水等動作。演來十分生動有趣，贏得觀衆如雷掌聲，歷久不絕。而好手的跳水表演，堪稱是一絕，我在加拿大溫哥華所見，其高度、難度也不過如此。人、魚同場，各顯神通，到底還是魚不如人的。

仿宋首都汴梁模造的「宋城」，說是用張擇端「清明上河圖」作藍本的，曲徑通幽，景物雜沓，縱具東方色彩，顯得狹隘堆砌的匠氣；地形所限，宋城本來面目，如此而已。

在香港最堪流連的地方，我認爲是山盡處的淺水灣；細細黃沙堆積海濱，散步其間，軟綿綿地就有著舒適的感受；看由遠及近的碧波一堆一堆的逼來，擊成一波一波的白浪，四濺碎花，吻著岸邊，吻著水際，週而復始，無有休止。遠遠小島散列，猶如佈棋，掛帆的木船破浪駛來，使得靜謐的海天，點綴得不再單調，數隻海鷗，展翅掠飛覓食。從海上僻處，香港自有美的一面。我們是在夏日晨曦初現的清晨，香港島的睡夢剛甦，一群不速之客，闖進這大夥戲水的所在，岸平沙淺，水波盪漾，看青山逞秀，看汪洋無邊。自得其樂，徘徊於這天南的一角。天涯過客，隨遇求安，本是一個浮生若夢的旅人寫照。

又見廣州

第二次到達廣州，較前呈現繁榮景象。本想一去黃花崗烈士墓展拜，限於時間，隨衆觀看兩處古典建築，深覺不虛此行。

中山紀念堂專爲紀念中山先生創建民國的偉績而建的，原是孫先生在民國十年就任非常大總統的舊址。該堂落成於民國二十年，與南京中山陵同爲工程師呂彥直所設計，佔地六萬平方公尺，老樹參差，綠蔭環繞，建築面積一萬二千平方公尺，正面作重檐歇山頂，上部呈八角亭式，計高四十九公尺，黃牆紅柱，蓋著寶藍琉璃瓦，偉構堂皇，肅穆莊嚴。堂內兩層近五千席次。如今，那富有金碧輝煌的民族風格彩繪，已見剝落暗淡；典型猶在，總不免有一絲憑弔的微憾。堂前高聳的中山先生銅像，右手扶杖，左手叉腰撩衣，昂首挺胸，顧盼自豪，相與「天下爲公」橫額輝映眼前，尤令人深思低徊。僻立一側與同行老師們共攝一影，復與次女訂製瓷相一盤，藉留大陸之行的永恒紀念。

陳氏家祠算是廣州市內碩果僅存一座著名的宗祠建築，三進五間，九堂六院，面積達一萬多平方公尺；佈局嚴整，裝飾精巧，尤以木雕、磚雕、石雕、鐵鑄等工藝手法，體認到中國傳統建築形式與內在之美，它又深具廣東地方藝匠們的無比巧妙。在古色古香中、文字、繪畫、雕刻種種方面，使中國古典藝術造詣大大的陳展，能夠保存與維護如此完美程度，給予海內外中國人得有重溫舊日情懷的良機，的確非易。目前闢成廣東民間工藝館，分門別類的陳列物，煞是可觀。經常可見的工藝品，如：石灣陶塑、廣彩陶瓷、象牙雕刻等等；難得一見的，小如海南的椰殼雕刻，精緻有趣。大如肇慶的端硯，在北平榮寶齋的已略遜一籌，而大韓民國漢城舊皇宮裡那方巨硯，原本來自中國，三者相較，廣州的碩大、質純、雕刻精美，使得觀賞的人們，不絕讚嘆中國人的藝術胸襟開闊遠大。不禁聯想到就有大墨如何來研？大筆又如何醮墨來揮毫？我想，只有張大千在世繪的「廬山圖」那幅大畫時，或可派上用場。不然，于右老標準草書的生前揮灑自如或可一試。

名剎古寺

從廣州飛鄭州，是由南方去華北的首站。

機身不廣，那屬於「中國南方航空公司」的，正好從窗外俯瞰機翼下的故國山河，丘陵起伏，郁郁菁菁，湘江蜿蜒，猶如黃帶；越洞庭，過長江，沿漢水北進，逾襄樊後，在濛濛雲雨中小小擺動，昔年腳踏過的大江南北土地，如今卻成過眼的雲煙，難留些微的痕跡。暴雨中抵達鄭州，往國際飯店，整潔舒適。戰時我曾經到過開封，鄭州、南及漯河、許昌、駐馬店。對鄭州過去的鐵路花園、揚州澡堂，以及炸醬麵等地方小吃，都留有深刻印象。現時鄭州是河南省的省會，原設開封的河南省立博物館隨著遷此；館中藏品與台北國立歷史博物館有著深厚的淵源，安陽小屯出土的甲骨，中嶽嵩山鎮山的玉如意、洛陽邙山出土的唐三彩俑，古墓出土的戰國鍾鼎，俱與中州的文物有著極大關聯的，最難得的，俱是抗戰以前出土物中最早的一批。

一片高粱初茁的平原，頗似美國北部密西根州的地帶，遼闊乾爽，路樹稠密，村舍寥落，騾牛依然是苦難農民的侶伴，生長於北中國善良的人民，迄難夢想有美國一般的生活。我們曾經一遊黃河鐵橋的河岸，騎著老馬沿著堤邊漫步，欣賞鄉野自然的風物；再加大陸僅有的一隻氣墊船，遨遊滾滾黃濤，總算身臨黃河償了宿願。冒雨登臨五龍山，有稱邙山，實與洛陽邙山是不相關的。土丘不高，林樹蓊鬱，頂端建亭多座，並有黃河母親像，還有大禹的塑像，惜非石雕，那是令人在看蒼翠山野間的小小擺飾。而三千五百年的商代遺址，它早於「安陽殷墟」，有夯土台基建築殘跡，也有工藝製品瓷、銅、玉、骨出土古物。

由鄭州坐中型巴士，沿著公路向西南經密縣，登峰看多處古蹟，然後降坡去了洛陽，上嵩山九十里，再到洛陽八十里。沿途人煙較稀，談不到農村富足，令人接觸到的大地無垠滿眼碧翠，公路上間有貨車往還奔馳。

密縣城西的打虎亭，有著東西并列的漢墓，一已開放，另一仍在封閉中。在長沙我曾仔細參觀「馬王堆漢墓」，在昌平也曾步入大峪山下「神宗顯皇帝之陵」的地下宮殿。密縣漢墓，根據畫幅題材和雕刻技法，並在墓壁上發現刻的「帛子」隸書特徵，因此，認定這兩座墓葬的年代。同屬東漢晚期的（公元二五至二二〇）；再從「水經注」記載，推斷那是太守張博雅墓，另是他的親屬。張墓由前室、中室、後室，還有東、南、北三個耳室組成，大部分的石門、甬道、內壁，均具內容豐富、瑰麗多彩的畫像石刻。墓門雕刻最爲精緻，四週陰刻朱雀、玄武、青龍、白虎四神組合花邊圖案，允稱美觀。壁間石刻的畫像，有「迎賓圖」、「車馬圖」、「收租圖」、「庖廚圖」等，生動活潑，要人流連。另一墓壁，據告諸室畫有色彩鮮明的壁畫，如：「迎賓」、「相撲」、「車馬出行」、「宴飮百戲」、「侍女」等圖，惜乎不得親睹；墓側僅有「車馬圖」畫像石原拓出售，價錢不昂。

雄居五岳之中的世稱中岳嵩山，主峰海拔一、四九四公尺，有七十二峰，東太室山，西少室山，是中華民族最早活動的地區，夏氏遠祖大禹在四千多年前於此建立國家，號稱天下之中。漢武帝登嵩山，封萬歲峰，唐武則天封稱嵩后，改名登封縣。我們在登封縣進過午餐，先到城東四公里的中岳廟，位太室山麓，始建於秦，是我國最早的道教寺廟，面積三十七萬平方公尺。基本形式是宋太祖按照開封皇宮建造，清代乾隆重修，計十一進，長一點三華里，現有殿、堂、樓閣四百餘間，較前減少的超過現存間數，殿後的地基，依然歷歷在目；往古匾額業經蕩然無有，現懸的字體簡直不堪入目，而古典建築的宏偉，氣勢猶存；老邁蒼勁的古柏，相與新栽的青松，濃陰滿院，時代遷變，又何等如此對照的顯明？

廟前有漢代石闕，建於東漢安帝年間（公元一〇七——一二五），是歷史文物三闕之一的太室闕，（另少室、啓母）東西相對而立，建築結構最完整，時代最古老的一座（東漢安帝元初五年）。分闕頂、闕身和台基三部分，用青石分層堆砌而成，通高四公尺。闕銘篆隸二體，浮雕畫像四神等，爲當前深富藝術風格與建築特性的瑰寶。另有漢代的一對石人，名叫翁仲，氣勢勇猛。寺內四個鐵鑄人像，北宋英宗治平元年物；表情威武，雄壯逼人，有銘文可考。

北魏古刹少林寺，位於登封縣城西北少室山陰，是中國佛教禪宗的發祥地，它向以武功著稱天下。留有印度菩提達摩來此面壁九年，隋末十三武僧爲李世民助戰而興唐，慧可和尚立雪面請達摩接納爲徒，明代出征抵禦沿海倭寇僧兵使用的木棍鐵棒等遺跡，這些古老陳事舊說，頗値訪者的回味。歷經變亂的少林寺，廟貌莊嚴，古柏參差稍具舊觀，非昔日座落在茂密叢林之中的「天下第一名刹」。從唐宋以來遺存石碑，是很多名書法家的手跡，有趙孟頫、董其昌等人的。較著名的碑，如：唐永淳二年九月的「大唐天后御製詩」書碑，由武則天撰文；唐玄宗開元十六年建的「李世民武德四年爲表彰寺僧助唐攻鄭有功而給少林寺主的敕書」。立雪亭，又名達摩殿，懸有乾隆御筆「雪印心珠」的橫匾，千佛殿陳列棍、槍、刀、劍等等兵器，壁畫繪有古代拳術格鬥的形象，地面遺有長年練武所留的凹洞。另外，目睹十餘寺僧弄棒耍槍，擊拳練武的實況；其中一個不到十歲的小沙彌，打拳的時候虎虎生風，不愧是少林寺僧中的「明星」。

寺外葬有歷代和尙的墓地，現存自唐至清墓塔二百三十座，（幸在深山野處未受文化大革命的紅衛兵破壞）方形、圓形、六角形、小八角形等，多爲磚砌，也有青石雕造或磚石混合的；其中，日僧邵元撰書的照公和尙塔，建於一三三九年，天竺和尙就公塔，建於一五六四年，龐大的塔林，誠爲我國各地所鮮見，而所存的塔銘和一些雕刻的花紋、佛像，在藝術上固有它的價値，其對我國對外文化交流上，不無具有實物的史科，值得往訪人士的參考。

洛陽古都

「地脈花最宜」的洛陽，有「九朝古都」之稱。我們到臨正是炎炎夏日，牡丹花已早萎，只見枝盛葉茂，道旁雜花爭妍，垂柳迎風飄拂，北國風光依舊增添幾許嫵媚。

抱持參觀歷史文物的懷想，不以山水民情在念。先看博物館，再去白馬寺。洛陽博物館性質人文，是當地發掘出土的器物來建立的，從照明、設備、工作態度觀念，它多少染習著沉沉暮氣。陳列品中的古代毛象巨牙的化石，的確讓人驚詫古生物的體積雄偉。陳列的漢熹平石經三、二字殘石，不經意的放在櫥櫃一角。其實，這熹平石經殘石，算得上洛陽古文化的珍寶。據後漢蔡邕傳說：『邕以經籍去聖久遠，文字多謬，俗儒穿鑿，疑誤後學。熹平四年乃與五官中郎將堂奚典，光祿大夫楊賜，諫議大夫馬日磾，議郎張訓，韓說、太史令單颺等，奏求正定六經文字，靈帝許之。邕乃自書丹於碑，使工鐫刻，立於太學門外』。中國刻經於石，雖始於漢平帝元始元年，迄今早無實物可資考證。唯獨僅存的東漢熹平石經，尚有殘跡可尋，成爲極具價值的古代文物之一。由熹平四年（公元一七五）到光和六年（公元一八三）先後九年蕆事，刊有詩、書、易、禮、春秋五經，東漢太學舊址在洛陽東南碑樓莊朱家疙瘩，民國二十三年出土的春秋碑石，表裡計六百二十四字，曾經深埋地下一千七百四十五年，現藏在台北國立歷史博物館，原由于右任購藏的尚有四百九十字的一方，輾轉上海與陝西富平等地，終歸陝西博物館的碑林保存，如今只剩三百四十七字。文物滄桑的歷史前塵，堪供回味，而蔡邕其人亦頗令人悲憫，所書方挺嚴整的漢隸典範，誠具藝術之美，爲書法家們崇仰和珍惜，但若欲覓一原拓，現幾乎已不可得。

尊爲中國佛教發源地的白馬寺，已近二千年，創建于東漢永平十一年（公元六八）。「魏書釋老志」及「洛陽伽藍記」有載，東漢明帝劉莊夜夢金人，大臣傅毅說：「西方有神，其名曰佛，形如陛下所夢」。乃派蔡愔、秦景十多人，前往印度尋求佛法，在大月氏國（阿富汗）遇高僧攝摩騰、竺法蘭，邀以白馬駝經帶著釋迦像前來中國傳教，永平十年（公元六七）回到洛陽，從此，「永平求法」成爲佛教播揚於中國的開始，構成中華文化與之密不可分的關係，第一座僧院的白馬寺由此建立。經明代嘉靖三十五年（公元一五五六）司禮太監黃錦重建；山門兩側的石雕雙馬，原置宋代將軍墓前，經主持僧搬遷而來，青石圓雕，姿態渾重、氣勢沉著，令人多一分想像。白馬寺爲一長方形院落，面積與明代相等，其荒涼的景象業稍改觀，印度僧人攝摩騰與竺法蘭的墓分在寺內東西兩側。泥塑四大天王像、彌勒佛、釋迦牟尼塑像，是明代乾漆夾紵造像及泥塑的。十八尊羅漢塑像，神態各異，表情生動，算是寺內塑像的精華，也是乾漆夾紵塑造。其他文物，尚有明代大鐘，趙孟頫所書「洛京白馬寺祖庭記」碑刻等。

寺側矗立一座密檐式的方形磚塔，十二層，線條柔和流暢，造型別緻，有著玲瓏挺拔，古雅秀麗的感受。金大定十五年（公元一一七五）改建，即今齊雲塔，也叫金方塔，藏如來舍利，有八百餘年歷史，是洛陽附近保存最早的古建築之一。

龍門石窟

北魏王朝崇佛，洛陽周圍佛寺盛興，當時多達一千三百六十七所。龍門石窟的開鑿，就在北魏遷都洛陽（公元四九四年）的前後，歷經東魏、西魏、北齊、北周、隋、唐和北宋諸朝，其中以北魏和唐代的營造達一百五十多年之久。這裡伊水中流，混黃奔騰，龍門位西，香山居東，兩山對峙，恍似天然門闕，古稱「伊闕」，有橋溝通。隴海鐵路與焦枝鐵路交會附近，洛水黃河在北東流。

著名的雕刻藝術寶庫龍門石窟，與山西大同雲崗石窟、甘肅敦煌莫高窟，并稱我國佛教石窟的翹首。兩山現存窟龕二千一百多個，佛塔四十餘座，碑刻題記三千六百塊左右，全山造像十萬餘軀。

我們冒雨到來，岸畔巨株楊柳，枝葉垂地飄曳，一片綠蔭，伴著悠悠水流，增添幾許秀美。在一千五百多年來的風化侵蝕，人爲破壞，致使龍門石雕損失重大，眼看高低大小的洞窟，有的空無一物，有的佛像斷頭缺臂，說得嚴重一點，對這中華文物的摧殘，簡直有著慘不忍睹的憤慨。所幸，保存維護而值得欣賞的雕刻藝術，仍多悅目暢懷。最早開鑿的佛龕中交腳彌勒佛像，法相莊嚴，雕鏤精細，背光飛仙雲彩，流動活潑，灼然得見，只惜部分損毀。古陽洞鑿於北魏（公元四九四年），是王室貴族發願造像集中的一洞。洞內小龕琳瑯滿目，兩壁刻有三列佛龕，拱額和佛像精巧富麗，圖案紋飾豐盛多姿。著名的「龍門二十品」碑刻，在此一洞中佔有十九，精采至極。位於西山南部的石窟寺，造於北魏孝明帝元詡年間（公元五一六——五二八）。所雕菩提樹，供養人，以及浮雕的禮佛圖於南北兩壁基端，精美完整；佛像態度虔敬平和，乃成石雕極品。蓮花洞北魏晚期開鑿，窟頂雕有大蓮花而得名，造型美妙，雕刻細緻。尖拱、楣拱，屋檐拱、以及瓔珞、帷幕、琉璃、雲紋、捲草紋、幾何紋、蓮花、寶相花等，細刻精雕、變化萬千，充分流露著石質雕刻的美趣。

奉先寺，唐高宗初年開鑿，上元二年（公元六七五）竣工，是龍門石窟中規模最大的露天大龕。有盧舍那佛、弟子、菩薩、天王、力士等九尊雕像；主佛盧舍那高十七點一四公尺，是雕鏤精美最具代表性的所在。面容豐滿清秀，雙目修長充溢寧靜神態，嘴角微揚，似在微露著笑意。兩旁分別有：肅穆持重的迦葉，溫順誠敬的阿難，菩薩端莊矜持；天王蹙眉怒目，右手托塔，兩腳著力踏著坐在地上夜叉的頭和膝蓋，使他睁大眼睛無可奈何的勉力支撐，像高十公尺點五；力士雄強威武，笑帶猙獰，像高九公尺點七五，餘可概見。寺前起造整齊的石級，供人緩步登臨。碑文記載武則天皇后曾經捐助脂粉錢兩萬貫修繕該寺。群像布局適切，形象雕造、神情刻劃，均已達到形神兼備的效果，體現唐代石材雕刻藝術的高峰，成就我國美術史上不朽的範例。冒著細雨紛紛，走低爬高瞻仰著洞窟神雕，令人嘆爲觀止。

西山北端的第一大窟潛溪寺，唐初開鑿，造像是一佛、二弟子、二菩薩和二天王。主像阿彌陀佛，趺坐須彌座上，面部豐滿，胸部隆起，姿態靜穆慈祥，衣紋斜垂座前。遺憾的是手指間有殘缺。二菩薩雕像圓潤豐腴，雙目垂視，衣紋流暢，造型敦厚。萬佛洞完成於唐高宗永隆元年（公元六八〇），顧名思義，由於兩壁滿刻小佛達一萬五千餘尊，洞以名之。佛座是八角蓮花，雕有五十四枝，花上雕有菩薩或供養人，形象特別。所有雕象逼眞傳神，尤其四個形態威武，筋肌突暴的力士承托蓮座，更是一絕。

一橋之隔的東山，又名香山，是白居易曾經久寓終爲他的長眠之處；有「白園」的濃蔭密佈，曲徑蜿蜒到達峰頂參拜。此處窟龕在數量與時代上不若西山，但在雕刻技巧和風格上，有它獨到的特點。主要洞窟看經寺，建於武周時期（公元六八四——七〇四），洞頂浮雕飛天，御風翱翔，眞實感強；四壁雕刻羅漢二十九尊，性格刻劃入微，是唐代羅漢群像中的佳作。萬佛溝極爲特別的石雕，在一根荷莖上雕著五朵蓮花，中央大蓮花雕一坐佛。小蓮花上各雕一位立佛，體例新奇。是石雕藝術中所罕見的。香山寺建于北魏熙平元年（公元五一六），依山鑿有佛龕七處，武則天帝天授元年（公元六九〇）。重修香山寺，後來洛陽任河南尹的白居易替人寫墓誌酬金六七十萬也就捐出助修，與和尚結「香火社」，僧俗合組「九老會」，死葬香山寺北；今存李商隱撰「唐刑部尚書致仕贈尚書右僕射太原白公墓碑銘」，由宰相白敏中書丹，刻石立於墓側，另集白氏詩詞刻石於山腰迴廊中，值得一看。

關林也就是「洛陽市古代石刻藝術館」，相傳是埋葬蜀國大將關羽首級的所在，建安二十五年（公元二二〇），吳蜀爭奪荊州，吳軍在湖北當陽河溶鎮九斤河畔俘殺關羽，企圖嫁禍曹操，曹操卻以王侯禮葬關羽首級，明萬曆年間建廟植柏。八角亭內樹有石碑，額題「敕封碑記」篆書，碑文正書：「忠義神武靈佑仁勇威顯關聖大帝林」，清道光元年刻；碑陰記述關羽生平事跡等。後即關冢，冢前石墓門，額題「鍾靈處」。抗戰期間，部隊支援隋棗會戰由桂經湘轉鄂，曾於當陽城郊關林展拜，傳說是關羽缺首屍身的葬處；另一關林是在他的故鄉山西解縣。洛陽關林，廟貌林園遼闊可觀，翠柏青蔥似蓋，碑刻石坊留著歷史的遺痕，石雕和鐵鑄的大小獅子尤稱壯觀，使這古代石刻藝術館有著價值的藝術品收藏。

碑林、大雁塔

洛陽西去長安，是搭乘隴海鐵路的列車，經過八個小時的途程，雨後初晴，炎熱難耐。窗外一片平衍，漸有起伏，過澠池乃入豫西山地，黃土高原已在想像中實現，深谷斷澗，絕壁難攀。觀音堂、函谷關間，穿山隧道不斷，農村空疏荒涼。三門峽有水庫，工業發達，高入雲際的煙囪飄蕩著黑白煙霧。近陝縣的三門峽市是新興工業城鎮，隔著黃河就是赫赫知名的茅津渡，那屬山西省境。西越靈寶、潼關，面對北岸的風陵渡，是抗戰期間中日兩軍隔河砲戰的重點所在。我曾將彼時隴海列車夜晚過關燈息火悄然飛馳的一些趣事，告訴同行的一些老師們，她們似乎有點白頭宮女話天寶遺事的味兒，也有視爲是天方夜譚的。車過華陰、華縣、渭南、臨潼。到達西行的終點西安。在這陝西省境、華山、驪山均在鐵路線南，助長相近城市的嚮名。我們一行，特在這渭河平原有著多天的停留。

陝西關中八景，有：「華岳仙掌」、「驪山晚照」、「灞柳風雷」、「曲江流飲」、「雁塔晨鐘」、「咸陽古渡」、「草堂煙霧」、「太白積雪」。非僅是山川美景取勝，而是文化歷史的斑斑可考引人步入從前；以時間所限未能遍歷探訪，只能永遠銘記在懷。

舊稱陝西省博物館，在西安大南門東側古老城牆的三學街，原址是由孔廟、碑林、府學三者所構成。（新館堂皇，已經開放）

碑林在展二千多件文物中，無一不是先民的智慧結晶。歷史文物的有戰國的「鳥蓋瓠壺」，青銅器製品，取用利便，裝飾優美，體現著青銅文化的風采和特點。形體逼眞的兵馬俑、光亮鋒利的劍、以及權、量器等，顯示秦王朝政權鞏固和經濟文化發達的有力明證。戰國杜虎符，通體銘文，昂首捲尾；犀牛尊，雙角挺峙，四蹄踏實。西漢鐵器普遍使用，耕作技術的改進及水利興修，形成我國歷史上農業高峰。陳列特具美術價值的，有彩繪騎馬俑，人在危坐，馬在長嘶。隋唐時期是我國經濟文化昌盛時代，由轅犁、高筒水車的使用，對深耕土地和高地灌溉有著很大的促進作用。所見唐三彩、金銀器、壁畫、銅鏡等，是唐代文化藝術手工藝技術高度發展的實驗，更有樂舞俑群的陳列，也呈現那時歌舞昇平景象。金碗的燦爛輝煌，雕鏤華麗、三彩駝身載著五位樂舞俑的行進表演，歡樂處處得見，反映唐代社會的富足。若能以今視昔，深期世人有著憬然頓悟。

創建于宋哲宗元祐二年（公元一〇八七）的碑林，是我國收藏碑石最早、最多的場所，展出碑石達千塊以上。現藏碑石中，首推東漢靈帝熹平石經的周易殘石，原有四九〇字（今存三四七字），是故監察院長秦人于右任先生民國十九年購藏，陳列在第三室內，石呈斜方形，斷面高三十三公分，寬五六公分，一面二十七行，二四六字「家人至歸妹」；另面十一行計一〇一字，刻「文言和說卦」。

就前故宮博物院長馬衡在漢熹平石經周易殘石跋有言：「全國各地出土漢石經殘石中字數最多一塊。宋人錄熹平石經多至千七百餘字，不離八百年更得此數百字，吾輩眼福實過宋人，何其幸歟」？假設馬氏活到今日兩岸漸趨開放交流之際，果能獲悉台北國立歷史博物館藏有熹平石經春秋殘石六百二十四字的確訊，那更要欣喜若狂了。（熹平石經是我國最早的官定儒家經本，文爲隸書，又叫一體石經，原刻四十六塊石碑，立於太學門前）。

碑林有著六室和七個遊廊，嵌列漢、晉、隋、唐、碑石以及晉、魏以後各代墓誌等。使得這東方文化發源地之一的西安，有如此非常豐富的文物寶藏，既飽眼福，又惠心靈。一室的「開成石經」碑石，是在唐文宗開成二年（公元八三七）刻製的古代十二部經書，計一一四石，二二八面，六十五萬多字，誠爲我國最大的石質書庫。二室匯集書法家的名碑，有唐代歐陽詢、顏眞卿、柳公權等。還有宋代著名書法家蘇東坡，米芾等碑石。其中，刻於東漢（公元一八五）的「曹全碑」，在漢隸中獨樹一幟，字體清秀俊美，筆勢和暢，行雲流水，悠然飄逸，是漢隸中的代表作。魏正始二年三月刻的「三體石經」殘石（古文、篆書、隸書），頗有可觀的珍品之一。隋唐碑刻，碑林中最稱壯觀，眞、草、隸、篆各體俱備，均屬名家手跡。於此特別一提的名碑，「大秦景教流行中國碑」，反映國際文化交流的史實，唐德宗建中二年（公元七八一）呂秀岩楷書刻石。獨一無雙，近人于右任的草書，熔合章草今草各家精髓，用筆凝重，簡潔結體，脫落大方，雄渾奇偉，儀態多變，隨意揮灑，皆成佳構。其標準草書，易識易寫、準確、美麗原則成之典範。碑林中存有「正氣歌」以及「楊松軒墓碑」、「耿直紀念碑」，供參觀人士的觀摩懷念。（于墓在台北陽明山西麓。）

石刻內容分陵墓和佛教造像兩大部分，展品七十多件，頗多碩大和罕見的器物，俱由遺存陝西各縣零散運集於此的，且均漢唐古物，深值珍貴。來自陵墓的，如東漢石雕雙獸，刻鏤遒勁有力，巨石圓雕，表現晶瑩、厚重、潤澤和分量；石刻易於長期保存而難湮沒，也在於有著豐富石料取之較便所致，這對石獸是東漢靈帝時的遺物，造型集老虎、獅子、豹子各種動物特點於一體，成為一種中國人心中想像的代表吉祥瑞獸，前肢雋刻：一曰「天祿」、一曰「辟邪」。重達一萬公斤的石刻犀牛，飽滿充實，氣魄雄偉。昭陵六駿是採用高浮雕手法，體態生動。性格能冒矢鏑，具有戰馬的特點。六駿指的是：「什伐赤」、「青騅」、「特勒驃」、「颯露紫」、「拳毛騧」、「白蹄烏」。其中二駿的「颯露紫」和「拳毛騧」是六駿中上品，尤其颯露紫是唯一附有人物的；於一九一四年移存美國費城賓夕法尼亞大學博物館中。記得何浩天先生掌理台北國立歷史博物館時，數度去美，曾與費城賓大洽談借展，多次磋商，終於應允借展複製的二駿而作罷論。夏日西安之行，得見六駿浮雕，四匹原作已有顯著裂痕，複製的兩匹雖手法精緻，惟係新品，維護保存由民國七年迄至今日，是屬不易。從馬的石雕形象裡，戰馬栩栩如生形態，渾厚又簡潔手法，突破當時佛教題材，使用純熟技巧，不拘泥不呆板，有飽滿圓潤的直接感覺。而唐代戰馬的裝飾規制、如馬鬃三結、馬尾上縛、鞍、韉、韁繩和頭、胸、臀部的飾條等，異常顯明。在造型藝術和雕刻技巧來看，都是難得一見的千年石雕的珍寶。

來自陝北的東漢畫象石，採減底平雕方法，富有濃郁的生活氣息，質樸簡潔和渾厚。

在唐代石刻藝術品中，有佛像、武士像和老君像等，在吸收外來藝術的基礎上，更多融合中華民族的特點。菩薩面相方圓，眼眉細而修長，耳秀鼻隆，頭戴寶冠，掛長瓔珞，顯現健康豐滿形象，非常動人而趨於世俗化。武士在雕刻手法上，採用誇張、浪漫氣勢，如胸部、腹部以及戰袍、鎧甲的處理，具有眞實感，面部威武，體魄雄健，一派英武姿態。老君像刻於唐開元年間，原是驪山朝元閣（老君殿）遺物。衆多石雕人物像，破壞部分不少，無頭缺手的較多令人惋惜。在我接觸歷史文物數十年的耳濡目染實際體會裡，在西安碑林所見極具分量的古代石雕，無論碑碣、人獸、佛像等，精美細緻，紋樣巧麗，於逼眞雄奇中，惠益良多。

西安市區道路，筆直如矢，縱橫相等，大雁塔在慈恩寺內，遠遠即可見其造型奇特，基礎成方，逐層縮小的身影。超越千年以上的古寺，始建在唐貞觀二十二年（公元六四八），高宗李治作太子時，爲追念其亡母長孫皇后而建，故名慈恩寺。玄奘在寺譯經，爲著存放從印度取回經文和佛像，在唐永徽三年（公元六五二）修建大雁塔，塔高六十四公尺，七級、是方型角錐狀，磨磚封縫，雄偉堅固，沿梯登高，市景全收眼底。外壁底層鑲嵌著唐太宗和高宗撰的「聖教序」與「聖教序記」，碑文由唐代書法家褚遂良書寫的，保護嚴密，碑塔相得益彰，使得炎黃世胄們，倍感中華文物的珍貴。

半坡、始皇陵

東有半坡遺址，是六千年前新石器時代村落被發掘出土的。拾級爬坡走入遮陰的大棚架裡，眼見仰韶文化所存留的先民生活遺跡，它是野外「西安半坡博物館」。

村落面積五萬平方公尺，經發掘的只有一萬平方公尺，這裡是母系氏族所居，台灣卑南族曾與相似。劃分居住、製陶和墓葬三區，歷歷可睹。人類生存的養生送死，自古已然。村落中間是大宅，外圍以小屋，恍有半世紀前我國黃淮平原的住宅形式，相信具有守望相助的作用。葬地中有女孩的瓮棺，赫然在目。出土大量的石器、骨器、陶器等生活用具。粗造欠工，是當時先民就地取材來利便使用的，作爲改善和充實生活所需，應是人類智慧發展和本能需要所致。有的陶器還繪有鹿紋、魚紋、三角紋，刻著椎刺紋和指甲紋等，造型也就在實用當中顯現著原始的美化。這種展示，對古老已經飛逝久遠的生活景象，無異給現代人的一種懷古教育，來重溫老祖宗他們曾經本就如此的舊時代歲月。同時，半坡出土的彩陶器上，刻劃著記事符號，有人認是中國最早文字的開始；還有一些魚鈎、箭簇、骨針，以及蚌殼、石珠穿織形式有異的項鍊飾物，史前文化的遺存，啓發我們很多很遠的思維新境。

秦俑是秦始皇陵中的奇蹟，發現年代雖晚（公元一九七四），而埋入地下卻近二千二百年的深遠歷史文物終於出土。轟動全國震驚世界，從雕刻史的觀點，由此改寫得更是輝煌無比。由百聞獲得一見，欣喜異常。往常只知有漢唐陶俑，即以陶製兵馬俑來說，後秦俑十年，在徐州獅子山發現五條俑坑的小兵馬俑，二十餘公分高，只有步兵和騎兵，那是以楚軍爲藍本的。兩者相較，則秦俑尤具歷史與藝術的無上價值，說明先民在藝術創造方面的極高智慧與天才。

臨潼驪山腳下秦陵，距離一點五公里的東側俑坑，區分一、二、三，成爲一座野外的秦俑博物館。展示部分，有成列站立著許多眞人眞馬同樣大小的陶塑兵馬俑群，還有很多埋在黃泥地下等待清理，卻已顯出浩蕩的軍陣場面。秦俑群雕形象美，有的頭挽髮髻，身穿戰袍，足蹬短靴，手持弓弩，十足衝鋒陷陣的銳士；有的免盔束髮，戰袍內著，外披鎧甲，緊握弓弩，背負銅鏃，似爲機智善射的弓箭手；有的頭戴軟帽，穿袍著甲，足蹬方口淺履，似爲短兵相接的甲士。還有身穿胡服的騎士，頭戴長冠的御手，手執吳鉤的基層幹部，頭戴鶡冠，身著彩色魚鱗甲，雙手伏劍，氣度非凡的將軍。千百官兵在神態和個性刻劃中，十分逼眞、自然而富有生氣。表現手法不同，給人印象有的是氣宇軒昂，有的沉靜文雅。形體高大、製作精細，造型準確，神態堅定而勇敢，充分表現古代軍事題材中嚴陣以待的臨戰場面，陶俑先經泥塑成型，入窯燒製，最後繪彩，成就秦俑群雕的藝術美，爲千古不朽的雕塑之最，在世界、在中國，無可與之比擬。

灞橋、華清池

唐人馬戴「灞上秋居」詩，內有「灞源風雨定，晚見雁行頻。落葉他鄉樹，寒燈獨夜人」句。每偶一讀此，與「何處是故鄉」的感觸。橫跨在灞水上的灞橋，依依楊柳，悠悠水流，歷史上的一座古橋，是長安向東方出入的要道；隋開皇三年（公元五八三），又在秦漢橋畔修建南橋，歷代重修，目前鋪著柏油是通向臨潼的要道，橋面寬闊，唐人送客多到灞橋，折柳贈別，黯然離愫，又名「銷魂橋」，詩人墨客吟詠不少佳句，我們往返均過灞橋，古碑雖在，已毫無昔日景象，驪山橫列，村里爲綠野環抱，十足鄉野風貌，碌碌草人，草人碌碌，匆匆來去，一顧而別。

華清池是有名溫泉之一。香山居士白居易的長恨歌：「春寒賜浴華清池，溫泉水滑洗凝脂；侍兒扶起嬌無力，始是新承恩澤時」。一段寫實敘情，深厚麗密，讀的人自會寄以遐思，領略華清池的風情，早在腦海中盤旋；我們冒著暑熱，先經秦始皇陵，只見綠蔭滿野的大土丘，外圍磚牆，可望而不可即，氣勢不凡，特於旁道攝影留念。車越市街抵達慕名已久的華清池，又名「神女湯」，仿古建築集於驪山西北麓，現按唐時擴建的，有蓮花湯、海棠湯，龍吟榭，日華門、月華門，九龍湯、石舫，飛霞閣，楊妃池、飛虹橋、棋亭、望河亭等，題額雅麗動人，實則名不副實，門券多多，遊人雜沓；綠水青山，垂柳紅荷，早失寧靜面目。一探貴妃池，粗石環繞，滴水俱無，陋室空蕩，益增相思。「五間房」和「兵諫亭」，是西安事變的重點所在，蔣公介石戰前駐驆之處五間房，臥室簡陋，木床、桌椅、檯燈、電話依舊；另闢有會議室、辦公室、侍從室、會客室。兵諫亭則在華清池山腰凹處，爲蔣公隻身冒鎗林彈雨於暗夜中，逾垣跌落負傷而暫息的洞穴。此亭名稱數易，主客觀情勢有變致之。假如，抗戰前夕沒有催戰派的興風作浪；若是彼此相忍爲國，共禦外侮，中國現代史不致各說各話，留下無窮的慘痛追憶。張學良安居臺灣度其自由的餘年，曾作自我批評：「魯莽操切，膽大妄爲」。自認「除了一些是非之外，沒有爲國家社會做到什麼。」又說：「聖經中保羅說他是一個罪人，而我則是罪人中的罪魁。」西安、北平都曾傳說張氏曾到陝西，且將有老家東北之行云云。張氏要去那裡就去那裡，不必渲染還想附帶一點作用，張氏明達諒不致糊塗到底的。民主社會的可愛之處，那就是尊重他人的自由意志。

古都長安，現名西安，是陝西省會；人們在記憶中是秦、漢、隋、唐等十一個王朝相繼於此建都，也會勾引起多少興亡盛衰往事由此發生，更難忘懷的，它是舉世聞名「絲綢之路」的起點。這裡有足多的古蹟名勝，豐碩珍貴的文物遺存，規模宏偉的帝王陵寢，精華薈萃的石刻碑碣，風格獨具的塔寺樓閣，一線橫列的雄健城牆，有幸踏入中國西北的黃土，頓即融入悠久歷史的海洋和文化藝術的寶藏；使西安的美名永遠爲異邦他鄉人士所鍾愛。白日忙於探求舊跡遺址，夜晚得一休閒消遣。在缺乏市場經濟的蕭條社會裡，竟然得以飽覽「仿唐樂舞」，品嘗唐代宮廷娛樂生活的溫馨。從節目內容、演出形式、藝術風格，以至服飾、髮飾、禮儀、程序、樂隊編組及樂器選用等，都很考究，在動靜氣氛與樂舞活動中，快慢緩急進行得絲絲入扣，感人情懷。打擊樂器與管弦樂器配合緊湊，鑼、鼓、鐃、鈸的運用，鏗鏘有致，是該項樂舞成功的金石之聲。而舞者根基紮實，翩翩似蝶，歌者聲音圓潤，宏亮動聽，尤以一支純粹中國的竹質橫笛，和笙的吹奏，更是絕配。節目有：「雲裳羽舞曲」、「金剛力士舞」、「秦王破陣樂」、「秦俑魂」等，堪稱高超。

西安影城的秦皇宮殿，是仿秦建築而設計建造，十二銅人屹立在宮前廣場，威武雄健，兼而備之。

小吃我雖然嚮往，卻無機緣，羊肉湯泡饃有它吃的訣竅，也未便去嘗試，卻吃到餡子不同的蒸餃，還有酸辣涼粉，總算在車經咸陽機場飛往北平前夕，留有吃在西安的記憶。

西安不問它是古時今時，值得旅人的停留。同時，讓人沈浸於思古幽情之中。

無定河畔

自遼建都北京，歷經金、元、明、清各朝，從外貌上看，道路寬廣，高樓也在增多，單車過市，浩浩蕩蕩猶如蟻集。商業往還較比其他都市稍見熱絡，市區範圍擴大，學校教育發達，而農村勤耕如舊，馬騾是農家不可或缺的良友，每年收入低微，能得溫飽、安定，認是命運漸在好轉。在閉塞與組織控制的歲月當中，無從比較，人們只好年年蹉跎以過。

去歲三月伴同內人、次女前來，登萬里長城，看定陵地下宮殿。遊北海、頤和園，還到王府井大街閒逛，吃厚德福烤鴨，進老舍茶館，住五星級飯店，一番消遙自在。最值得一提的，是故宮看古典建築和各類古物精華，并到歷史博物館，詳盡而有系統的遍覽一項「中國通史陳列」展。

此番行程，想去的周口店北京人和山頂洞人遺址尋古未果，本著激發的民族感情，專程去訪盧溝橋和宛平縣城，這是中華民族抵抗日本軍閥侵略的最後關頭臨界點；地當交通要道，北平的門戶，國軍誓死保衛國土的忠勇慘烈事蹟，點點滴滴活在眼前，事雖過而境又遷，創痛猶在，無可終了。繞道橋東，有「盧溝曉月」碑，原爲金章宗（公元一〇九一一一二三）題名，現存碑刻是清朝乾隆（公元一七三六一一七九五）的手筆，還有康熙和乾隆重修盧溝橋碑與乾隆詩碑在兩端。這座古老多孔聯拱石橋，條石已是凸凹不平，現停通行整修，欄杆皆是石砌板雕，柱上刻鏤石獅，形態大小不一，有元代歪頭的，張嘴撫兒的、明代背負小獅的、懷抱小獅的、弄球的不一而足，煞是生動有趣；另雕鏤精工的，圖案、華表、石象、拱頂龍頭、犬石獅等。有一土著的統計，大石獅是三八七頭、小的二二一，實數四九八頭，他并說絕對可靠。另說：四百八十八頭，也有統計四百八十六頭、四百八十五頭的。石橋始建於金大定二十九年（公元一一八九），意大利的馬可·波羅（一二五四—一三二四）在他旅行記聞裡稱讚「它是世界上最好的、獨一無二的橋」。如今，涓涓細流，荒草滿灘，只任牧馬好整以暇的蹓躂。憑欄展望，那無定河（又稱桑乾河，盧溝河）源自山西，經北平西郊奔流東南入海。曲折在山間平原，孕育多少悲歡與盛衰的往事。橋東的宛平縣城，東西長六四〇公尺，南北寬三二〇公尺，城池小小。但牆高堅固，城樓還有瓮城，雄峙橋東，儼若巨人，古稱：「崇墉百雉，儼若雄關」；實是「斗城」，居民不多。城外有一文物史料館，內容空洞，僅有幾張國軍二十九軍的將領圖說。據記憶所及：副軍長佟麟閣，師長趙登禹率北平集訓學生戰死於豐台附近，軍長宋哲元病死在四川綿陽。升任集團總司令的張自忠，在襄河東岸與敵交戰中陣亡。副軍長秦德純曾任國防部長，死於台北。任集團軍總司令的劉汝明、石敬亭、馮治安，老死台灣。二一九團團長吉星文，在盧溝橋畔的宛平古城英勇殺敵，後任金門防衛副司令官時炮戰殉職。首在盧溝橋邊展開血戰的國軍第二十九軍榮膺上將的上述九人，不愧是軍人楷模、國之干城，在蔣公介石領導下，為國盡忠，是極具價值的。

頤和園與大觀園：

始建於清乾隆十五年（公元一七五〇），初名清漪園，在一八六〇年被英法聯軍焚毀，一八八八年（光緒十四年），挪用大量海軍經費和其他款項重建，并改名頤和園。一九〇〇年，又遭到八國聯軍嚴重破壞，一九〇三年後，慈禧晚年多半在此居住，成爲她處理公務所在，也曾是囚禁光緒的繫留之所。面積二百九十公畝，水面約占四分之三。頤和園主要由萬壽山和昆明湖組成。山影水光，充滿江南景色；佛香閣高入雲際，玉瀾堂、宜雲館等宮殿型建築，精美華麗。還有七百二十八公尺的彩畫長廊，構成主體。后山腳下，林木森森。蘇州街、虹橋清溪，自成一局。湖面空蕩，三五小艇悠遊，綠葉紅葩，古柏垂楊，到處遊人似織。民國十三年（公元一九二四），這座皇家園林成爲全民皆得遊覽的公園，是北平城西的勝景。回程沿金水河岸東南行，頤和園與皇宮間有一座敕建護國萬壽寺，非若皇宮建築宏偉，但結構緊密，格局謹嚴。據導遊以鼓簧之舌，娓娓暢談往事，頗有趣味。道及李蓮英爲迎合慈禧歡心，特於三世佛後壁塑一類似慈禧神態的觀音塑像，老佛爺之名由此相傳。現爲「書畫藝術館」，懸掛兩岸少數書畫作品，著重於工藝品推銷出售，駐足休憩參觀者衆，從外貌與舉止看來，還是「台胞」居多，洋人爲次。

中南海戒備森嚴，軍警林立。北海從東門進入，入眼是萬壽山，雄峙水濱，清順治八年（公元一六五一）將元朝的廣寒殿舊址建造白塔，益增風光。穿越傍山環島而建的半圓形遊廊，在「仿膳」晚餐，捨小米窩窩頭尚饒趣味，其他菜餚一如常態，著宮女裝的女侍接待食客，倒是迎賓的另一花招。大觀園位在市西南隅，依據中國古典名著「紅樓夢」而設計建造，疊石成山，開闢池塘，全園包括庭院景區七處，自然景區三處，佛寺景區一處，殿宇景區一處，雖是現代人根據傳統創造，富有庭院深深深幾許的種種之美。園中有坐花轎的表演，吹吹打打熱鬧非凡，八個壯漢抬著大紅花轎，按著樂聲邊走邊舞，步伐花俏，活潑異常，幸好坐的是小孩，顛來倒去也無所謂，假設是十七八歲小新娘坐在裡面折騰，那是夠受的。明永樂十六年（公元一四二〇）建的天地壇，嘉靖九年（公元一五三〇）採四郊分祀制，於十三年改稱天壇，是明清帝王祭天祈谷之處。壝牆兩重，成內外壇。壇牆南方北圓象徵著古老天圓地方之說。內壇、圜丘壇在南，祈谷壇在北，同在一條軸線上。壇、殿、門、牆，頗具特色，是我國最大古代祭祀性的建築群，惜曾爲英法與八國聯軍破壞，仍有可觀；佔地廣大，松柏蒼翠，形成城市森林，置身其間，頓減溽暑的威脅，有著清風徐來的一片涼爽。

琉璃廠、天橋、王府井大街，飼有熊貓的動物園等。曾往徘徊；唯一獨家經營的麥當勞速食店，小坐冷飲，氣氛似在台北。

過故宮未入，改往景山公園，登高眺遠，惜雨霧迷濛，捨宮牆、大殿，餘均一片模糊。眼見坡邊的崇禎自縊處，雖是一六四四年的往事，槐樹新栽，徒留憑弔的深想。

北平二度行程，匆匆過客，掠影輕塵，古典建築的壯麗堂皇，新的飯店應運興起，人潮洶湧，路廣車多；滿足懷古的胸襟，但也看到社會底層猶在艱難中的掙扎。

我只是一個行客，帶著許多印象和觀感，將再飛回我的異地故鄉，內心充滿的是矛盾思緒，微有無可奈何的感傷，等待從萌明中，看到普照的陽光，重臨這塊屬於中華民族的大地，是我最大的願望。

歷史！歷史！誰來珍惜，誰來保護不再重演那專制的恐怖？讓民主與自由，人人得以享受，更期盼光大發揚，無負於我的萬里行程。

（民國八十一年八月二十五日）

追溯古長安的憧憬

西安在中華民族歷史中，曾是中國的七大古都之一，歷時一千多年。漢、唐長安，規模宏大，是國際間交往頻繁，名聞世界的大都市，從歷朝建都上來講，它爲悠久的中國歷史，確實有不可磨滅的燦爛的一頁。而且，西安位列中國心腹地區，關中平原的中部；尤其渭河從西安北面橫流而過，有「八水繞長安」的陳說。盆地的氣候溫和，雨量充沛，土地肥沃，物產富饒，既具有優越的自然條件，如此，造致成爲古代文明發祥地之一的重要因素。

絲路快車由蘭州向東南的行程，在蘭新一段，已經部分電氣化，正大力舖設雙軌中；現時走的隴海鐵路，地理形勢大有差異，丘嶺相疊，河溪流暢，鄉野逞翠，人煙較密，過定西，通渭、武山、甘谷、鳳閣、寶雞等地，進入渭河盆地，所見農村豐盛，馬羊成群，工廠煙囪冒著黃色或黑色的濃煙，相信必會造致環境的污染，或由於地廣人稀的大陸，尚未作積極有效的防止；加之，黃土飛揚於空際，習慣於如此生活的人，難怪讓來自台灣的人們不以爲然；似乎不重衛生，不修邊幅的人，幾乎時時處處常相共處。

經濟開放必要發展工業，西安道中已窺其皮相。這種工業發展，其實遠在抗戰期中即已建有基礎的，一味否定所有的歷史事實，實在是多餘，并且不智。目前，輕紡工業是陝西現代主體工業之一，追本溯源，就該提到在中華民國二十四年（一九三五）建的大華紗廠（原是石家莊大興紡織廠，當時迫於時勢，再加關中地區盛產棉花，最初紗錠一、九六〇枚，布機三二〇台，另置發電機和鍋爐各一台，規模佔陝西乃至西北地區首屈一指的地位（主持人石鳳翔是蔣緯國上將軍的岳父。）三十年三度擴展，租用寶雞申新紗廠，武昌震寰紗廠紗錠，到民國二十七年，紗錠計有四五、六六四枚，線錠一、一二〇枚，布機八二〇台，工人三、九五〇人。雖經日本飛機的轟炸，大火燃燒，工廠元氣大傷，蹶又復起，并投資其他行業，從民國三十到三十五年間，先後在西安、寶雞、咸陽、富平、蒲城、白水等地，開設或投資紡織、煤炭、肥皂、純鹼、食鹽等工業，爲陝西工業近代化貢獻殊鉅。跟著帶動參與和興建的，有大華機器磨粉廠、富華化學股份有限公司、陝西冶鐵公司、白水建華洋灰廠、三原打包廠等機器工業，也就培養大批技術工人和管理的人才。其外，抗日戰爭中興起的西安工業，在國民政府提出的「開發西北，建設西安」的口號下，逐步推展。首先隴海鐵路向西展築，使得國外及沿海地區機器產品大量輸入。製造濃硫酸，濃硝酸和鹽酸，組設集成三酸股份有限公司，民國二十五年西京電廠正式供電；他地遷來的國華燭皀廠、大業胰廠、大華紗廠、成豐麵粉廠、襄明玻璃廠、中南火柴廠相繼建立。另外，西藥、顏料和火藥加工廠、機器漂染廠、新華衛生材料廠、西京建中機器製造廠、大秦毛呢紡織廠、西北化學製藥廠、西北協興造紙廠、啓新印書館等。近代工業的發起，促使西安與鄰近地區工業奠定基礎。西安今日道路寬廣，市區稍有起色，固該回想前人建設西安的功勞。所以成爲中國文明象徵的古都之一，文物古蹟羅如星群，歷經周秦與漢唐，誠屬得天獨厚。我幸得女兒的陪伴兩訪西安，充實心靈之樂，有逾其它。聞見所及，遠古藍田猿人遺址，半坡遺址、姜寨遺址、秦陵兵馬俑、銅車馬、漢唐陵墓石刻、唐三彩等瑰寶，或是親往瞰視，或從「碑林」與陝西歷史博物館瀏覽目睹，緬懷先民竭智所在，點點血汗結晶，任由後來者聚精會神，注目品鑑，啓示我們絕對不能忘祖，該當接踵奮勉。

當我走進新石器時代的半坡遺址，佈置仿如往昔生活狀況，看到一隻尖底陶瓶，同行的有著疑問，要就我所知作答，那陳列的侈口長瓶，身附兩耳尖底，是便於沉入井中汲水的，此間保存的粗糙并有裂痕，我見的完整而繪有美麗旋紋的，應該是屬於陝西呂家坪出土的馬家窯類型，現藏甘肅省博物館的一隻，該列爲中國新石器時代的史前彩陶之冠。臨潼驪山腳下秦皇陵，佔地廣闊，是征發刑徒、奴產子七十餘萬人，大規模的修建，始皇自十三歲即位開始，直到死後還未完全竣工；其動用人力之多，修陵時間之長，歷史上都是罕見的。他在十年（公元前二三〇—前二二一年）期間先後滅亡韓、趙、燕、魏、楚、齊六國，完成統一，誠如古書說的：「爭地以戰，殺人盈野，民有飢色，野有餓殍」。并統一法律、文字、貨幣、度量衡單位，還有車同軌，築寬闊馳道，北築長城等。統一中國，固有貢獻於多民族國家的中國，保護邊境與國民生存和文化，惟採取的措施殘暴，而且，加強思想、文化的封建專制，竟然焚書、坑儒，尤爲後世百代深切詬病的。從秦陵已經發現的三座大型兵馬俑坑（民國六十三年春發現，第二座兵馬俑坑發掘尙有待時日），一號坑最大，置一如眞人實馬的窯燒、彩繪的武士俑和拖戰車的陶馬六千多個。秦陵西邊車馬陪葬坑，民國六十九年出土銅馬車，一號定名「駟馬立車」，二號定名「駟馬安車」，就秦宮屬車仿製，車蓋華麗，并各有一馭手俑。早於秦時代的，青銅鑄馬，民國四十六年長安縣屬河西發掘到的，有駕四馬作戰用的戎車一輛，駕二馬乘坐用的軺車一輛，戎車駕馬全部以青銅爲飾，軺車大部綴用海貝做成馬飾，兩車和殉葬者的骸骨，現仍照著原樣保護，是在西周京城豐京遺址範圍內的墓葬所發現。後於秦代的銅製奔馬，民國五十八年，武威雷臺（相傳前涼張茂作靈均臺，上築宮殿，明改建爲雷祖廟）在東漢晚期墓葬中發現，該項青銅奔馬視爲藝術珍品，原件藏入甘肅省博物館內。

今天的西安「碑林」，現址就是往日的北京兆府府學舊址，北宋哲宗元祐二年（一〇八七）就已設立，距今已逾九百年，名「陝西省石刻藝術博物館」，眞是名符其實。收藏漢、魏、隋、唐、宋、明、清各代碑碣，刻石達二、三〇〇餘方，在展的一、〇〇〇餘方，分別佈置七座展覽室、八條遊廊，十座碑亭中，是我國集中保存漢唐以來的碑石，是最早和最多的場所，人們稱譽爲中國自古書道淵藪和文化的寶庫。其收藏保存的動機，單純頗具趣味，唐末五代，長安在戰火中化爲斷瓦殘磚，棄諸外城的一批前朝珍貴碑石，如：「石台孝經」、「開成石經」等，皆處於風吹雨淋與人馬踐踏之下，韓建把「石台孝經」搬進內城，接著另一文人尹玉羽苦勸後梁軍人劉鄩，將「開成石經」也就搬入內城，得漕運使呂大忠等人倡儀，將兩部石經及其他重要碑石移至現址。修建碑廊。雖然世事滄桑，風雲變化，保護碑林，仍是代不乏人，其中清朝乾隆年間，兩度出任陝西巡撫的金石學家華沅，盡力至偉。

大門內廣場聳立的碑林，頂部有林則徐手書的「碑林」兩個鎏金大字，下則安放石台孝經，算是碑林中最大的碑石，顯得頂天立地，隸書字體，華麗大方，唐明皇李隆基手書的。（七一二—七五六）第一室碑石，整齊劃一，陳列唐文宗開成二年（八三七）的「開成石經」，一一四塊方石刻成，每塊都是兩面，計二二八面，六五〇、二五二字，保存完整。殊不知中國在最早的東漢熹平石經（一七五），三百四十七字殘石，已在碑林陳列當中。（原由于右任購藏於上海，輾轉由富平移入西安碑林，或因其婿屈武出任陝西省長而獻出。另：台北國立歷史博物館藏有六二四字。）

集楷書四大家書法石碑於一室的。歐陽詢父子書寫的「皇甫誕碑」和「道因法師碑」，褚遂良寫的「大唐三藏聖教碑序」，（序係唐太宗李世民所作），顏眞卿中年寫的「多寶塔碑」，晚年寫的「顏氏家廟碑」，中國古代佛學四大翻譯家「不空和尚碑」，記述他是印度佛學大師。「大秦景佛流行中國碑」，說明基督的一個教派，唐時從東羅馬經由波斯向中國傳播經過及其教規教義。碑上刻有十字架，還有古敘利亞文寫的景教徒名字。北魏到隋唐的墓誌，大部分爲于右任先生搜集的，有一些是中國魏書的精品。古代羌族人立的碑，有東晉十六國時，前秦「鄧太尉祠碑」和「廣武將軍碑」，北魏「暉福寺碑」。唐代草書大師張旭，懷素遺存的碑石，刻文留眞至具灑脫狂放的美感。

民國八十年六月始行開館的陝西歷史博物館，是一座仿唐式新建築，佔地既廣，佈局古樸典雅。強調陝西古代史的陳列，重點分史前，周、秦、漢、魏晉南北朝，隋唐、宋元明清七個部分，展現一一五萬年前至一八四〇年，約二千餘件的珍貴文物，抱括關中、陝北、陝南各地不同的風貌，突現十五個古代王朝的豐采。

既具歷史性兼有藝術性的古代文物中，有：銅器、金銀玉器、唐墓壁畫、陶俑、貨幣、陶瓷玻璃、秦漢磚瓦、漢唐銅鏡等精華，特就別緻罕見，有：「鳥蓋瓠壺」盛酒器，銅製、戰國時物，腹碩頸長，蓋與把手間，鏈條連接，精巧便於攜帶。晚商王權象徵的「蛙紋鉞」的銅兵器，四腳張開的蛙形，嵌在器身圓形空隙中，頗具慧麗。同一時代的銅「四足鬲」烹飪器，頸腹鏤有雲紋，世甚少見。「它盉」盛裝酒或水的，西周晚期物，扁圓四足，把和流是一龍一虎構成，蓋用鳳凰造型，物精形美。金銀銅器，雕刻細緻，製作精巧，俱是稀世珍寶，如西漢「獅虎相鬥銅飾牌」，唐「八稜樂伎杯」酒器、春秋、秦「金狗」，皆陝西最早金製的工藝品，唐赤金「走龍」，小巧玲瓏的工藝精品。新石器時代「玉人頭」，樸實簡明，饒有佳趣。西魏「胡人俑」，腹部出奇的壯碩，「人面鎮墓獸」，更是超乎常情的造型，翹鼻闊嘴，四爪蹲踞。金朝「相撲俑」，兩者怒目相視，擺出即將競技的戰鬥雄姿。繪彩剝落，仍極生動。新石器時代的「彩陶獸面紋壺」，拙實古樸，先民慧思令人稱羨。唐三彩「盛西瓜盤」，西瓜青皮黃紋，盛在圓盤當中，秀色可餐。西漢「四神紋瓦當」，分別雕有青龍、白虎、朱雀、玄武；代表東、西、南、北四個方位的神祇形象，活潑神武。假如，若將置於碑林中的巨象，吼獅和來自昭陵的六駿，移來闢室陳列，當有助於陝西博物館內石刻藝術的充實與增加更多的可看性與研究性。

（民國八十二年九月）

秦豫兵馬俑和石雕佛的歷史觀與藝術觀

壹、陶塑與佛雕的奇觀—前言

仲夏暑熱，在次女麗華陪同下，作一次跨越江河萬里行，歷時兩週；足跡所至，親履秦帝陵園與龍門石窟；一在陝西渭水平原的西安，一在河南河洛地區的洛陽。一西一東，相隔八個小時的隴海鐵路火車行程。秦陵兵馬俑坑近年始被發現發掘出土，大有可看；海內外爲之轟動，世界視爲奇觀。千古一帝的嬴政陵墓，於公元前二四六年，秦王始政即開始修建，先後長達三十八年；直至死後入土尚未完全竣工，後人有公元前二〇九年「覆土驪山」的記載。深藏在黃土坡中的陶塑兵馬俑群逾二千二百多年之久，目前是一座野外的「秦始皇兵馬俑博物館」。龍門石窟，又稱「伊闕」的東西兩山摩崖石刻，以佛雕造像爲主；大大小小，星羅棋佈於水濱石崖，最早開鑿於北魏孝文帝公元四九四年，由平城遷都洛陽前後。歷經東魏、西魏、北齊、北周、隋、唐、五代、宋諸朝，其中北魏和唐代的大規模營造，幾達一百五十年之久，成爲中國的石質雕刻之最，無異是處於野外的，規模宏大的，一所石雕佛像博物館。

一則創建於紀元前的陶塑兵馬，一則創始紀元後的石雕佛像，量多質精，發揮出雕刻藝術至上的光輝。得開親臨一一觀摩欣賞，雖有人生苦短，歲月無情，天涯寄跡，他鄉作客的感喟；而中華民族悠久文化孕育的精華，古代燦爛的文明尚能有跡可尋，先民留存如許的歷史文物，琳瑯滿目，不無使人懷古念今，有著大幸的領悟。往事陳跡，固多逝如巨川一去不返，低徊現實，國人又如何堅定信念，顯現魄力，執著開創，改善圖新。一本我中華民族衆多成就而自傲，理應急起直追，無使落後。

人類藝術活動的方式較爲顯著的，莫如雕刻與繪畫，兩者關聯至爲密切而深厚。表現於雕刻的，在中國來說，起源最早，應用最廣，可以說是工藝之母。它表現著國人的聰明才智，若從大陸各地所見古有實物，既無虛妄，即以台灣地區而論—如今藝術活動的蓬勃，日新又新，良賴由民主之所賜，一旦大陸去除閉塞，使藝術得以發展，相信本諸往日的輝皇成就，定必有所啓發而日益昌隆，想是可以預卜的。筆者就旅遊考察所到各地，歷見有陵墓石刻、宗教石刻、宮苑石刻和民間石刻的古代雕刻四大支系。宗教石刻中的龍門摩崖佛雕，鑿窟造像，奮鎚聾鏨，鬼斧神工，僅就造像言之，即達十萬餘尊，怎不令人驚嘆咋舌如此瑰麗奇偉。陶塑製品，大家僅知唐代三彩陶俑，爲世所重，再向上推及兩漢，亦初得惠陝西西安出土的「綠釉陶水亭」，四角擁有張弩控弦的武士，亭中復有人在舞蹈，有人撫琴，基礎圓池，環繞著人物、馬匹，其題材的美妙，人物和馬匹的生動景象，表現出陶塑的精巧寫實的極致。四川成都出土的「說唱俑」，左腋挾鼓，右手舉槌，一腳翹起，雙眼微突，大嘴張開在進行說唱表演，表情幽默風趣，十分傳神，使得兩千年前的一個民間藝人的形象躍於眼前。具有更強烈藝術感染力的陶塑人物、馬匹，竟得陳列在北平中國歷史博物館，筆者初獲一睹，快慰生平。想不到那原是民國六十三年（一九七四）陝西臨潼驪山的秦始皇陵出土的古物。兵俑高一點七五公尺至一點九五公尺之間，陶馬大小與眞馬相似，形象逼眞，比例適度。資料記載：經發掘和勘測兵馬俑坑內形體高大的兵俑和馬俑近六、七千件，排列有序，雄偉壯觀，無與倫比。於此再現秦代統一中國時的強大軍陣，更顯示著中國雕刻藝術在二千二百年以前，已有著那麼突出和極不平凡的造就，怎不讓人認爲是一項瑰寶？

由於陝西、河南發現的陶塑和石雕，是不易窺其全貌的寶藏。尤其，年代那麼深遠，歷史那麼悠久，唯大唯精，無論是圓雕、平雕，深淺剔透，肖妙自然。吾人捨去石刻於山崖深窟造像鉅觀之外，其超越龍門石窟七百年以上的陶塑兵馬，形象神態，甚至裝飾佩帶，都那麼眞實，猶如眞人眞馬般栩栩如生，教人有一種不可思議其藝術匠心的神奇巧妙。陶塑製作，驚詫它有著這麼碩大量多，精緻如許的龐然大物，人俑也好，馬俑也好，塑妥一一裝入窯內火燒不使斷裂，不使縮小，的確不易控制溫度。當時技術高超，會讓後世製陶的人們衷心敬佩。出窯後的彩繪工作，該又費多少人力、物力和無盡的心思。從這些陶塑與石刻的雕刻藝術的眞憑實據來看，中國先民的藝術天賦，技術本能，信心和毅力，值得讚賞。由此一端，中華民族優秀與聰慧過人，是可肯定的。爲此，筆者謹就具有代表性的秦陵兵馬俑、龍門石雕佛，作爲一項歷史性和藝術性的雕刻史的探討，用親眼所見的種種，撰述成篇。

一、秦陵兵馬俑坑的一顧

民國六十三年三月（一九七四），農民在地裡挖井，偶然挖出許多陶兵馬的碎片，經專家鑑定是秦代遺物，這就是現在稱做一號坑的所在。二號坑、三號坑於民國六十五年相繼發現進行發掘，後又回填。三個盛放的兵馬陶俑坑道，原都有土木結構的蓋頂，早已無存，三號坑自行塌陷，極大多數陶俑化成碎片。一號坑長二三〇公尺，南北寬六十二公尺，深達五公尺，面積一四、二六〇平方公尺，稍北的二、三號坑道較小，距離西邊一、五公里，位於驪山北、渭水之南的陵墓，現存陵丘只高七十六公尺，周長一、二五〇公尺，內有長方形的內外兩城，皇陵本身尚未發掘。這個被世人讚譽的秦始皇陵園，在離陝西臨潼縣東十五華里，西安三十六公里。兵馬俑坑的開放是在民國六十八年（一九七九）的事，彼時兩岸阻隔，資訊難得，筆者服務國立歷史博物館，於一九七八年四月出版的美國國家雜誌上閱知，秦代（公元前二四六—二〇六年）的雕塑藝術輝皇造就，從歷史觀點上卻有著新的發現。事隔十四個年頭，竟能眼見兵馬俑群，至感欣慰。秦以一個小邦併吞六國而統一中國形成龐大帝國，秦始皇的不世事業以及生前修造陵園（公元前二四七開始至公元前二〇八年冬終止），利於死後的安息，留下兩千年前兵陣景象，與秦俑雕塑工藝、燒製技術、彩繪藝術、等等佳構偉觀，試以系統的一一瀝陳，用以說明一項事實：

二、嬴政生平與其功業缺失

出生在趙國的嬴政，有他一番坎坷童年的個人歷史。在戰國時期，諸侯割據稱雄，相互征伐，政治風雲變幻莫測，往往將自己的兒子或孫兒去當人質，以期獲得幫助或有所依賴。嬴政父親嬴異人（

子楚），是秦國孝文王嬴柱的兒子，秦昭襄王嬴稷的孫子。嬴異人是嬴柱（安國君）二十多個兒子中的屬於「諸庶孽孫」，是王室血統地位不高的人，被秦昭王送到趙國充當人質，成了落難王孫。安國君立爲太子，寵幸華陽夫人，在韓國做生意的衛國人呂不韋來到趙國首都邯鄲，看到嬴異人窮困潦倒景況，萌發利用異人做一次政治投機勾當，一方面留金嬴異人在趙國從事廣結賓客，增強人際關係，另自去秦說服華陽夫人收異人爲嫡子，并經安國君拿出王符，刻上「適嗣異人」四字，且饋贈異人金銀財寶，還聘呂不韋當異人的老師。於是，異人名聲在諸侯國中遠近聞名。呂不韋爲著進一步控制異人，以自己的侍妾趙姬，姿容絕美，能歌善舞，安排酒食之間，頻送秋波傳情，異人孤身作客異鄉，心旌激盪，請呂允將趙姬作妻，終於有情人成了眷屬，夫妻恩愛，一年後正月生產一子，寄望他日爲政天下，起名政。生在趙國叫做趙政，后來做了秦王又稱爲秦王政。秦昭王五十年（公元前二五七）對趙發動戰爭，圍困邯鄲，情勢危急，異人脫逃到了咸陽，夫人趙姬帶著孩子倉惶遁走，藏身娘家，保住性命，童年磨難，頗受影響。公元前二五一年，秦昭襄王去世，太子安國君嬴柱繼位，稱孝文王，華陽夫人爲皇后，嬴異人子楚策立爲秦國太子，趙國將其妻兒送回秦國恢復本姓開始稱做嬴政。不意秦孝文王就位三月去世，太子子楚繼位稱秦莊襄王，將華陽夫人尊爲華陽太后，生母夏姬稱夏太后，拜呂不韋爲丞相，封文信侯，封趙姬爲王后。秦莊襄王在位三年，於公元前二四七年病死，太子嬴政繼位，稱爲秦王，這時才十三歲，尊呂不韋爲相國，號稱「仲父」，國家大事，全由呂個人決定。冒充閹人的嫪毒，經呂送入宮中，被封長信侯，國家「事無大小皆決于嫪」（史記·秦始皇本紀），圖謀不軌，與太后策劃欲殺秦王政，等到公元前二三八年，秦王政已經二十二歲，始行「冠禮」，嫪毒叛亂藉機發動，終被處以「車裂」之刑。秦王政自立攬政，處事剛強果斷，鋒芒畢顯。由一小邦，轉躍而成威震六國的首強，重要原因在於先輩艱苦創業，奮發向上，已奠定統一的堅實根基。再說秦建國開始，被封為諸侯，乃在秦襄公率軍與侵擾的大戎部落苦戰，并護送周平王東遷立有大功。

秦王嬴政雄才大略，成為千古一帝，在十年期間（公元前二三〇—二二一）橫掃六國的韓、趙、魏、楚、燕、齊，完成一統，更改名號，重訂綱常禮儀，「皇帝」是中國歷史上由他開始的最高統治者的稱號。他認為「謚法欠當」，追尊他的父親秦莊襄王為太上皇，統一中國後，自我稱為始皇帝，后世即以計數，二世三世及于萬世，傳至無窮。從未料到傳到三代，如此強大的王朝，於歷史長流中，就告消失，秦始皇只活五十歲，而在公元二一〇年，死於第五次出巡途中。他的功業，如：廢除分封，全國推行郡縣制，政令歸一，首先（一）、斂兵徙豪，根據史記·秦始皇本紀記載：「收天下兵，聚之咸陽，銷以為鐘鐻，金十二人，重各千石，置廷宮中。」（我們在西安的秦宮影城看到碩大無朋的十二金人分列宮前，有助於對「金十二人」的想像力。）又「徙天下豪富于咸陽十二萬戶」。（二）、統一文字：在大篆基礎上，演化而成「秦文」，又叫「小篆」或「秦篆」。（三）、統一貨幣：當時布幣流行于三晉（韓、魏、趙）及附近地區」刀幣流行于齊燕，爰金是楚國的金幣，面有壓印「郢爰」或「陳爰」方戳，蟻鼻錢是楚國銅幣，俗稱「鬼臉錢」」圓形環錢出現于戰國中期，稱「半兩錢」，是秦國主要的貨幣。基於戰國時期，各國自行鑄造貨幣，種類繁多，形制、重量各不相同，計算單位又不一致，價錢均不相等，換算非常困難，就其形制，有鏟形（布幣）、刀形（刀幣）、方形（爰金）、橢圓形（蟻鼻錢）、圓形（環錢）五種，因此，廢除舊貨幣，推行半兩錢。（四）、統一度量衡：以升、斗、桶（斛）爲單位，採用十進位制。（五）、發展交通：如：修築馳道、新道、直道等。水道在陝西關中修築鄭國渠，廣西開鑿靈渠，引湘入漓，使得航運與灌溉相互結合。（六）、開拓邊疆：如：開拓南域，「南取百越之地，以爲桂林、象郡」。在征服「百越」、經略東南和華南的同時，也進行統一西南的事業，就貴州和四川的「西南夷」實行懷柔政策，採取優惠措施。經營北疆，在公元前二一五年，命將軍蒙恬擊胡，并督造修建防禦匈奴的邊防工事萬里長城，使之加強堅實。

秦始皇最爲人詬病的，就是「焚書」和「坑儒」，爲著統一思想，採取焚書的極端錯誤作法。秦以前的中國古代典籍，除去醫、農、天文、神學之外，全部化爲灰燼。當時的書籍材料，用的是竹簡和木簡，書寫工具簡單，傳抄很不方便，經過這一焚燬所剩無幾，成爲「經書缺乏而不明，篇章棄散而不具」。（見東漢王充論衡）秦時焚書在陝西發現有兩個地方，一在灞橋附近，一在渭南，在一塊黑土和一個土丘上，有著灰層的遺跡，是眞還是假，有待考證。至於「坑儒」之舉，「諸生皆誦法孔子，今上皆重法繩之」，受方士連累，互相揭發，最后由秦始皇圈定四六〇個儒生，「坑之咸陽」，其餘流放邊疆。另在驪山還坑七百多人，灞橋湣儒鄉，古代稱爲紅坑村，又稱滅文堡，唐改名旌儒鄉，說是坑儒所在。昔時有廟有碑，後來廟毀碑失，宋人重刻碑文置於文廟。「文革」連宋代碑石也被毀得無影無蹤。

兼併六國之後的秦始皇，躊躇滿志，又在十年間進行五次巡游，行蹤遍及黃河上下、大江南北，并在七處勒石立碑，記述功勛。其目的在於：一、親巡天下，威服海內。二、巡行郡縣，周覽遠方。三、求仙問道，在找長生不老之藥。由於賦重從苛，嚴刑峻法，剛毅戾深，不卹民命，雖曾遭到博浪椎襲，荊軻追殺，均未有所省悟。其功高而殃民至深，多方求長生不老之藥，受騙而不自知，以致情緒與心理極不平衡。孜孜以求的最大心願在長生既不可得，正所謂：「惟不可得者，壽也」。（丘瓊山著綱鑑全篇）於是造咸陽宮，在生活上期獲有所享受，築驪山墓，期於死後重享生時的榮華，種種勞民耗財的乖繆舉措，使他未老先喪，留有無窮的遺憾。及之秦二世胡亥，歷經三年暴虐統治，終於早亡，秦王朝迅速的瓦解，留存後世的秦始皇陵，卻受到後世的重視和憑弔。

三、一墓獨尊—秦始皇陵園

秦始皇的功業彪炳，記諸史乘，其孤僻殘暴性格，十足表現於禍國殃民，也在文獻上斑斑可考。他是求壽不可得，但是，「事死如事生」的觀念，依然深植其心，對人死靈魂存在堅信不疑，認為人死以後要和生前一樣地在冥間活著，衣、食、住、行各樣都得俱備。根據「呂氏春秋．安死」中說的：天子、諸侯的陵園不同于一般，要「設闕庭，為宮室，造賓阼也若都邑」，做成開天闢地以來第一個皇帝的陵墓，一切所需，都要模擬生前，將他地上王國搬到地下。設計要求，是：高大的封土及其下面的地宮，象徵當時的咸陽宮。地面上建兩重夯土城垣，象徵京師的內外城或稱做大小城，外城垣東側設置兵馬俑坑，象徵守衛京城的宿衛軍，大型的馬廄坑，象徵京師的宮廷廄苑。墓道中的銅車馬，象徵宮廷的乘輿。珍禽異獸坑和跪坐俑坑，象徵皇室的囿苑，還有寢殿、便殿等，正符合「起居衣冠象生之備」，「以象休息閑宴之處」，業經考古勘察所證實。這座宏大陵園建造主持人，前十年是呂不韋，呂既爲秦始皇父親莊襄王的丞相，繼位秦王又任爲相國，兩代爲相，最後終於放逐蜀地，服毒身亡。繼任的李斯以丞相之尊，竟在二世二年七月（公元前二〇八年），被「刺字、斬左右趾後，即行攔腰砍斷」，還算是從寬論處，以示二世和趙高的仁慈。才具出衆，匡助功高的李斯，結局竟如此的殘酷和不幸。

一墓獨尊的秦始皇陵園設計，既承襲過去諸侯陵園和布局，又有其獨創的風格，陵園內設有專門管理的官吏，附近設置陵邑，更是前所未有的創舉。化費之巨，用人之衆，就漢舊儀講：「始皇使丞相李斯將天下刑人徒隸七十二萬人作陵」。秦始皇三十七年（公元前二一〇）七月客死河北省境沙丘（今新鄉縣），九月入葬陝西臨潼驪山。二世暫停阿房宮的營建，集中全國人力、物力、財力，并把那裡刑徒、役夫統統調集驪山，趕緊完成始皇陵的工程，如內部裝修、上部覆土、周圍的陪葬，以及配套工程施工，讓始皇帝早早「入土爲安」。當時陵高一一五公尺，如今還是一座山丘模樣，所種樹木現植的是石榴果樹，環以磚垣，景觀幽美，已經發掘出土的有兵馬俑，還有工藝精巧的銅車馬等，其它的只有待諸異日，說不定還有驚人的奇跡發現。（活埋的工人、皇子、妃嬪。）

四、規模宏大、形象逼真兵馬俑

根據四書之一的孟子梁惠王上篇，曾經引用仲尼的話：「始作俑者其無後乎？」。鄭玄注：「俑偶人也，有面目機發，有似于生人。」檀弓下：「孔子謂明器者，知喪道矣，備物而不用，哀哉」。又說：「塗車芻靈，自古有之，明器之道也」。更說：「孔子謂爲芻靈者善，謂爲俑者不仁，殆於用乎人哉。」採用鄭玄注說：「芻靈，束茅爲人馬，謂之靈者，神之類。」從孔子（公元前五五一－四七九）講的送死隨葬物，也就是殉葬品而言。秦始皇（公元前二五九－二一〇）與孔子年代有著三百年的差距，營建的陵墓，僅就陪葬俑類的形象碩大，固非一般常人所可想像，也絕非孔子再世能可預測。有人說：這就是秦始皇與衆不同反其道而行的一種特殊性格所致。須知，秦朝對儒家理論嗤之以鼻，難以全盤接受，而對宗法制度的執行，歷來更不嚴格的。秦始皇的行爲好大喜功，就營建宮室和營建陵園這兩項來看，即可見其端倪，實即造致秦帝國滅亡契機的所在，其強大時快，滅時也速。

秦始皇兵馬俑從發現和發掘出土的過程來看，爲時甚短，仍將繼續得見顯赫的堂堂之陣，強健威武的神態是歷史上從未有過的兵馬俑群。若純由陪葬來談，兵馬俑形成軍隊陣容的，另外目前還有二次出土記錄，一是秦後兩漢時期物。先於秦始皇陵出土，民國五十四年（公元一九六五），在陝西咸陽楊家灣的漢墓，出土步兵俑一、八〇〇多件，騎兵俑五〇〇多件，彩繪，世俗號稱：「三千人馬」，算是中國最早最多出土的兵馬俑群。量與質，大小比例，均不及民國六十三年（公元一九七四）陝西臨潼出土的秦兵馬俑群那麼引起轟動與重視的程度。若從軍事史上的觀察，其形象反映西漢（公元前二〇六－公元八年）時期軍隊裝備和編制情況，證明西漢時期已經有輕騎兵隊和重騎兵隊，輕裝步兵和重裝步兵的編制，更從漢兵馬俑形成陣容看出，戰車數量減少，騎兵數量大增，集中排列，自成方隊，成爲獨立戰鬥的兵種。設從秦兵馬俑去看，騎兵雖已集中排列，但未形成方陣，似乎還處于從屬於戰車兵的地位。一是：民國七十三年（公元一九八四）在江蘇徐州獅子山，當地人挖掘磚瓦土時，發現充滿陶製兵馬俑的五條坑道。小人小馬，只有二十餘公分高，相與秦兵馬俑比較，算是「小兵馬俑」，有說是西漢景、武帝之際的楚王墓室的倍葬物。這群小兵馬俑，姿勢跪式，以楚軍來爲塑造的藍本，是帶有寫意的手法創造出來的工藝品，它能表現出極複雜的感情，諸如：衣著、神情態度等，顯示著俑群的年齡、兵種、職位，同中有異，百態千姿，通過俑群的眼、眉、鼻、嘴各部分微小變化，刻劃著各種不同的神態，經過焙燒陶化，飾有彩繪。雖然漢代兵馬俑群，實不及秦代的藝術造詣與技法精巧，但由於表現著豐富的感情，給人有著一種袖珍美的感覺。

陶俑是以粘土作原料，經過一定溫度燒焙而成，它是中國雕刻藝術中特有的一種類型。古代爲死者殉葬製作的「明器」，用來象徵侍奉、任使、陪伴、護衛死者複身靈魂的偶像。慣常有木製、陶土塑造，還有用銅、鉛、銀、石、玉等材料造成的。從考古發掘出土的古代墓葬中殉葬品大致觀察，南方木製的俑較多，經過雕刻，面部表情豐富，還予以彩繪，出土於湖南湖北楚墓中，而且，上肢並能轉動。在國外藏於荷蘭萊登博物館的有一站一跪的戰國時期木俑，美國大都會美術館的木俑兩者筆立，雙手均已脫落，約略見得「機發」可動的。最爲普遍的陶俑，雕塑內容多爲象徵死者生前僕婢、僚屬、文武官員、屋舍磨坊、家畜家禽、車馬、駱駝、日用器具、歌舞伎、鎭墓獸、以及十二生肖等等。秦朝、兩漢、唐代俱有專門的官署來負責燒造，并且，有一定的規制。陶俑用於陪葬的來由，是繼續先前用活人、活馬殉葬，到春秋、戰國時期（公元前二年漢哀帝禁止死殉），出現俑殉的替代方式。載諸史籍的，先有秦獻公元年（公元前三八四）廢除人殉制度，以俑殉取代人殉的記錄。陶俑形成墓葬中的殉葬品，是基於現實生活需要，何嘗不是一項人道的自然發展所致。古人萬想不到，它能反映各個時代的社會制度，思想意識，風俗習慣和文化生活等等。這種體現整個時代的物質基礎和精神面貌，以俑代人的作法，提供研究歷代社會階層的一般生活、喪葬、服飾等可靠資料，以補充文字記載的不足，且對歷代政治、經濟、文化、軍事等，不無有著參考的價値。同時，陶俑的雕塑，在雕刻藝術領域中，開拓廣闊的天地，促成一個持殊而重要的藝術門類，爲藝術方面的成就，綻放出燦爛的花果。說遠一點，六千年前半坡仰韶文化時期的陶製人頭形、獸形雕塑等，有人認爲是陶俑雕塑藝術的鼻祖，但研究的人，似不能忽略陶俑是周、秦、漢、唐時期特有的一種產物。

筆者認爲新石器時代，先民既已用陶製作生活用品，在愛美觀念中，雕塑人頭形、鳥形、獸形物，以今觀昔，陶製物帶有古樸、稚拙、簡括的特點，或有影響幾千年後製作陶俑形象的寫實根源，那絕非是陶俑藝術的鼻祖，因爲，在創造過程與用途有別，還是分開論列，庶幾合乎同歸異途的邏輯，等於以人殉葬，在外國也曾累見不少，究竟誰是鼻祖，眞是糾纏不清，難以解釋清楚的事情。

就歷代陶俑的雕塑特點概要言之，秦代以兵馬俑群作典型代表，是以高度的寫實創作方法來表現群體，其形體的結構、比例都以解剖學原理做準則，而服飾、髮型、裝備、悉以當時的現實作依據的。因此，整體塑造完整宏大、細部刻劃精巧入微，比例均勻，眞實生動。漢代陶俑雕刻手法簡練概括，內容豐富多彩，帶有濃厚的生活氣息，題材又復多種多樣。魏晉南北朝的時代，漢民族文化和草原文化的相互交融，在陶塑上也就產生淳樸勁健、粗獷有力的風貌，惟出土無多，有的是模製，或加彩繪。其原因在於建安十年（公元二〇五）魏武帝曹操，以天下凋弊，下令不得厚葬，又禁立碑。晉武帝司馬炎咸寧四年（公元二七八），詔禁立碑，魏晉間碑刻遺存不多，禁止是其主因，薄葬當會造致陶俑的少見。隋俑在藝術風格上，從注意線條到注重質感，審美觀念成爲由「清新俊逸」的清瘦，過渡到較漢俑豐滿的微胖。唐代盛行厚葬，從大量、豐富多彩的陶俑中，深具強調質感、寫實、飽滿、渾圓、和熱烈奔放、氣勢宏偉的特點，尤以製作材料方面，三彩俑是陶俑中一個特殊的種類，想不到千年以後成爲一項大放異彩的工藝製品，無論在台灣，以及洛陽、西安設廠仿製行銷海內外各地，大發利市，人們去除明器的陳舊想法，代以愛好當做工藝品來裝飾欣賞的很多很多。宋代以後的殉葬習俗衰落，陶俑在量與質兩者都趨於式微，因而無庸評論。

秦陵兵馬俑坑以一號坑展示爲主體，站在前廊中的前鋒，面向東，三列橫隊，每列七〇人，緊接在後面的戰車和步兵相間的三十八路縱隊，分成十一組，這是軍陣中所見立體的景象，它的左右兩翼，各有兩列戰士分別面南面北，後衛又有三列戰士，前兩列面東，最後一列面西。前鋒部隊中三人，均著鎧甲想係軍官，站在第一列前的兩端及中間，當是部隊的指揮官，統率著部隊。戰士們都穿輕裝、長襦、束帶、綁腿，著方口履，長髮綰於頭頂，式樣各異。從他們手勢來看，應是手持弓弩，但弓弩已經朽壞不見。軍隊主體中的兵俑皆穿鎧甲，他們原來都佩劍持矛，木質部份雖已朽壞，從戰士們手指彎曲來看，保持著持矛的姿勢，所用青銅劍和矛以及鈹、戟等散落腳邊，證明秦代裝備是用青銅兵器的事實。二號坑兵馬俑種類更多，有步兵和馭手還有騎兵和弓弩兵。騎兵牽著配有鞍具的馬，弓弩手持著弓弩，另有一個雙手拄劍的將軍俑。在前鋒採取立射式或跪射式弓弩手，戰車位於右翼，騎兵位於左翼，中間是戰車和步兵錯雜成一長方形隊列，殿後是另一支騎兵。三號坑是最小的，內有戰車一乘，馬俑四個，兵俑六十八個，成拱衛隊列，所有兵俑面皆向內，從服飾、姿態及隊列判斷，可能是一、二號坑部隊的指揮部所在。

綜觀秦皇陵的兵馬俑群，內中包括步兵、騎兵、弩兵和輕車兵，尚無確切統計數字，有說八千或六千的，更有說不止此數。由於尚未全部挖掘出土，且多殘缺破損，而為數衆多，確是史無前例的。兵俑有穿鎧甲和無鎧甲兩類，按軍階劃分則有將軍，軍吏和士兵，還有，有冠戴與無冠戴的分野，究竟冠戴與否？是隨士兵個人喜好而異，是兵種不一或軍階不同？令後世難以解釋。軍貴統一規定，假使任兵自便，似乎軍紀就有一點廢弛。

秦始皇陵園的兵馬俑隨葬如此衆多，正足說明：統率強大軍事實力的形象紀錄，象徵三軍拱衛京師，加強中尖集權，維護一統江山的反映，當然，藉此有著表彰武功的記功性質，來顯示，他的尊嚴和榮耀，永遠守衛著這位一世之雄的秦始皇偉大靈魂。

五、兵馬俑群的藝術之美—造型、雕塑、燒製、彩繪。

秦兵馬俑在西安出土，為中國古都歷史與藝術增色至夥。古都之一的安陽，在抗戰以前，就曾有過多次考古發掘，很多文物保存在台北的中央研究院和國立歷史博物館中列爲研究、收藏、陳列的珍寶，以甲骨文、青銅器、石雕等，尤具極高價值。筆者尚未到過安陽，開封過而未留，其他五大古都的北平、南京、杭州、洛陽、西安，有的停留一、二次，有的到過無數次，各具特色，最著的是中華民族豐富的文化遺產保有。西安秦俑，呈現出中國人的智慧、才能、和充盈的想象力，表現中國古代文明進步的程度，與秦始皇那個時代藝術和工藝的發展。在兵馬俑坑出土的陶塑藝術作品，是世界雕刻史上規模最大的陶兵馬俑群出土，它是仿自秦宿衛軍的製作，軍人各種神態和形象，活生生地塑造得唯妙唯肖。諸如：身材魁偉、氣度非凡的將軍，久經烽火、剛毅勇猛的士兵。還有膘肥勁健、昂首豎耳的駿馬，在造型、雕塑、燒製、彩繪各方面，獲得極大成就，創造陶質製作的罕見奇觀。

一、造型—從兵俑頭上的戴冠，判定軍吏俑與一般戰士俑的差異。軍吏俑的身份高低，又從戴冠上來劃分的。高級將軍俑頭戴鶡冠。中級的戴雙板長冠。下級的戴單板長冠，服飾、甲衣也有不同。最重要的，在造型風格和神態的刻劃與一般士兵截然有別：（一）最爲魁偉的莫過於將軍俑，身高一九〇公分，胸圍一二〇公分，腹圍一五九公分，抬頭挺胸，腹部微鼓，顯得異常雄偉。（二）中級軍吏俑胸圍九六公分，身高一七八公分，較下級的軍吏俑既高又寬。（三）下級軍吏俑的身材與一般士兵俑差異不大，有的身高一七二公分，胸圍八十六公分，腹圍一〇五公分，胸圍八二公分，腹圍一〇三公分，身材顯得比較單薄。

其次，神態刻劃。軍吏俑則由姿勢不同及面部細微區別顯現不同的身份、不同職位與精神氣質。

御官俑的裝束與姿態基本相似，兩臂平伸，雙手半握拳，拳心相對作握轡狀，眼睛平視，嘴唇緊閉，神態集中，塑造成有著性格內向、謹愼沉著的形象。將軍俑的神態和內心蘊藏的刻劃，更是入木三分，管子·論將說，既要「總文武者」，又要「兼剛柔者」。從坑內發現的幾個將軍俑，其共同特點就是魁偉的身材、長方形面孔，炯炯有神的眼睛、端端正正的五官，兩頰留有一撮濃鬢，看來面容嚴肅、氣質威武、神態鎭定自如，還在額頭上刻著一道道縐紋，似乎表露著久經戰陣，是一位富有帶兵、練兵、用兵的經驗充沛將領，也有留著八字鬍，頜下是長鬚一把的，有的雙手交叉，置於腹前作按劍狀。有的兩臂自然下垂左手半握，右手僅露兩個指節于袖外，姆指、食指和中指捏縮在內，更加顯示將軍的穩重感，這種將軍俑手勢的不同處理，益加增強它的藝術感染力，顯明有著與一般士兵的不同身分，且在氣質與風采方面，表現出將領就是將領，士兵就是士兵的分野。

戰國時期縱橫家張儀誇耀秦馬有言：「秦馬之良，戎兵之衆，探前蹶後，蹄間三尋者，不可勝數也。」從歷史上得知秦人擅於養馬是久負盛名，「相馬經」作者孫伯樂就是秦人，另一相馬名家方九皐爲同時代的人。馬俑重行出現當時名馬良種形象的，在于能夠奔馳和久走，那只能意會。

目前就已修復的陶馬觀察：有的正駕御著戰車，有的站在騎士身旁恭候驅使，形象準確生動，手法洗練概括，首、尾、軀幹，股豐骨勁，四肢用硬直的線、面、塑得稜角分明，馬頭的塑造，更是絲絲入扣，繁簡得宜，精雕細作，刻劃入微。如此陶馬，堪稱寫實藝術的傑作，高度、身長與當時秦馬沒有差別，就連身上的彩繪，也極力模擬眞馬，造型和神態的刻劃，俱已達到盡善盡美的境地。

在陶塑兵馬俑群中，有著兩項於此附帶說明的：

其（一）：秦陵附近陸續出土不少跽坐俑。所謂跽坐形式，是兩膝著地，臀部緊貼腳跟，兩手置於腿上，上身略微後仰。這種坐式，既顯得彬彬有禮，也便於起立。侯馬東周遺址，就曾發現跽坐俑的陶範，殷墟婦好墓，也發現有青銅跽坐俑，其至，商代早期的甲骨文，也曾刊有跽坐習俗文字。上自殷周，下至秦漢，跽坐習俗在中國有著千餘年的歷史。

其（二）：馬俑固然挑選神駿名駒作爲模型塑造，馬鞍做工極爲精緻，就是沒有馬蹬和馬刺，說明秦始皇時代軍中騎兵，騎術是非常高明的。武士乘騎的馬匹，在秦馬造型上是：「外形低身廣軀，敦實強健，頭稍重，鼻梁微隆，呈半兔形頭，頸短粗，鬐甲較低，肩寬，略短斜，胸廓深長且較寬，四肢短而粗壯，尾較短，蹄礎較低，體長略大于體高」，屬於草原型的馬種，有人認爲是現代河曲馬的祖先。它既不是馬騾，也非驢騾，其外型比後世的漢馬迴然不同。楊家灣漢代陶馬的馬頭略小，耳朵短，而秦俑坑的陶馬頭則稍大，耳是略長，兩者特徵有著差異，馬種自當不同。或許是其它馬的雜交種，尚難肯定。

二雕塑：秦代陶俑陶馬的發掘出土，被譽爲二十世紀考古史的一項重大發現。因爲，既往的中國藝術史，只知漢代陶俑的陪葬，從未料想到秦始皇陵園有如此數量的陶兵陶馬，而且，完全達到高度的群雕藝術之美。

秦俑群雕的氣勢美，不僅在于個俑的形體高大，能夠塑造七千餘件形體高大的俑群，構成一組規模龐大的軍隊陣容，在中國和世界雕塑史上，堪稱空前。古代崇尚「大」與「陽剛之美」的美學思想，充分呈現著形象之美。秦俑有的頭挽髮髻，身穿戰袍，足蹬短靴，手持弓弩，有的免盔束髮，外披鎧甲，有的頭戴軟帽，穿袍著甲，足登方形淺履，手執長鈹，還有身穿胡服，一手牽馬，一手提弓的騎士等，這些生動的官兵形象、神態和個性刻劃，顯得逼眞自然而富于生氣，突出的情感靈魂、風骨和精神于每一個陶俑的本身。秦俑既已表現軍事題材，發揮群雕題材美，展示兩千多年前的各種官兵的形象，更是捕捉將士披甲，執兵列陣，嚴陣以待的靜態有序的軍伍行列，實在有著意想不到的藝術效果。從各個角度來看，都很合乎寫實的形象原則，創造出具有立體雕塑的空間美。對於肌肉和手部處理，以及頭髮、眉毛、眼睛、鼻、嘴的輪廓，甚至布袍甲衣的質感，都很纖細精巧，絲毫不予簡約，因此，各部分在雕塑上無微不至。

秦俑雕塑，每一細節，那怕一根鬍鬚，一絲毛髮都求準確逼眞，合乎人與馬的解剖原理。這種模塑結合的技法，既期把握大型的準確，又利於表現細微的變化，人物個性的刻劃，是集中模造與雕塑的優點，創造出秦代製陶工藝的重大成功。它運用塑、堆、捏、貼、刻、畫等六種民間畫工常用的傳統技法，還把雕塑工藝的圓雕、浮雕、線雕有機的結合，顯示立體形象的體、量、形、神、色、質等藝術效果。軀幹用泥條盤築堆塑法成型，再用貼、捏、刻等方法來表現衣角飄動，衣紋折轉，甚至鐵甲的堅硬和衣服質地的輕軟，也很清楚的看出。

腳踏板是秦俑製作的獨創。為使體型高大的陶俑保持重心平衡，站立穩固，這種長方形或方形或五角形的腳踏板，均是模造的。腳、腿、體腔和雙臂，還有頭和手，皆用模子製作，經過粘接、二次覆泥、細部雕塑，完成以後入窯燒製，最後繪彩。腿分實心和空心，有用分段製作，也用泥條盤築，一般先塑造腰部以下部分，待陰乾後，再塑造體腔上半部，另一種採用幾種範模製作，然後套接起來。臂部同樣分實心與空心，用泥條盤築，或用分段製作。腳、鞋的製作沒有模子，都是用手作成的。俑頭製作最是複雜，初胎用雙模製作，然後粘合一起，再把單模製作的耳朵、鼻子粘上，根據各人身份、性格、神態進行細部刻劃，接著還要製作鬍鬚和髮髻。

陶馬基本是用分模製成的。如馬頭用左右合模製作，體腔有上下合模，左右合模，前後合模等多種。馬的耳朵、馬絡均爲手製，馬腿與尾巴使用範模製作，其它的工序和方法與陶俑製作大體相同。

三燒製：秦俑形體高大，陶胎厚薄不一，輕重也很懸殊，成功的燒製，是製陶史上一項創舉。陶俑、陶馬體腔空心，火候不足則會出現陶質疏鬆，色澤不一的現象。反之，火候偏高，會出現裂紋、變形，甚至爆裂而前功盡棄。所以，陶俑、陶馬製作時留有圓孔，讓內壁產生的氣體得以從中逸出。秦俑燒成溫度并非整齊一律，青灰色陶俑焙燒溫度最高，約在一〇〇〇至一〇五〇攝氏溫度，幾乎與瓷器焙燒溫度接近，筆者在洛陽和西安，均去參觀陶俑製作工廠，模造、粘接、修括、彩繪等均按傳統做法，作業人員以女性最多。窯火採用木柴，焙燒溫度是八〇〇度到六〇〇度，主其事的是二位男性和一位女性。

四彩繪：秦兵馬俑當年經過燒製，個個都有鮮艷和諧的彩繪，如今，僅能隱約看到殘留的彩繪痕跡。陶俑的戰袍上繪有朱紅、桔紅、白、粉綠、綠、紫色等。褲子繪有藍、紫、粉紫、粉綠、朱紅等色。甲片多是黑褐色，甲組和連甲帶多爲朱紅，也有繪成紫色的。陶俑的面部及手、腳面顏色，均爲粉紅色，表現出肌肉的質感。臉部的白眼角、黑眼珠，甚至瞳孔也彩繪出活靈活現，髮髻、鬍鬚和眉毛全爲黑色，整體色彩顯得那麼絢麗而和諧。

陶馬保留局部鮮艷的色彩，用色有明顯區分。如：軀體部分棗紅色，前體腔及肚皮部位粉綠色。蹄甲白色。馬頭顏色精心彩繪，兩腮及眼睛以下部位粉綠色，以上爲紅色，馬髻、馬尾均爲黑色。秦俑彩繪顏料，主要有紅、綠、藍、黃、紫、褐、白、黑八種，再加上深淺濃淡的不同，使得色彩增加不少，顏料俱是礦物質，用的中國傳統繪畫主要顏料。

由於陶俑製作先是沒有塗料的素陶，具有較多毛細孔，爲使滑潤，燒造之前採用細泥均勻塗抹表面，燒造之後表面塗膠，使得繪彩不易脫落，達到相得益彰的成效。陶俑彩繪力求模擬實物，并掌握暖色的色調，使靜態的陶俑，注入熱烈、活潑的氣氛，增強其藝術形象。

六、啓發後世的胸懷宏觀。

秦兵馬俑群在二十世紀七十年代發現，歷史與藝術價值，轟動海內外。秦始皇在歷史上的功業禍害，得到新的評價。無可否認的，從秦代兵馬俑的出土，加深秦始皇王朝的歷史印象，以及藝術與工藝的偉大成就與發展。捨開政治、軍事不予論列，僅就其歷史文物留存上，是偉大藝術的珍寶，非常清楚的，肯定中國古代文明進步的程度，在學術價值上貢獻良多，茲扼要作綜合闡揚說明。

一、在二千二百年前即已存在的兵馬俑群，算是年代最久，數量最多，體積猶如眞人眞馬大小，雕塑出前所未有的精緻，足證中華民族的優秀，具有藝術的才智和創造發明的精神。因此，方能雕塑出神形兼備的兵馬俑的群相。

二、從兵馬俑與所使用青銅兵器上，發現草篆的戳印文字和陶文，包括一部份是編號，再一小部分記載製作的官署和個人簡名，對其來源或不無具有助益。若是深加探討，最遺憾的，沒有在浩瀚的史書裡，給予這些雕塑家和無數陶工與兵工的卓越技藝、豐富經驗、深厚藝術修養等有較著的名留史籍，俱成爲無名氏的令人懷想而已。

三、兵馬俑作爲世界上最宏大的群塑，更是寫實藝術的傑出範例，直接反映遠古中國日常生活和物質文明，由此窺探二千二百年前的中國人的智慧和才華顯露光輝。

四、陶俑塑造，在面部的表情各不相同，而俑高爲俑頭的七倍半到八倍，能使觀者感到塑像與眞人等大而又具雄偉，這種塑造的眞實，相信在當時誠非易爲的。

五、馬俑是依據秦人名馬良種作藍本，能奔馳久走，其特徵符合相馬經的內涵。兵強馬壯是當時國力深厚的象徵。

秦兵馬俑群給予後人的啓示很大，應該記取，倍加努力，爲中華文化復興盡一分心血。

貳、石窟佛雕群像評價

一、摩崖石刻的興起緣由

雕刻在中國起源甚早，從夏（公元前二十一世紀到前六世紀），商（公元前十六世紀到前十一世紀）周（公元前十一世紀到前七七一年）三代青銅器上的裝飾圖紋；直到漢朝（公元前二〇六到公元二二〇年）南北朝（公元四二〇—五八一年）唐朝（公兀元六一八—九〇七年），大量用石頭來作大型雕刻。而被認爲中國最早而最大寫實雕刻作品的，是西漢霍去病將軍（公元前一四〇—一一七年）墓前馬踏匈奴像，用淺浮雕方式，在一長方形石塊上雕刻而成，高一八八公分，碩大無比，壯麗動人，以紀念漢武帝時名將，六擊匈奴有功。石馬顯現靜態的、穩重的站立，蹄下屈服著一個戰敗的匈奴，寫實兼具象徵意義，單純又偉大。由於石質富有碩壯與厚重的感覺，當時的太白山玉石，藍田青石，皆是雕刻石像的美材。東漢明帝年間（公元五八—七五年），是佛教傳入中國的正式紀錄，（有說佛教傳入始於西漢平帝元始年間），實際難以確定年代。印度來華僧人具有工藝技術的協助造像、建寺、建塔和鑿窟，已頗流行，同時，歷史也曾記載：印度阿旃陀石窟寺院，阿富漢梵衍那大佛，以及公元前一世紀特馱羅式佛像，造於西巴基斯坦等。佛教傳播有南傳北傳之說，北傳經中亞細亞經帕米爾傳入中國，如今尚有佛像塑造的遺跡可尋。就以東漢明帝劉莊「永平求法」（公元五八—七五年）派遣郎中蔡愔，中郎將秦景等十餘人出使天竺（今印度）拜求佛經、佛法，在大月氏國（今阿富漢境至中亞一帶地方）遇著名佛教學者天竺高僧攝摩騰、竺法蘭，邀請同來中國的國都洛陽，佛教合法地位從此正式確認，中國始有沙門及跪拜之法，比唐僧取經早五百六十多年。二位天竺高僧圓寂后，即葬于中國修建的第一座僧院取名白馬寺，筆者曾經參拜。

中國自漢代以來，巨石刻著圖像，原是裝飾陵墓造致一種特殊形式，以象徵永恒，墓前石柱、碑表、石闕，還在引道放置石人、石獸，成爲中國人的習俗。有人將中國石刻，就其性質分爲十二大類：一、造象，有說佛雕，以石材雕刻佛像。二、刻石，在於紀功述事，昭示方來。三、碑碣，「方者爲碑，圓者爲碣」，用以述德、銘功、紀事、纂言。四、墓誌，根據龔自珍說碑：「仁人孝子於幽宮則刻石而薶之，是又碑之別也」。五、塔銘，「釋氏之葬，起塔而繫以銘，猶世法之有墓誌。」六、浮圖，濫觴於魏，孳乳於隋，至唐開元天顯間而極盛。七、經幢，八面有楞，俗稱八楞碑。八、石闕，皆神道之闕。（筆者於登封嵩山中岳廟，得見建於東漢安帝年間（公元一〇七－一二五年）太室闕，是古代石刻和書法藝術的瑰寶。）九、摩崖，金石索說：「就其山而鑿之曰摩崖。」所刻文字，無不有之。十、地莂，「古人造冢，設爲買地之詞，刻石爲券，納之壙中。」十一、畫象，欲觀漢代衣冠文物，宮室制度，惟在畫象。山東嘉祥武氏祠堂，陝西綏德、米脂一帶，河南南陽漢代畫像博物館就藏有一三〇〇多石，江蘇徐州博物館藏有漢畫像石近二〇〇塊，連雲港市南孔望山漢代摩崖畫像石刻，平面浮雕，是中國最早的佛教藝術雕刻。也是漢代歷史資料的珍品。有人將中國古代石質雕刻以功能分爲四大支系，其一，陵墓石刻。其二，宗教石刻。其三，宮苑石刻。其四、民間石刻。以石刻物，室內野外，均可存放，質感顯明，較諸其他材料鏤雕，深具可大可久的利用價值。

中華文化深受佛教傳入影響，在藝術史上促成六朝（孫吳、東晉、宋、齊、梁、陳，均都南京），北魏、隋、唐的文化多彩多姿。而佛教教義教人容忍現實，追求極樂世界，乃在動亂中能夠迅速發展，上至帝王，下至庶民，大發宏願鑿窟爲寺，造佛像，繪壁畫，成爲信佛建築寺廟的另一形式，因此，佛教有三大建築：一是寺院，二是石窟，三是佛塔。如今最古老的寺院，應是白馬寺，佛塔應是白馬寺內的齊雲塔。據楊衒之洛陽加藍記所載：北魏洛陽城內有寺一、三六七所，東晉及南朝各代寺院二、八四六所，梁代新建八三一所，（見日人著的中國佛教史概說），北朝較諸南朝的寺院爲少，而中國石窟寺院，幾乎大部位於中國北部地區，因素值得研考。

就石窟造像而言，來自印度，大佛雕刻也是仿自印度隨著佛教東傳進入中國所致。這種外來文化，中華民族有容納性，有雅量，入中國則爲中國的，中國化的結果，佛教是如此，佛教藝術也是如此的。先談大佛，雕造世界最大的中國第一大佛像，不在石窟，是在四川樂山縣，當青衣江、大渡河與岷江三水岔流所在的凌雲山邊。由唐玄宗開元年間（公元七一三年），到德宗貞元年間（公元八〇四年），歷經九十三個年頭，始行雕琢完成彌勒佛像一座，高達一一二公尺，期求以佛法保護行船的安全。此尊大的佛像，算是中國雕刻藝術史的罕見傑作，在世界也是石質雕像最巨大，最雄偉的創舉。

至於，石雕佛像年代最古的，目前該是南朝宋文帝元嘉二年（公元四二五。）雕琢的，近年在四川成都萬佛寺遺址出土，刻有銘文。現時尚難確定萬佛寺建於何時，僅知梁朝稱爲安蒲寺，唐代則名淨衆寺，明朝乃有萬佛寺之名，惜在明末毀於兵燹，經多次發掘，遺品達二一三四件，梁及北周、唐朝的有數十件之多。

二、石窟造像散佈中國

魏晉南北朝佛雕，在於弘揚佛法，形制與數量俱足稱道的，當以石窟造像。中國最早開鑿的，是甘肅敦煌石窟。鳴沙山東麓有莫高窟，另有安西（榆林窟）千佛洞，莫高窟開鑿始於東晉列國（十六國）氐人的前秦建元二年（公元三六六）的樂僔和尚，歷代經營建造，到一千年後的元朝（公元一二六〇—一三六八）停止，以泥塑佛像爲多，是由於崖體在地質上屬於玉門系礫岩層，質地鬆軟，不適宜作圓雕和浮雕的造像。固然，敦煌石窟以泥塑敷彩和壁畫著名於世，但並非絕無石質佛雕的。試舉唐代宗大曆十一年（公元七七六）功德碑有記：「千金貿工，百堵興役，奮鎚聾壑，揭石聒山，素涅盤像一鋪，如意輪菩薩，不空罥索菩薩各一鋪。」於此，對敦煌石窟只有「灰泥所造」佛像，并非完全正確。壁畫有佛像、佛教史跡、經變、神話和供養人及裝飾圖案，現時保存有北魏、西魏、北周、隋、唐、五代、宋、西夏、元各代塑像，壁畫的洞窟四九二個，彩塑二一四一五軀，壁畫四、五萬多平方公尺，蓮花柱石和舖地花磚數千塊。最大石窟，四十多公尺高，三十公尺見方，最小的高不盈尺，算得上是東方藝術寶庫，爲中國最先開鑿的石窟，敦煌縣境西南西千佛洞，安西萬佛峽（榆林窟）以及小佛洞等，也因爲佛像建造而開鑿的，惟不及莫高，榆林兩窟響名。內中塑像的風格，有健陀羅的印度佛教藝術的流風，佛像特徵，是「雄健豐麗，而趨於寫實。」

麥積山石窟，在甘肅天水東山崛起的一峰，高一五〇餘公尺，如農家堆積麥楷狀，因此，有麥積山之名。北魏宣武帝景明二年（公元五〇二）九月開鑿石窟造像，後經北周、隋、唐、五代、宋、明、清，均有修龕塑像，計有一九四洞。懸崖峭壁，層層相疊，上下錯落，密如蜂房。唐開元年間地震，窟群分成東崖與西崖，內有泥塑像、石雕像、壁畫。泥塑有高浮雕、圓塑，粘貼塑、壁塑四種。數以千計與眞人大小相仿圓塑，極富生活情趣。五代太平廣記中「玉堂閑話」談及麥積山：「其青雲之半，峭壁之間，鐫石成佛，萬龕千室，雖自人力，疑是神功。」足見開鑿洞窟不易。佛像有石雕自外地移入供奉的，另多用石胎泥塑手法，上彩而不重彩，是爲麥積山的特色。

炳靈寺石窟，舊名龍興寺，又名靈岩寺。炳靈爲藏語千佛或十萬佛意。在甘肅永靖縣西，黃河北岸積石山中，（有說陽岐不確），瀕臨黃河，氣勢莊嚴。現存西秦、北魏、北周、隋、唐，直到明、清，有窟三十四個，窟龕一八三個，大小石雕佛像六九四尊，泥塑八二尊，壁畫九〇〇平方公尺。從炳靈寺發願銘文證實，石窟創建始於西秦時代，壁畫題銘有「西秦建弘元年（公元四二〇）」字樣，是中國石窟中迄今發現最早的題記。葉昌熾氏所撰「語石」一書，認爲「造像始於北魏」，似待商榷。若以石質雕佛，近有成都萬佛寺遺址發掘出土佛像銘文，那是南朝宋文帝元嘉二年（公元四二五）雕琢的。有說：北魏明元帝拓跋嗣（公元四〇九—四二三）始建雲岡石窟寺來算，自然又當別論。而雲岡石窟造像有計劃的開始，是在北魏高宗文成帝興安元年（四五二）。（按：明元帝在位期間，南朝宋已建立。拓跋濬繼南安王余是爲文成帝，在位十三年。）只能說：雲岡「曇曜五窟」開鑿是北魏文成帝時，造像或僅指雲崗而言的。須知，石窟造像又何止雲岡一處，炳靈山石窟，就早於雲岡三十二年開鑿，證明造像非是「始於北魏的」。

甘肅省境的石窟尙有如下規模較小的地方：

馬蹄寺石窟，橫向多層，相互距離有五至二公里的間隔；北寺和金塔寺窟是它組合的一部分。石窟地點在肅南裕固族自治縣內。同地尙有：

文殊山石窟，分佈在山岩壁上，現存窟龕十餘，多已殘破。五個廟石窟，黨河西崖壁上，自南向北排列，現存五個石窟，故名。始建北魏，五代宋代重修，塑像多殘。

馬昌石窟在玉門市轄境，祁連山橫枕於南，大板屏障於北，周圍群山環抱，與外界僅一徑相通。現存窟龕十一個，南北兩端數窟遺物早已無存，僅有二窟尙保留著早期造像及宋初的壁畫。

水簾洞石窟，武山縣東，渭水之濱，群峰高聳。自然洞窟外，原有菩薩殿、老君閣、四聖宮。北魏壁畫繪有千佛，著色瑰麗。殘存的造像，圓潤豐滿，神態各異。

木梯寺石窟：武山縣南石渭山高峰絕壁上，塑像八十餘身，壁畫二千一百平方公尺，始建於北魏。大佛寺有唐代彩塑大佛，高一四公尺，寺北屏風山一窟，壁畫精美。

王母宮石窟，涇川縣西，涇河汭河會合處，建於北魏永平三年（公元五一〇），現存石雕像一百餘尊。

南石窟寺，俗稱東方洞，涇川縣南。北魏涇川刺史奚康生永平三年所建。現存一窟，有七佛十脅侍菩薩，二交腳菩薩。崖壁小龕十餘，係北魏及中晚唐時所鑿建。

北石窟寺，又稱寺溝石窟，在慶陽縣西蒲茹兩河交匯的東岸。窟爲北魏永平二年（公元五〇九年）建造。佛洞大窟內造七佛，十脅侍菩薩，二交腳菩薩，三頭四臂天王，乘象普善菩薩等。歷經西魏、北周、隋、唐、開窟造像。現存窟龕二九五個，塑像二、一〇〇身，石刻題字及碑刻七通。

大像山石窟，甘谷縣西，塑像原有二九五身，多數已毀，現僅存大佛高三〇公尺，袒胸赤足，面貌豐潤，體軀宏偉淳樸。就佛的形態裝飾及洞窟形制觀察，應早於宋而與盛唐相似。

拉梢寺石窟，武山縣東北。絕壁有浮雕佛像三尊，中間大佛高約六〇公尺，兩旁脅侍菩薩，手持蓮枝，躬身肅立。墨書題記，有「北周武成元年」（公元五五九年）字樣。

山西省境的雲岡石窟，是中國佛教石窟藝術的寶窟之一。其次，天龍山石窟，另外尚有多處。茲稍概述：

雲岡石窟，在大同西武周山南麓，現存主要洞窟五十三個，造像五萬一千餘尊，是中國三大石窟之一，向為世界聞名的藝術寶庫。開鑿於北魏文成帝和平元年（公元四六〇）。大部完成於孝文帝太和十八年（公元四九四）遷都洛陽之際，一直延續到明帝正光年間。後世曾多次修繕，並增建佛寺，遼（公元九一六—一一二五）金（一一一五——一二三四）兩代規模最大；大佛高達一七公尺，石雕造像，具藝術的魅力。其塑造技藝，承傳秦漢藝術傳統，吸收兼融外來藝術精華，創造獨特風格，在中國藝術史上佔有重要地位。既是中國各族共同創造的藝術結晶，同是國際文化交流的歷史見證。雲岡以「曇曜五窟」開鑿最早，氣魄最為雄偉。鄰近東部與西部的窟群，有著研究北魏建築資料既可參考，更有佛教藝術日趨中國化的作品，堪作佐證。

天龍山石窟，太原市西南天龍山腰，石窟分布東西兩峰，有二十一窟，開鑿年代不一，歷經魏、齊、隋、唐四個朝代。唐代最多達十五窟。體態生動，姿式優美，刀法洗煉，花紋流暢，具有豐富的質感。如今僅露天大佛完整，其餘佛頭、菩薩、藻井、飛天等俱已肢殘臂斷，抗戰期間日本侵華軍盜竊破壞尤盛。附近尚有龍山石窟、以及黃崖洞、羊頭山石窟、金燈寺石窟、掛甲山石刻、斐文洞石刻、交口縣神峪千佛洞等。佛教藝術在山西省境的，其風格、形制，仍可在殘壞中，想見當年營建者誠信篤實的堅定信仰。

河北省邯鄲有南響堂寺石窟，北響堂寺石窟，（原屬河南武安縣）分在鼓山西北麓，佛像千姿百態，造型美觀，北齊始建。撫寧天馬山摩崖石刻，雖有明代題刻「人馬行空」、「山河一覽」、「海天在目」、「帶礪山河」等大字，字體工整，筆跡秀勁，惟無佛雕，亦未見造像的遺跡，僅一闡揚書法藝術的摩崖而已。

山東省境的崖石鑿佛，有大佛寺造像、黃石崖造像、千佛岩造像、花蓮洞石刻造像，千佛山、千佛殿以及益都雲門石窟造像與佛光崖、駝山石窟造像。遼寧省有萬佛堂石刻。甚至，遠在西北的新疆，有拜城縣的瑪扎伯哈千佛洞、庫庫縣的庫木吐喇千佛洞等。寧夏省固原有北魏迄唐的須彌山石窟、彌勒造像，高二十公尺。中寧縣雙龍山石空寺石窟，現已全部被流沙湮沒，遺存的佛龕和群像，也似後人所造。石空寺石窟始鑿有唐、西夏、元三種記載。陝西耀縣磐玉山藥王山石刻，與唐代孫思邈有關，百餘碑石，類多醫藥文獻；另存有北魏至唐造像碑刻多通。黃陵縣西呂村萬佛洞，有萬佛寺、呂宮寺，現有羅漢浮雕和佛經故事；雕像施彩貼金，造型均稱，體態豐滿，形象生動，建於宋代。

在中國西南的西藏的林芝縣，有著「德木吐蕃摩崖石刻」，面向雅魯藏布江，卻屬罕見。惟所刻是古藏文，爲研究吐蕃盟約誓文的歷史資料，但無佛雕與其他題記碑銘。雲南劍川石鐘山石窟，還有金華山摩崖造像雕有「石將軍」。明代徐霞客遊記曾有記載。貴州省赤水葫蘆摩崖造像，適當川黔水陸交通的壩場。四川石笋山石刻造像，有二十三龕、窟，造像近千，始建於唐代大曆三年（公元七六八年）。邛崍石刻造像，梓潼龍山千佛崖，仁壽牛角塞崖造像；而以大足石刻，於抗戰期間爲人發現，在雕刻刀法與佛像造型，藝術上有重大價值。如：寶頂山與南山石刻，一僧一道，各有趣味。前由名僧趙智鳳創建，歷七十餘年始成。後係道教，爲南宋紹興年間所建造。宋、明、清碑記和歷代名人題記頗多，其初建則是道教早於佛教前約五十年。

廣東與廣西兩省，摩崖石刻較少，而潮州葫蘆山刻的書法藝術，尚稱完好。廣西桂林市有三處值得提及的：龍隱岩摩崖石刻，洞口舊爲桂林四大名寺之一，岩多石刻，宋刻佔有一半，有著刻後盡毀的「元祐黨籍碑，在北宋崇寧四年」（公元一一〇五），將司馬光、文彥博、蘇、軾、黃庭堅等三〇九人列爲元祐奸黨，直到慶元四年（公元一一九八），再由元祐黨人梁熹曾孫梁律重刻，是國內僅存最完整的一塊。雖非造像石刻，但具歷史的意義。

西山摩崖造像，具二百多尊唐代作品，面目豐腴，兩耳垂肩，袈裟輕飄，神態自然。西山佛像在南方來說，頗有研究它的文化藝術作用。唐初建有西峰寺，是南方五大禪林之一。佛座尚有「大唐調露元年十二月八日」等字樣，可資覆按。

還珠洞摩崖造像（千佛岩），刻於唐大中六年，有三十六龕，二百三十餘尊佛像，面容豐腴，身材清秀。

龍隱摩崖石刻，藏碑爲書法藝術，詩詞並備，無石刻佛像發現。

江蘇臨近東南海濱，既往寺院衆多，信佛者衆，蘇州、常州、揚州、南京等地多古刹，鄰近各縣無不如此。石窟造像僅有棲霞山一隅，棲霞寺建於中峰西麓，創於南齊永明元年（公元四八三），稱爲全國四大叢林之一。南唐爲妙因寺，宋稱普雲寺，繼改虎穴寺，明洪武二十五年（公元一三九二）復名棲霞寺，清咸豐毀於火，光緒重建，民國陸續修建。南朝佛龕造像，隋代石塔和唐代碑刻，俱具歷史意義與藝術價值。山間楓樹成林，每到霜降時節。楓葉紅遍全山，筆者昔年觀賞楓紅印象，永難磨滅。「棲霞紅葉」猶如台灣「陽明山花季」，春秋撩人，不無慨然。連雲港也有石窟，只有孔望山漢代摩崖造像，有百餘尊，只是漢代的摩崖畫像石刻，平面浮雕，造型生動，風格古樸。另有鬱林觀石刻、龍洞石刻，內容各體書法。獨有將軍崖畫，用敲鑿，磨刻手法，刻在長二五公尺，寬十五公尺的平整黑亮岩上，是中國東部沿海地區唯一的桃花澗舊石器晚期遺址。有人面、農作物、鳥獸、日、月、星、雲等圖案。琢痕一公分，粗率勁直，堪供史前原始藝術的雕刻技法研究參考。

三、龍門石刻為世所重

河南位於黃河中下游，與河北、山東、安徽、湖北、陝西等省爲鄰，因大部在黃河以南乃得省名。古爲豫州簡稱是豫，居九州之中，素稱中州或中原。有平原、河谷、盆地、山地、丘陵，分屬黃河、淮河、衛河、漢水四大流域。中國七大古都河南佔有三個，即開封、洛陽、安陽。

中國佛教祖庭既在河南，寺院衆多應爲各省之冠。如今，同遭破壞十不得一，誠爲中共統治推行所謂「文化大革命」反四舊加速所形成，現存只是發展觀光，賺取外匯的一種手段，距離宗教信仰自由甚遠。佛塔亦是如此，碩果僅存的齊雲塔，大雁塔等少數而已。石窟造像，散處省境各地的，謹就所知，加以敘述：

佛溝摩崖造像，在方城縣東南的桐柏山半山腰，位於省境西南的南陽盆地。開鑿於魏至唐代，計三十三龕，雕像一百三十八軀，大的高一公尺四〇公分，最小二〇公分，有佛、孝子、羅漢、多臂觀世音菩薩，刻工精細，面部富有表情。

懸谷山摩崖造像，在沁陽西北懸谷山崖壁，那在黃河北岸，北接山西天井關。同窟兩處，佛龕六個。第一、二兩龕，俱雕一主佛、二菩薩；佛像面部豐滿，腳踏蓮臺；菩薩頭戴花冠。四、五兩龕並列，東有一佛、二菩薩、二力士。西爲一佛、二菩薩，有「天寶十四年」大曆二年「建中元年」的銘記，是唐代造像，（公元七五五年、公元七六八年、公元七八〇年）均已超過一千二百年的歷史文物，第六窟也是唐代的鑿窟造像。

鴻慶寺石窟：鄰近澠池的義馬石佛村。始於北魏、唐代續鑿，現存六窟中有二窟沒入土中。塔柱多已剝蝕。後壁浮雕降魔變圖，十餘魔鬼，手持利器、團扇向佛進逼。其餘龕內坐佛等頭手均有損毀，如此，中華文化遺產任其糟蹋，令人惋惜不已。

溫塘摩崖造像：在河南西隅。靠近黃河南岸的陝縣溫塘村，大唐大曆九年（公元七七四）銘刻，就可以獲知創建年代。崖壁較大的造像龕四個，造像數十尊，菩薩立像一尊，面部早毀，另龕內立觀音像一尊，上身袒露，胸前懸掛瓔珞，下身著裙，足登蓮臺。

千佛洞：在黃河北岸，安陽附近林縣林慮山洪谷北崖山腰，始鑿於北齊武平五年（公元五七四），歷代增雕。洞內摩崖石刻一佛二弟子，佛高丈餘，造型古樸，四壁刻有小佛像百餘尊。另有經刻及書法石刻，包括北宋元祐五年（公元一〇九〇）的摩崖碑。

鞏縣石窟：鞏縣城外東北，洛水北岸的沙岩山丘，有與雲岡、龍門同屬北魏開鑿的石窟。從碑銘所記：「自後魏宣武景明之間，鑿石為窟，刻佛千萬像，世無能洞燭其數者。」按：北魏宣武帝元恪景明，是公元五〇〇—五〇三年。一說北魏熙平二年（公元五一七）孝明帝時代，時間上稍後雲岡、龍門石窟。現存石窟有五，東三西二，皆向南方。兩者間雕有摩崖大佛像三尊，另有一個千佛龕和二百三十八個小龕。唐、宋陸續增闢。各窟俱有雕刻紋樣方柱豎立中央，形成鞏縣石窟造像特色。第五窟最為可觀，龕中佛像較眾，第一、三、四窟刻帝后禮佛圖，第二窟並未完成。另雕神王、地王、怪獸。雕佛面容方圓，表情寧靜，構圖簡練，是浮雕傑作，深具宗教藝術感人的風格。

河南省境的石窟造像，當以龍門最受重視，其原因固為北魏孝文帝遷都洛陽崇佛最高的表現，將龍門東西兩山均作摩崖刻佛，綿延伊水兩岸岩壁，氣勢雄偉，佳構琳瑯滿目，加之，唐代繼續造像，益增藝術之美。茲以親臨目睹此一中華文物寶藏，深覺中華民族誠信力行精神發揮無遺，既有廣大容納性，且具深遠融和性，茲將位在伊水兩岸石窟造像群體，作一系統之介述。

四、伊闕佛雕顯現光輝

洛陽龍門石窟、敦煌莫高窟、大同雲崗石窟，並稱中國佛教石窟藝術三大寶藏，是佛教古時深入人心，萬衆信奉所致。龍門在河南、敦煌在甘肅、雲崗在山西，開鑿在時間上固有相當的間隔，敦煌爲先，始於胡人氏族所建，在前秦建元二年（公元三六六），那是東晉時十六國之一的前秦世祖符堅。雲岡鑿窟雖有魏唐記載：「拓跋珪即位，國號魏」，到第二代拓拔嗣「明元帝嗣位，帝始創建石窟寺於雲岡」，乃基於信佛。但至第三代太武帝拓跋燾醉心道教，廢滅佛教，直至文成帝拓跋濬（公元四五二—四六五）再興佛教時，由高僧曇曜在武州山鑿石開窟五所，是雲岡開鑿最早，氣魄最大的石窟群「曇曜五窟」，護法是北魏文成帝興安元年（公元四五二），該是雲岡石窟計劃開鑿的可靠說辭。龍門石窟是在中國七大古都之一的洛陽，到南北朝時代，佛教益盛。北朝自魏入主中原開始信佛，其間七年滅佛，到孝文帝元宏太和七年（公元四八三）始鑿，是根據古陽洞中銘記。一說「石窟造像開創於北魏孝文帝遷都洛陽前後（公元四九四）。」孝文帝元宏，即位年僅五歲，漢人馮太后（文成帝后）復臨朝，直至太和十三年（公元四九〇）始得親政，或受太后薰陶傾慕漢文化，認爲鮮卑人漢化的程度尚不夠澈底，因此，遷都以後，遂即展開大規模的漢化運動。

洛陽位於河南省的西部，黃河中游南岸，背倚邙山，面臨龍門，是中國著名的歷史文化名城。現為踵事增華，將牡丹定為洛陽「市花」，每年四月有十天的「牡丹花會」，筆者由鄭州乘坐巴士抵達，只見牡丹枝榮葉茂，花早萎謝。住宿牡丹飯店，到處出售國畫的「花開富貴」，色彩燦爛。

在筆者的心底，旨在文物和古跡的欣賞和懷舊，一償宿願。寺院古刹，法相莊嚴，佛塔聳峙，光影生動；石窟雕刻，琳瑯滿目，歷代碑記，溯往觀今，數日寄旅，伊闕造像留存的印象最是深刻。縱有藝術感人，歷史滄桑的激動，而當時的心靈感受難和千古傳誦的偉大詩人李白、杜甫、白居易所留詩篇相比擬。瀏覽往昔陳跡，算是我跨越江河萬里行程的大陸三度跋涉最有價值的收穫之一。

龍門山河壯麗，風景幽美，兩山對峙，遠望猶如天然門戶，古稱「伊闕」，中流伊水，黃流滾滾，岸邊綠柳成蔭，隨風搖曳，佛教藝術的寶庫洞窟，隨著岩勢起伏猶如蜂巢，遊人蟻集，徘徊瞻仰於衆神雕像之間。洛宜鐵道由南北來，相與隴海鐵路東西交會於洛陽。石窟東山龍門，西稱香山，長橋橫波，既利伊川、孟津間交通，更便於遊客穿梭往還兩山，為佛教昌盛創建的石窟造像，誠是豐富多采的宗教藝術之最，非僅佛教歷史興衰所繫，亦為中國石質雕刻留有不朽的展示，中華文化之宏揚，文物古蹟的燦爛光輝，於此遺存無窮的民族精神煥發的實證。

具有代表性的石窟，有北魏時的古陽洞、蓮花洞、藥方洞，分在西山南北崖壁，唐代的潛溪寺、萬佛洞、看經寺等。現存窟龕二千一百餘個，造像九萬七千三百餘尊，佛塔四〇餘座，碑刻題記三千六百塊之多，歷經北魏、東魏、西魏、北齊、北周、隋、唐、五代、宋諸朝，營造一百多年完成的。

潛溪寺，是西山北端的第一個洞，又名齋祓堂。唐代貞觀十五年（公元六四二）開鑿，主佛阿彌陀佛，趺坐在須彌座上，面部豐滿，胸部隆起，姿態靜穆慈祥，衣紋斜垂座前。兩側侍立二弟子，二菩薩、二天王。其中脅侍大勢至菩薩雕刻的圓潤豐滿，雙目含蓄，衣紋流暢，瓔珞長垂，赤足恭立，充分表露雕刻藝術的初唐風格。

賓陽三洞，在西山北部。中洞是北魏宣武帝元恪元年（公元五〇〇）開鑿，爲其父母孝文帝和文昭皇太后做的「功德」，歷時二十四年竣工，釋迦牟尼端坐中央，面部清秀修長，高鼻大眼，微露笑意，是北魏中期雕刻藝術的重要作品。窟頂雕有十個伎樂天人，翺翔於蓮花寶蓋間。北洞從北魏開始，唐初完成，正中阿彌陀佛，背光猶如燃燒的熊熊火焰，細看又是葫蘆紋的組合，雕刻精工，紋飾繁縟極表生動。南洞鑿自北魏，隋代完成，中刻阿彌陀佛，面部豐潤，衣紋流暢，洞頂蓮花寶蓋下，捧果供養兩人，還有六個樂伎，衣帶飄動，典雅秀麗。正如「伊闕佛龕之碑」說的：「寶花降祥，蔽五雲之色；天樂振響，奪萬籟之音的景象。」

蓮花洞：鑿於北魏孝昌三年（公元五二七）前後。有釋迦牟尼立像，兩側有菩薩脅侍，壁上浮雕二弟子，還有兩組佛經故事浮雕。洞頂雕有一大蓮花，開花如傘，重疊相間，中有新結蓮蓬，邊緣排列朵朵雲紋，蔚爲傑構。窟內龕額構圖精美，具有動感，帷幕流蘇，有雲紋、捲草紋、蓮花、寶相花等，精雕細刻，富於變化。

藥方洞：西山北部，開創於北魏晚期。窟外上方刻有擘窠大字「伊闕」，明代人書。開創北魏晚期，完成於唐代武則天時。洞內主佛、弟子、菩薩和洞外力士、八角蓮柱，皆爲北齊作品，具多樣的藝術風格。

奉先寺：西山南端，唐高宗初年開鑿，至上元二年（公元六七五）竣工。從它所在位置與設計內容，群像雕造，確實是龍門石窟中，允稱已臻唐代雕刻的極峰，也是中國古代美術史中至上的範例。拾級轉折登臨，展望對岸香山，雜樹青翠，掩映或大或小洞窟，深藏無數藝術珍藏。原野廣漠，雲雨濛濛，北上火車聲鳴疾馳，也爲大地破除寂靜。據考，先有大像龕，後有奉先寺，這樣露天的摩崖造像群，由於通風和光照條件良好，能夠突出群像的壯觀氣勢。大像龕是依照華嚴經內容雕造的，基本上擺脫魏、晉、南北朝以來宗教神秘色彩，明顯地呈現著世俗化的趨勢，適應當時社會審美的習尙，以豐滿健壯爲美，以雍容華貴爲美，大盧舍那佛像，高一七・一四公尺，面容秀麗豐滿，兩眼寧靜含蓄，姿態端莊肅穆，衣紋簡潔流暢，達到形神兼備的程度。侍立二弟子，嚴謹持重，溫順虔誠，菩薩體態嬌嬈，衣帶飄灑，顯得端莊矜持。天王氣勢猛壯，威武剛健，力士筋肌暴突，咄咄逼人。

奉先寺的那尊盧舍那大佛，莊靜含蘊，端凝慈祥的儀態，令人感覺到是一種美的揮發和存在。高踞在透空的露天石窟裡，遠遠就在吸引攀登前來瞻仰的旅人。衆所矚目的北魏天王，腳踏夜叉的頭顱和曲著的膝蓋，夜叉用力撐著右臂，坐在地面帶有勉強支持的無奈表情。南壁天王腳下的夜叉，被天王左腳踏著肩胛，那股齜牙裂嘴，眼似銅鈴，右手撐地，跪伏掙扎的難熬，看來發噱，顯現著難擋威勢的窘相。雕造之工，於藝術效果上，大於言表文章。

在雕造大像龕時，「皇后武氏助脂粉錢二萬貫」，碑記有如此記載，那是咸亨三年。調露元年，

「又以脂粉錢資助」。唐玄宗開元十年（公元七二二年）補助的「河洛上都龍門山之陽大盧舍那像龕記」碑文所載，大像龕係唐高宗（公元六五〇—六八三）時所建。「佛身通光座高八十五尺，二菩薩七十尺，迦葉、阿難、金剛（力士）神王（天王）各高五十尺」，「縱廣兮十有二丈矣，上下兮百四十尺耳」。實測數字是比記載爲小的。

大盧舍那像龕，遊人趨之若鶩，不僅雕刻藝術和形體神態的精美巧妙，武則天資助造像，自然也會引起對武氏的興趣與好奇，願意爬上山頂一觀究竟。

萬佛洞：唐高宗永隆元年（公元六八〇）完工，南北壁上刻有小佛約一萬五千餘尊，故名洞「萬佛」。正壁佛像端坐在八角蓮花座上，每枝蓮花係端座著菩薩或是供養人，計有五十四枝，形象別致。洞內雕像生動的，還有：主佛座下的托重力士負重力大的神態，栩栩如生。刻在基部的樂伎手執樂器的飄動身影和舞著衣帶飛揚，婀娜多姿，尤見活潑靈巧，具有著融入舞樂忘我的境地。洞外南壁雕的觀世音菩薩像，左手提著淨瓶，右手輕舉拂塵，神態自然，靜動適度，而纓珞長垂，衣服摺紋縱橫順序，具見其瀟灑與豐腴健美的姿勢。

古陽洞：鑿於北魏遷都洛陽的前後，爲王室、貴族發願造像最集中的一洞，在時間上距今將近一千五百年。兩壁刻著三列佛龕，拱額和佛像的光影精巧富麗，圖案紋飾豐盈多采。飛天的形像，如淩雲駕空，振衣翱翔，姿態美妙，動人心弦。供養人的虔敬肅穆，合十禮拜，刻劃非常眞實，雕刻藝術的神工，嘆爲觀止。著名於世的「龍門二十品」碑刻，古陽洞中占有十九品，書法藝術的瑰寶，相與造像神奇是相得益彰，爲旅遊人士蒞此最大精神的享有。

鑿於魏字洞和「破窯」之間崖壁的一彌勒、二菩薩、或爲遊客所忽略。眼看衆多造像，往往不經意的一眼掃過，其實才是龍門石窟最早開鑿的佛像。交腳彌勒像，雖非國內所僅見，惟歷史古老，具有北魏晚期瘦削型的形像，下垂衣裙，見其極有規則的疊紋，仿自健陀羅風派的肩張唇厚，面部瘦削，足證深受外來文化影響，尚未趨向於唐代的中國化、世俗化。背光浮雕的火焰、動雲，舞樂飛天的種種裝飾，增強藝術的感染力，讓人甘願多作停留，靜靜地欣賞，而不忍遽然離去。

石窟寺，西山南部的一個洞窟，北魏孝明帝時造（公元五一六—五二八）。正龕兩側浮雕著菩提樹，轉角雕著供養人。南北兩壁的基部各雕「帝后禮佛圖」。描繪北魏孝文帝偕后禮拜的情景。現是龍門石窟碩果僅存的一幅，（賓陽洞中帝后禮佛圖已經被盜）畫面完整。從人物的髮髻、衣冠、從容態度，華蓋長扇上來看，貴夫人別有一番風韻。而迎接的僧俗和一些隨從執事，都刻劃得那麼生動，特具漢魏時代帝王出行的豪華風格。雕刻精美和人物情態的突現，乃是中國人對藝術造詣與闡揚的佳例。

極南洞：在西山的最南端。是武周時期的造象（公元六八四—七〇五）。身爲人妻人母的武則天，不甘雌伏爲后，稱「聖神皇帝」，改建國號爲周。雄心萬丈，事業輝煌，算是一個名符其實的「女強人」，依然無法擺脫大唐的傳統窠臼，歸政中宗李顯，得到善終，恢復大唐一統天下。僧人法明獻經，說武太后乃彌勒佛轉生，信佛佞佛，供養於佛。洞外雕有力士，胸肌特別發達，其孔武有力的模樣，躍然石壁；坐佛慈藹肅穆，手法簡潔明快，顯出個性的所在。

香山位東，窟龕不如西山年代的久遠，數量較少。雕刻技巧和風格有其獨到。筆者冒著滂沱大雨，坐車過橋，探看擂鼓台和萬佛溝等。看經寺是武則天為唐高宗李治修建的，窟頂浮雕飛天，右手托著果盤，橫側的胴體衣衫隨風飄舞，姿態優美。四壁羅漢浮雕，是唐代羅漢群像的佳作，源自印度本有，刻劃入微。萬佛溝的石雕最為特別的，在一根荷莖上雕刻著五朵蓮花，中間大蓮花上雕一坐佛，四週小蓮花各雕一個立佛，體姿新穎，在石雕藝術中確屬罕見。藝術奇妙構思，橫生美趣，刻於石上，提供千古賞覽，心神舒暢，無有逾此的。

香山寺依岩開鑿，它隔著伊水奔流與西山窟龕遙遙相望。創建於北魏熙平元年（公元五一六），原先規模巨大，唐初已告殘破。武則天在天授元年（公元六九〇）重修，親詣香山寺留有群臣賦詩的佳話。大詩人白居易（公元七七二—八四六）到洛陽任河南尹，將他為人寫墓誌所得的酬金六、七萬，又復助修香山寺，此後常住寺內，自號香山居士，與僧如滿結「香火社」。並和九位古稀僧俗結「九老會」，飲酒賦詩，自得其樂。公元八四六年病故，遺囑葬在香山寺北邊。唐宣宗大中三年（公元八四九），詩人李商隱撰「唐刑部尚書致仕贈尚書右僕射太原白公墓碑銘」，宰相白敏中書丹，刻石立碑墓前。筆者於細雨霏霏中，穿林踏著曲徑，直抵琵琶峰頂，白墓新冢，現存「唐少傅白公之墓」碑石，翠柏葱鬱環繞，大詩人長眠幽土。永享清靜。半山建有長廊，滿嵌白氏詩篇，首端刊其「琵琶行」，讓遊人於此舒解懷舊的心情。（白氏原籍山西太原，一說陝西渭南人，生於河南新鄭縣，字樂天。）

五、石雕風格與特點探索

洛陽昔為古都，中華文物與歷史古跡，所在俱有，行腳所至，緬懷往昔，思古幽情沛然而興，目擊現實，又不無喟嘆。龍門石窟造像，是筆者大陸之行的參觀重點，千餘年前的藝術寶庫，石質雕鏤精緻，仍予人有雖舊猶新的感受。國人固不必對歷史中國，懷有自我陶醉的心態，也絕對不必對中國歷史妄自菲薄。中華民族具有悠久的奮鬥改革現狀的精神，既有融合性，也有容納性，存榮並重，濟弱扶傾，同舟一命，安危共仗。吾人對已具成就者不須抹煞，而缺點弱點，更須放大胸襟力求整合改進，日新又新。倦遊返來，對龍門石刻記憶良深，為文抒懷，扼要述其所感：

一、龍門山石，質宜雕鏤，昔有北魏君主，胡人漢化，遷都洛陽前後，開鑿造像，足徵東漢以後的中國信佛者多，寺院、佛塔、石窟陸續增建，南北朝、隋唐，受佛文化影響甚深。龍門石刻始於北魏，繼有東魏、西魏、北魏、北周、隋、唐，接踵而起，宣揚佛法，續有更張，國人佛教思想深入腦海，發生信仰，由此一信仰發出雄偉無比的力量。深覺愚公移山之精神，誠為創業的根本，而龍門石窟開鑿與造像，即吾人務本道生的源泉。堪供動輒陷於迷惑者一種借鏡。歷久彌著，為歷史作見證，也為藝術開創新猷，河洛之行，筆者認是人生一大樂事快舉。

二、龍門石窟造像，是有賴財勢之士所倡導，得衆多無名藝匠，流汗出力，寒暑興工，一鎚一鑿，發揮巧思，留給後代無限的景仰。觀其所由，最初頗受外來文化影響，流露本即外來的健陀羅之風，逐漸以中國的面目出現，文化本應交流，不該偏執堅持，擇善而從，在衆多造像中即見其端緒。宗教雕刻藝術，本即爲闡揚其宗教教義的一項舉措，從佛教雕刻集大成的龍門綜觀，大別有釋迦牟尼、有彌勒、有觀士音菩薩、有羅漢、有天王、有飛天、有夜叉等諸神與魔怪，各有形象，各呈神態，各顯姿勢，甚至衣冠衫褸，不盡相同，此爲佛教中同亦有異，異必相同之處。而所佩瓔珞來自印度，仿而效之及於世俗，但也無妨。而衣衫之刻劃，在摺紋上有「曹衣出水，吳帶當風」的中國傳統繪畫術語的表現。北朝北齊曹仲達筆法，（一說曹指三國東吳的曹不興）衣服緊窄，後人因稱「曹衣出水」。至於「吳帶當風」係指唐代吳道子畫人物時，筆勢圓轉，衣服飄舉，獲得此評。因此，流行於古代雕刻、泥塑和鑄像的衣服摺紋，在龍門造像中屢見不尠，雕刻與繪畫的關係密切，由此信而有徵。

三龍門雕刻優於雲岡，但不及雲岡造像的雄偉，而敦煌卻早於龍門，雲岡的開鑿，然以石質所限，敦煌造像，係以石胎泥塑的著名，另以多采的壁畫爲先。

四龍門雕像形體比例，有著高度的誇張，以奉先寺爲例，盧舍那佛頭大而下半身短，其他造像也有如此現象。或以佛的造像須具有一種神秘感，仰之彌高，望之彌堅，逐級登高有著仰的角度，視佛儼然令人懼畏恭敬。即是跪拜於前，平視見頭見胸，在雕刻時顯然列爲首要，下半身部分可稍稍帶過，有此一說，似近事實，亦屬合理。

五龍門二十一個窟，二千一百三十七個龕，由北魏及於東魏、西魏、北齊、北周、隋、唐各代的開鑿。東山十餘窟多是唐代雕鑿的作品，表現手法，顯現中華民族的自行發展的風格，擺脫原有屬於古印度造像的趣味。唐去北魏時日較遠，致有唐刻表情圓潤豐滿，神態自若、使膜拜者如晤故人，如坐春風，無一疏離感、陌生感。這種接近眞實的世俗化，更易讓人接近是中國雕刻藝術的應有面目。

六遍歷龍門石窟，造像萬千，有的已遭破壞損毀，尤以頭手部位，年代久遠自屬難以避免。部份國人破落戶思想，亦復可悲可嘆。維護古物古蹟，視同維護宗教信仰自由同等重要，古物古蹟保存，是在保護國家的文化資產，破壞容易建設難，一失永不再有，徒增追思。中國幅員遼闊，文化歷史優久，千年古蹟幾乎經常得見，物以稀爲貴，多見竟視爲廢銅爛鐵，任意棄置，不知珍惜者有之，甚至自然湮失的，或以過去人爲的破壞甚烈，盜賣私藏，一樣是有損文化的保存。以龍門石窟爲例，既往的歷朝歷代未能盡到保護維修的應盡責職，任其破壞，任其盜賣，佛頭、佛手、小型造像，外國古董商舖均有出售，台港兩地又何嘗不是如此，寧不惋惜。中共文化大革命時期繼續掀動「階級鬥爭」，瘋狂血腥，有人稱之「十年浩劫」，其實又何止四個十年，國人生命視如塵埃；破四舊倒很澈底，雷厲風行，雞犬不寧，人何以堪？立四新又那麼談何容易？如今，農村鄉僻，依然廬舍爲墟，滿目瘡夷，豫陝道中，深院巨宅既無一倖存，徒留殘缺圍牆，任人想像當年。

七龍門石窟應該視爲野外的宗教雕刻藝術博物館。在維修保護上，須加努力，行政管理更應重視。例如：開放時間、憑劵入內、清潔衛生、人事解說監管、文物展示說明、簡介；文物書刊印製與圖片供應，紀念物品製作出售，複製品與仿製品的供應，休憩與餐飲的場所規劃提供等，不應任其雜亂無章，一無是處；男女廁所清潔溜溜尤見迫切需要。說明文字該從眞實與理性著手，鼓吹「唯物史觀」的說辭與任意貶褒文字先予刪除；宣傳過火，使人體會中共慣於「順我者生，逆我者死」，懶得聆聽眞心話，只是要人順從，俯首貼耳的服從，如此，宣揚中華文化，誰敢配合？誰甘信服？

叁、文後的贅言——結論

西安秦兵馬俑群，埋入土中二千二百年，不見天日，一旦謎底打開，轟動自不必說。開歷史先河的陶塑人馬，既塑且雕，體型碩大壯健，神態勇武自然，使世人肯定中國雕刻藝術的發展，肯定中華民族的優秀、聰慧，影響後世藝術的創造深而且鉅。洛陽龍門石窟造像，晚於秦兵馬俑的製作，幾乎有著七百年的差距，而且出現世間專爲信佛者瞻仰膜拜，藉收教化之功。中華歷史文物，國人暨世界人士夙昔聞名，衆認是一項藝術珍品所在，眼前石窟、龕、像雜陳，爲數至豐，是爲中國藝術寶庫之一，勝似敦煌、雲岡諸窟。況西安秦陵出土者是陶泥塑造的兵馬俑群，洛陽石質雕刻的是集佛教藝術的大成。材料雖說各異，而技法亦容有不同，惟均生動活潑，感染力強。陶俑與石雕兩者，無論在藝術上，在審美觀念上留給世人的，豈止雄健、偉壯與虔誠、瞻仰的感覺。當在欣賞藝術之際，秦豫兩省境內的文物與古蹟，既留有先人的汗血才智，爲珍惜歷史，俱值得佇留觀賞，嘉惠心靈上的精神鼓舞，自會超越其它的萬萬千千。

（中華民國八十一年九月三十日於台北）

貳、到那遙遠的地方

古西域的新疆面貌

一個人的夢想成眞，落實，其內心所獲的安慰難以言宣，少時有著張騫通西域的印象，得自課本或是師長的講述，後想從事蹟中去尋求眞實。及長欲做屯墾員的壯志無可實現，始終悵然在懷。我愛西北高原的綺思，有時拂之不去。近年人老事疏，聽喜多郎的雄壯的曲調，王洛賓的鄉土歌唱，又復勾起我對那遙遠地方的追懷。近從一本一九九三年台北—新疆版畫大展的畫冊中，看到「夕落天山」、「月照古城」、「沙漠清泉」、「紫谷飄香」、「遙遠的故事」、「烏孫山下」、「悠悠紅柳灘」、「大漠早晨好」、「伊黎河畔」、「氈房裡的笑聲」、「秋波」這些畫幅，透露著西北邊疆的雪山大漠，馬駝羊群，雄偉壯麗，遼闊開朗，是我蝸居海島近五十年來從未識見的景象，很想去親自領略一番。

暑夏漫漫，給我有絲路快車之旅，沿途沒有嘗到黃沙滾滾之苦，沒有體驗跋踄山川之難，得償宿願，品味高原生活的內涵，行萬里路，畢竟有益於獲取新知的。

西北高原是中國版圖的盡頭，於此有咫尺天涯到天涯若比鄰的歡暢。廣州直飛新疆的烏魯木齊，十四點十五分起飛，十九點三十五分落地，應該是黃昏日落時分，時差兩個小時，從空中俯瞰大地，似乎日正當中，無垠無際的沙漠，縐起無數不規則的浪紋，看不到城鎮村落，也未見森林河流，只有遠遠的起伏山峰，白雪耀眼特別亮麗。機場外環繞著低矮的沙丘，各種各式的車輛，古老的、近代的縱橫放列，還有一些駱駝和駿馬混在人聲嘈雜和微揚的風沙裡；我直覺就活像美國電影當年西部小鎮的驛站風光，畢竟這是鄰近俄國的一座邊城，人情風土有異中原，其實，它距離邊界還相差五百公里。這兒溫差大，傍晚還有攝氏三十一度，多風少雨，氣候乾燥，是典型的大陸性的，猶如置身美加邊境密西根州的底特律，從沒有像在故鄉江蘇或客居台灣那麼汗流浹背濕漉漉的，但唇乾口燥也不是滋味，所幸，人人都帶著一瓶礦泉水隨時備用來解渴潤喉。

兩千多年來習稱的西域，從狹意解釋，就是中國西部的疆域。清朝在伊犁惠遠城（今霍城縣南）設置將軍，統治全境，在鎮西（今巴里坤）至迪化（今烏魯木齊）一帶設置鎮迪道，實行郡縣制度，建制上它隸屬於甘肅省，仍由烏魯木齊都統兼轄的。左宗棠驅逐入侵的帝國主戰者勢力，於一八八四年（清光緒十年）建立新疆省，增進內地各省聯繫；行政中心由伊犁東移烏魯木齊。新疆是個多民族聚居的地方，目前就有四十七個，主要的有維吾爾、漢、哈薩克、回、蒙古、滿、俄羅斯、烏孜別克等十三個民族。基於維吾爾族是新疆主體民族，全疆遍佈。有五、九四九、六五五人，佔百分之四五·四八。（漢族佔百分四〇·四一，人口五、二八六、五〇三人）。當清朝統一新疆過程中，哈密、吐魯番的維吾爾族首領建有功勛。南疆廣大維吾爾族農業地區，民政事務是任命維族人去治理的，多少有著歷史因素和考慮；現時的新疆，中共稱做維吾爾自治區。天山南有塔里木盆地，北有准葛爾盆地。因此，地形特徵是「三山夾兩盆」。蒼翠明秀的阿爾泰山斜障在東北，巍峨陡峻的崑崙山和阿爾金山逶迤於南境，由於天山山脈由西而東，自然分成北疆和南疆。綿延起伏叢山雪嶺中，有著很多盆地和谷地，莫不在天山的懷抱之中，高峰海拔竟達八、六一一公尺。雪嶺冰峰形成的山岳冰川達七、三〇〇條，是以天山最多，溪泉匯聚成河，大小五七〇多條，（水量最大的是伊犁河）瀦成百餘湖泊，呈現出村鎮相望的綠州，是人們生息活動的託命所在。沙漠面積有達三十二萬平方公里的，僅次於阿拉伯半島的魯卜哈利。淮噶爾盆地古爾班通古特沙漠，面積四萬八千平方公里，是中國的第二沙漠；而且，北緣的富蘊縣絕對最低氣溫，一月裡是中國最冷的地區之一（零下攝氏五〇．一五度）。降水量各地相差很大，四季日溫差亦然，歷來有：「早穿皮襖午穿紗，圍著火爐吃西瓜」之說。新疆之行，嘗到早晚清涼，午時酷熱，八月中旬白楊樹已見黃葉凋零，秋意已經跟著我們悄悄前來。

新疆幅員遼闊，面積一六〇多萬平方公里，爲中國版圖的六分之一，相當於陝西、甘肅、寧夏、青海四個省區的面積總和，等於四十五個台灣省；聚居四十七個民族，計一三、〇八一、六三三人。自古以來，移民墾荒實邊，最初西漢，以及清朝。在民國三十八年，中共在肩負「保衛邊疆、建設邊疆」的口號下，沿海各省和中原省分被迫移來的軍和民，執行中共的所謂「生產」、「戰鬥」、「工作」的戰略任務。經過摧殘，死亡、與疾病、天候、生活等無情的掙扎中，這一批老軍人、老百姓，早經毀的毀，衰的衰，下一代已經成了新疆的子民，過著西北高原的勞力生涯。雖然宣稱：「農、林、牧、副、漁全面發展的方針，大片戈壁變成綠州。遍地泛鹼的不毛之地，成爲糧棉豐盛，瓜果飄香的塞外江南」的溢美之辭。站在運用勞動力的觀點，中共在一九八五年，提出新疆少數民族具體生育政策，城鎭一對夫妻，只生育二個孩子，最多生三個孩子，不許生四個孩子。農村一對夫婦允許生三個孩子最多生四個孩子，不許生第五個孩子。城市漢族一對夫婦只生育一個孩子，同時，適當擴大生育二胎的條件」。十年以來，說是取得顯著成績，若要把「戈壁荒漠趕出去，塞外江南搬進來」，未免浮誇不實，張大其辭，含有口號的宣傳意味。

新疆目前開放的城市十五座，其中最著名的，一是自治區的首府烏魯木齊，一是歷史文化名城喀什噶爾，一是葡萄城的吐魯番。蘭新鐵路的絲路快車，僅在烏魯木齊、吐魯番兩站停靠，不許有其他人客上車下車，我們只是線、點、段的過客。有說：「不到喀什，等於沒到新疆」。在我們行程當中，就缺少這西部開放的城市，喀什噶爾簡稱喀什，地處克拉瑪乾大沙漠西邊，距烏魯木齊一千四百七十三公里，人口二十多萬包括十七個民族，其中維吾爾族最多，早在西漢初年，已是西域三十六國的疏勤國，是中國最早信仰佛教的地區之一，伊斯蘭教興起之後，佛教日漸式微，現爲南疆經濟、文化、交通的中心。市內艾提朵清眞寺，是喀什古城的象徵，具有五百多年歷史。阿帕霍加塞，（俗稱香妃墓），是伊斯蘭教最引人注目的一座，原稱玉素甫加墓，廳堂裡排列的七十二座墓丘，香妃也卜葬其中（事實上並非完全正確）。離市四十八公里有一古墓，那是世界名著《突厥語大辭典》作者馬赫穆德·喀什噶里的長眠處（一〇〇一—一一〇五）享年九十七歲。

（民國八十二年八月）

烏魯木齊就是迪化

一夜甜睡，醒時已經六點半，拉開窗前帷幕，只是萌明。寂靜無聲，天際還未透露一絲陽光。遠山峰頂皚皚白雪，近處縱橫的白楊樹，挺立成林，看不見人家，也沒有行人，運煤的雙馬拉的大車呼嘯成行。當我從廣州飛到我所知道的迪化，現時的烏魯木齊，時差要晚兩個小時。昨晚機場進城，夾道的白楊樹，那麼整齊美觀，鄉野的沙漠戈壁，又那麼冷冷冰冰，了無生機。由東南海島，穿越香港來到西北高原，那麼遙遠的地方，成爲一個不速之客的暫時佇留之所，自覺非常的幸運。

被稱爲世界上離海洋最遠的城市，新疆首府烏魯木齊市，是一個聚居有三十八個民族的所在，一百二十萬人口中，漢族八十八萬八千人，佔百分之七四。它既古老而又年輕，遠在新石器時代，就有人類的足跡，十六世紀，准噶爾厄魯特蒙古族牧民，給予烏魯木齊的美好名字，據考証是蒙古語的「優美的牧場」。清代已發展形成是新疆首府，一七五五清乾隆二十年，開始在九家灣明故城廢址上修築土壘，定名爲烏魯木齊，一七五八乾隆二十三年復在紅山南邊，烏魯木齊河以東修築土城，一七六三乾隆二十六年，便將舊城向北擴建，一七六七乾隆三十二年改名迪化。有「漢城」與滿營土城。左宗棠督辦新疆軍務，在一八八四光緒十年十月，歷經八年時間，新疆建省，定迪化爲省會，兩年後擴建城郭。雖然年輕，飽經風霜，曾經修建官府衙署、祠堂廟宇，也曾有英、美、法、俄等國商人在此先後開設洋行，如今，交通大闢，高樓林立，而邊城舊貌，蕩然無存。樓宇巍然的城堡，佛教莊嚴的寺院，夷成平野。堪資瀏覽的，標高九〇六呎的紅山，林木森森，九級寶塔聳立，昔日的閱微草堂，曾爲學者紀曉嵐著述之所，林則徐也嘗登臨絕頂，留有「任狂歌，醉臥紅山嘴，風勁處，酒鱗起」的長嘯吟哦。《老殘遊記》作者劉鶚，竟成冤屈致死的客地幽魂。這種種往事陳蹟，徒撩起人生悲歡離合，那能如常的感喟。新疆博物院有維族傳統特色建築，裡面陳列著古老少數民族的服裝、生活用品等項；而三千二百多年前的乾屍，挺直橫臥，當然沒有長沙馬玉堆漢代女屍那麼引人注目；稱得上文物的，如：戰國時期（公元前四七五—前二二一）虎形飾件，烏魯木齊阿拉溝出土，黃金鑄造。阿爾泰出土的戰國銅鏡、青銅雙獸承盤方座器，跪人像，漢代陶水注，唐代波斯銀幣。侍女俑、鎮墓獸、胡人俑等。唐三彩陶造型稍有異中原的陝豫兩省，顯見當年新疆已經仿造，或由絲路所傳入的。再如：唐代太羲女媧像、阿斯塔那古墓壁畫、文書，南北朝獸紋錦，其文化交流的淵源，更是令人有著親切感。

新疆北中南均有山脈蜿蜒，加之、草原、沼澤、沙漠、戈壁、冰川，冬季漫長，夏季酷熱，自然條件十分惡劣。公路由烏魯木齊爲中心，向四面八方輻射，烏伊公路是北疆地區主幹道，它與鐵路民航線路織成立體結構。民用航空事業，始於民國二十一年，先有「歐亞航空郵運股份有限公司」（中德）、「哈阿航空公司」（中蘇），現有十一個民用航空站，航線九條，總長六千六百公里，基本形成是以烏魯木齊作爲中心的。

天池與白楊溝的景色

記得多年以前，國畫名家程芥子先生送我一幅小畫，題字是「王母東鄰一小兒，偷桃三度到瑤池，群仙無處尋蹤跡，卻自持來薦壽卮」，繪著捧桃雀躍的老小子，淡彩輕快老到，法書蒼勁，是他無意間詢我年齡，竟贈以畫的，我非常感動，惜程君已歸道山，深情故物，永誌難忘。想到蟠桃大會有一段神話，是多麼的富於想像力。此去新疆，在瑤池即天池未見王母，相信西方也沒有什麼極樂世界的，而蟠桃卻吃過多次，甜美可口，齒頰留芳。國內吃蟠桃第一次是在上海，龍華產品，二次是台灣的武陵農場，如今在新疆的烏魯木齊，人生境遇，誰又能未卜先知？

距市區八十公里，博格達雪峰環抱中的天池，神教中人視為聖地，世俗人等攬勝之處。相傳周穆王西遊，與西王母曾於此宴樂，《穆天子傳》並載有「西王母約再會之歌」，清代都統明亮於一七四七年所題「靈山天池統鑿水渠碑記」，談及這由高山溶雪匯集的湖水清澈，綠如碧玉，四周雪峰環抱，雲杉參天，藍白相映，天成秀色。聽說，過去登山，上下四天，均賴快馬代步，如今，公路盤山，阡陌縱橫，村野人家，溪流奔似白帛飄動，潺潺響徹深谷。雖無鳥鳴，足以破除寂寥。過石門後，即到天池，嵐氣送爽，林間漫步，看雪嶺藍天，群峰並立，碧水粼粼，神奇壯觀。最可惜的山坡隙地，到處馬群便溺，臭氣沖鼻，柴油汽艇，攪得水面油污片片，佈滿山隈水涯的哈薩克族如菰毡房，大爲減色。古稱瑤池的天然湖泊，海拔一、九〇〇公尺，湖深九〇公尺，清水無魚，言之鑿鑿。

翌日去市南七十五公里的南山白楊溝，又稱南山牧場。沿途荒涼猶如昨天，蓋戈壁鹼地，遼闊一片，間種行行白楊，藉作點綴，而人煙稀少，是環境所造成，入山景象有變，八月中旬正是最佳時機，無風無沙，皓日臨空頓覺燥熱，早晚清涼，別具一番風味。密茂的雲彩，俄羅斯松，覆蓋坡間，構成綠帶，草原猶如綠茵，不見莽莽蓬蒿，雜花盛開，眞似錦繡。氣候涼爽，空氣清新，入座維吾族毡房小家庭中，女主人熱誠待客，招待茶水點心，容積不大，收拾得乾乾淨淨，一對小兒女，初頗羞澀，給了多枚硬幣，看來新奇，玩得興起，據告維吾國小就在大山中峰，騎馬上學習以爲常，旋即隨去看民俗表演，牧民們的「賽馬」、「刁羊」和「姑娘追」。固然，男女具有健康的體力，頑強的精神，騎馬技術的高超，才是參加競賽的主要條件。賽馬的首要，在於人馬默契合作，方可奔馳得第一。「刁羊」還在身手矯捷，講求攘奪的技巧。否則人馬如飛，羊隻怎麼會爲你擒拿到手成爲一個最後勝利者。「姑娘追」是一齣既浪漫，又心心相印的青年男女戀愛遊戲，男前女後各跨駿馬追逐在花香日暖的草原上，女的手中揚起長長皮鞭，不斷鞭韃男的後背，有愛、鞭響不著皮肉，無緣、鞭著之處皮破血流，情深處並轡同行，漸行漸親，終在密林中消失蹤影。三種民俗活動，有情、有力、有術，贏得勝利的畢竟不易；人馬俱乏，汗流浹背，終於得到犒賞，爭到榮譽。我有幸代表大家頒獎給這些名利前矛的男女青年，笑聲盈野，滿山歡樂。

參加烤全羊宴，生平首次，主廚推出烤熟的全羊，邀我先行用刀割切，在脊背處刀落肉隨，同行的攝影、歡呼、鼓掌，然後吃肉喝酒，帶來旅途中的一片愉快歡樂笑聲！

（民國八十二年八月）

遍野葡萄的吐魯番

新疆東部的吐魯番，古稱高昌、西州、火州、西距烏魯木齊一百八十二公里，現爲對外開放的城市之一。我們所乘的絲路快車由烏市啓行，到達大河沿（喀什公路是建設南疆大動脈起點），就是蘭新鐵路「吐魯番站」，此距吐魯番市區四十公里。冷氣巴士搭載著我們，迎著落日朝北急駛，戈壁裡無水，又無人煙，滿目荒涼；憑著最熱、最低、最旱、最甜的四最，居中國之冠，代表吐魯番市的地理景觀。（蘭新鐵路設站大河沿，距吐魯番四十公里，原因是作喀什公路起點的聯絡，主要的凹地是鐵道行車爬坡不便所致。因此吐魯番市區並不臨近鐵路。）

吐魯番歷史悠久，市區街道滿植葡萄，有圓如明珠的無梗，有似馬奶子成形，嬌小的碧翠如玉，廣置的棚架葉綠果青，這座葡萄城的吐魯番市，名不虛傳，若談果的甜度，仍待改良。郊野六公里的葡萄溝，谷間遍植綠油油一片，正値葡萄成熟時節，道旁設攤出售，供過於求，各家屋頂都建有「晾房」，懸掛串串採收的葡萄，利用日照，讓陽光透入留有空隙的磚牆，時久水分蒸發，自然成了自製葡萄乾，只是顆粒小了一點。本來，葡萄溝列爲參觀重點，由於維族人拒絕漢民進入，只有折轉去看坎兒井。有說萬里長城、京杭大運河，坎兒井是中國三大建築。裡運河是我出生地，看得過多，長城漢明兩朝所建的都曾領略，只有坎兒井在經過阜康去天池，以及大河沿途間，約略一窺它的外表，讓我們仔細深入瞧個究竟的，還是在坎兒井研究所。進門葡萄茂盛構成滿地綠蔭，我們在葡萄園裡，小坐飲茶，在收音機放送輕輕音樂裡，一些年輕貌美的維族小姑娘跟著音樂起舞唱歌，我們，也就大啖葡萄。坎兒井直的是豎井，由邊沿匍伏爬進，看到橫的是源源清流的伏渠，井井相接，地下清泉不斷潛流，水質甘冽，涼爽無比，逐年歲修，無須人工製作的涵管，一由於地土強固含有膠質，無懼崩塌，一在天山融雪滲入地中，瀦蓄而成的是看不見的水庫，所以用之不竭。唯一的，需要灌溉、飲用的時候，用轆轤汲上，若能運用引擎抽水，即便蒸發太快，仍無虞匱乏的。當地根據需要，在二百多年前自發創造一種給水的方法，有說林則徐，左宗棠的發明興建，似乎過甚其詞，抹煞無名人士就地取材應運而生的土法，林左兩位先賢最大貢獻，只在督導與給予民間需求的方便而已。

名勝古蹟固多，有興趣的人似乎無多，在這兒青山綠水的江浙風光少之又少，塞外江南到底與江南迥不相同，若比台灣的山青水碧，相差甚遠。戈壁、沙漠，缺雨、多旱，入冬落雪苦寒，狂風肆虐，飛沙走石，誰能料到八月於此，正在天堂生活。去高昌故城、阿斯塔那古墓，勝金口千佛洞和火焰山等，寄予遠方人士一種思古懷今的情緒啓發，緬懷前人曾在這屬於中國的土地上，胼手胝足，茹苦含辛的奉獻和犧牲。高昌故城，西漢魏晉即有校尉屯駐於此，北魏漢人麴氏建高昌國，唐太宗置樂安城，是吐魯番城的前身，絲路中道的樞紐重鎮；距今日市區東方四十六公里，殘牆故壘，早無人居，好古者只見黃沙從地土上不斷揚塵，聽聽駝鈴馬嘶，往事渺杳，似在告訴天涯旅人：不如歸去。高昌遺址北一公里處古墓群，於硬土石礫凝成的戈壁當中，經發掘深人地表的，幾已空無所有，剩餘兩具乾屍，躺在土堆上。一位垢面蓬髮的維族青年，百無聊賴的在收取遊客的參觀券，墓室狹窄，壁間彩畫也已模糊不清，燈光如豆，人屍均現恍惚，從斜坡爬出地面，頻感日晒難當。阿斯塔那是維吾語，意思是「首府」。形成居住高昌及唐西州漢人居民的墓地，原是村北和村西的三堡、二堡的所在，維語稱此一是阿斯塔那，一是哈拉和卓，距高昌古城很近，城到明初始廢。墓葬年代最早的，西晉秦始九年（二七三）。最晚的、唐大曆十三年（七七八）。近百年來，曾遭外國「探險者」盜掘破壞，致大量文物被竊運往國外。四十年裡，發掘十三次（第二次世界大戰後），出土的絲綢織品、陶器、木器、錢幣、泥俑、墓誌和近三千件官私文書。其中較著名的，有絹本的伏羲女媧圖、舞樂圖、圍棋仕女圖、牧馬圖等，咸具藝術價值，部份在新疆博物館陳列。

火焰山在吐魯番盆地中部，距市區東北約四十五公里，山勢長勝於寬，海拔約五〇〇公尺，勝金口附近的最高峰，海拔八五一公尺，高昌王國至唐，俱稱新興谷，是進入高昌城一處隘口。由於地殼橫向褶皺，出露砂礫岩和紅色泥岩爲主，山勢背斜，峰嶺砂礫在日照下閃閃有光，迷濛含混，無怪《西遊記》將它列入篇章。吐魯番盆地，是中國最低的窪地，平均氣溫三十三度以上，七月最高溫曾達攝氏四九．六度。我們探過高昌古城遺址，阿斯塔那古墓；抵達火焰山如火在燒，穿行於浩瀚無垠的沙漠戈壁中，又熱又渴，有人說：「被西遊記害慘了。沒有火焰山，那來孫悟空過山門鐵扇公主的故事？」我笑笑說句風涼話，「天下本無事啊！」山後峽谷有著千佛洞，其中雕像、壁畫彩繪、山麓山腰唐至元代年間佛寺四處遺址尚具殘跡，斯坦因等探險家破壞不少。新疆古代維吾兒族人信佛，大小千佛洞（石窟）遍佈，沿火焰山北麓的木爾托克峽谷山崖，有大小五十多個。明代以後伊斯蘭教興起，佛教衰弱，菩薩、壁畫隨著遭殃。過去也曾有過拜火教、摩尼教和景教的信仰，現時喇嘛教成爲第二大宗教，信徒約十萬人；漢民絕大多數不信仰宗教，個別的例外，道教、基督教、天主教也是如此，目前僅四、五千人。因此，新疆沒有獨立的寺觀廟宇，更無和尚、尼姑。

（民國八十二年八月）

叁、西北高原行

一覽隴省漢唐文物

同行的一位吳教授，沉默寡言，忠厚誠懇，與我二人一間，五車一號。原籍安徽鳳陽，生在哈爾濱，幼年就讀蘭州小學，成長學業與娶親生子，俱在臺灣，他對童稚年代的蘭州種種懷念甚深，記憶猶新。比如：羊皮筏子，黃河游泳與蹓冰，皋蘭山邊空軍英勇作戰，醉瓜的甜美可口等等，都是一週行程中閒話重心所在；很巧，隨車服務員張小姐，南京人，生在蘭州，聚攏雜談，減省面對荒山沙野，少見綠地人家的隴西行旅中的枯燥，頓添客中很多趣味。

蘭州是絲路快車在甘肅境內停留的最後一站。由柳園無日無夜的東行，有：過橋東、北安、疏勒河、玉門鎮、赤金堡、玉門市、腰泉子、嘉峪關、酒泉、金佛寺、清水堡、許三灣、臨澤、靖安、張掖、東樂、山丹、石蓮井、芟嶺、高垻、平口、河西堡、青山堡、九壩、武威、大河驛、湯驛、古浪、安遠、龍溝堡、烏鞘嶺、打柴溝、岔口驛、永登、紅城子、新屯川等大小車站；此地做為蘭新鐵路的起點，東接隴海，直抵連雲港，南去西寧，北趨呼和浩特市，西到新疆中俄邊境。甘肅境內有四十四個民族，（蘭州市也是如此），劃成少數民族的轄區，有所謂：「阿克塞哈薩克族自治縣」、「肅北蒙古族自治縣」、「肅南裕固族自治縣」、「天祝藏族自治縣」、「東鄉族自治縣」、「臨夏回族自治州」、「甘南藏族自治州」，俱未列在開放城市之中。西極荒涼，乾旱缺水，往東人多地沃，感到豐足。

蘭州位於隴中黃河沿岸的盆地，市區東西長而南北狹，沿河綠地構成公園，花木扶疏，河上有汔船，羊皮筏子供衆遊覽，濁水奔流，混黃一片，現有三道鐵橋溝通兩岸，最古老的名「鎭遠」，現稱中山橋，在北塔山下，一九〇七清光緒三十三年，將浮橋（往日冬拆春設）改建成的。市南五泉山，清流泄地，瀑布垂空，景色天然，史籍載有漢元狩三年（前一二〇）驃騎將軍霍去病西征，曾駐兵於此。山上崇慶寺保存金泰和二年（一二〇二）的一口鐵鐘，銘文：「仙聞生喜，鬼聞停兇，擊破地獄，救苦無窮」，附近西南五公里的興隆山，海拔二千四百公尺，林木密佈，溪澗潺潺，惜殿宇樓閣頗多毀壞。每年六月六日廟會，萬人參與，延續至今。抗日戰爭時期，成吉思汗靈柩，曾從內蒙古伊金霍洛旗遷存東山娘娘殿。市隅有雁灘公園，傍河修建，成一休閒勝地；白衣菴塔，檐角繫鈴，隨風叮噹作響，大助遊興。白雲觀與白塔，爲相異宗教分建，俱是古蹟。綜觀自西徂東，古老城市，文物史料受到破壞無存的固多。現有：嘉峪關東北二十公里魏晉墓壁中彩繪畫磚的出土，酒泉採用祁連山老山玉、新山玉、河流玉雕琢的各種酒杯，平底、高腳、雕花等，簡樸典雅，素負盛名，其色彩幾與臺灣東部所產的「臺灣玉」相若，有則黑如烏漆，幾乎未見白如羊脂，黃如鵝絨，綠如翡翠那麼美好的。唐代詩人王翰（涼光曲）所作：「葡萄美酒夜光杯，欲飲琵琶馬上催；醉臥沙場君莫笑，古來征戰幾人回。」千古佳作，帶來夜光杯的歷史價值，現由衰落轉爲中西觀光人士搶購的藝品，相傳當周穆王時，西戎曾獻五光常滿杯，傾酒注入，對月映照，雪白有光，香味益增，名「夜光杯」。杯係玉製，是否發光溢香，然否信否？還在於自我的觀察判斷。武威火車站廣場，聳立一座「奔馬踏燕」巨像，神態形狀動人，目前是大陸觀光共用的標誌。（一九六九年，武威雷臺出土），我是民國六十八年（一九七九）在東京博物館參觀「中國出土文物展覽」時，最先接觸的漢唐文物原品之一。那時展出計有一百五十六件，全在西北的陝西、甘肅、新疆三省絲綢之路出土，銅奔馬是一項重要的陳列品。敦煌工藝品非常之多，玉石珠寶一應俱全，幾乎囊括整個大陸地區，仿自莫高窟神像也有，不便攜帶是重要的原因，想買山丹和永昌當地出產瓷器，也就罷論。我倒偏愛敦煌刻著字畫的小小葫蘆，圓形色黃，佈滿密密麻麻細微的草書佛經，每行五字，計七十五字，畫題刻的送子觀音和蓮座、雲彩、飛鳥，頂端和底部，都是迴紋，間有花葉等，堪稱毫芒雕刻的一種巧作。出於一位小小雕刻家之手，看來年未及笄的小姐，姓阮。她告訴我三代都從事雕刻，祖父和她爸爸作品索價較昂，她不計較，她並且知道我國名家黃老奮先生，新近剛在馬來西亞去世。嘉峪關地多沙礫，是戈壁灘，地方美術工作者，他們選石彩繪秦劇臉譜成對成雙，盛在錦盒內出售。我女麗華知道我的愛好，特地選購一方橢圓形的白玉石，墨繪嘉峪關的關城全景，簡潔線條，唯妙唯肖，這是嘉峪關旅行的一項最寶貴紀念珍品。因爲，我對具有歷史性、藝術性、鄉土性的小件藝品，花費無多，平時樂於選購，既可欣賞把玩，還能贈諸友好，共享其中興趣。

蘭州七里河的甘肅省博物館，原是中華民國二十八年元旦成立的國立甘肅科學教育館改稱的。陳列面積七、五〇〇平方公尺、十三個展覽室。目前基本陳列的四項：一、甘肅歷史文物。二、甘肅自然富源。三嘉峪關魏晉壁畫墓。四黃河古象。實際它是一個以古代文物做主體的人文博物館性質，附帶自然物的陳列，規模初具，展覽方式尚待加強，例如：沒有簡介，沒有參觀路線或重點介紹說明，任人摸索；並且，照明過於暗淡，有待加強物人管理與活潑運用資訊設備。進入眼簾的「黃河古象」，洛陽博物館也有陳列，只是沒有如此完整，沒有輔佐的襯託。從古象的骨骼，推想它活時雄偉身軀，雙牙挺長，四腳著地，巨碩壯健想即當然。室內不准攝影，卻從管理人員手中買了一張，其他文字的，繪圖的書刊資料缺缺，連一間售印刷品和工藝品的地方，也沒有找到。有關甘肅的歷史文物，幸好我尚保存有一本「漢唐陝西、甘肅、新疆出土的圖錄」（日本讀賣新聞社發行），爲我解惑，幫我對證這些漢唐甘肅出土的文物認知。褐彩駱駝和馭手陶俑，唐代物，一九六五年秦安楊家溝出土，形制是常見的一般，體積稍比偉岸，表情生動，三彩武官俑，三彩天王俑等，無不造型精美，色調華麗。一九六五年武威雷臺出土的「奔馬踏燕」青銅製品赫然在展，並有數達三十具青銅鑄造的駿馬列隊成行，兼有少數官員乘騎的，俱屬後漢墓葬物。木製的加彩六博俑，兩老神采奕奕，聚精會神的跽坐。雖曾見於後漢畫像石，今得親見木質圓雕的前漢出土物（西元前二二一—前二〇七），尤爲難得。加彩繪著髮髻、鬚髦；右衽長袍，黑白線條簡明，相互伸掌先請，深富情態。木製牛和車、牛和犁，用黑色、黃土色、白色繪彩，益加生動。木製猴兒，整塊木頭雕刻，猴眼猴嘴非常突出。木製一角獸，是罕見的動物雕刻，一眼看到就似曾熟識（想不到在東京初見，又在蘭州相逢，物人有緣，信而有徵。），木刻簡潔明快，具斧鑿痕跡。長角的尖銳得特殊，尾巴翹得又很高，四隻著力的腳蹄，都是刻妥後按裝的；這個難得見到的一角獸，其神情似在憤怒中跳躍前衝，刻工表現得淋漓盡致。既有藝術的才華，又具豐富的想像力，雖是貴族的副葬品，表現雕刻上誇大靈活，在我見到的歷史文物中，是木雕明器異常珍貴的一具，前漢（紀元前二〇六年—後二四年）物，俱在武威磨咀子墓中出土的。武威在河西走廊的東端，地理位置重要，郡治所在；磨咀子在縣南十五公里的祁連山麓，二千年前雜木成林，取材方便，雕來渾然天成，只是入土過久，彩繪已有剝落，在精神上表現，優於泥塑。他如：唐忍冬唐草文金銅匣、銀槨、珠石鑲嵌的金棺、玻璃瓶；涇州大雲寺舍利石函，浮刻「大唐涇州大雲寺舍利之函總一十四粒」，分四行，每行四字，計十六個字，周邊細雕蓮花、唐草文四側鐫滿銘文，紀年唐延載元年（六九四），白大理石製，華貴富麗；瓶、珠石金棺、銀槨、金銅匣，套裝置於函內，用作安置舍利的容器；那白色透明球形玻璃瓶，就盛著舍利十四粒，愈顯鄭重；一九六四年涇川水泉寺出土。各物工藝精良，裝飾巧妙謹嚴。另一九七四年額濟納旗破城子烽燧遺址出土的漢代物，有塞上烽火品約「木簡」，候史廣德坐罪「檄簡」、張掖都尉「啓信」、以及居延右尉「封泥」、「六年睢陽銘矢」。以及「木製狩獵具」，保都格烽燧遺址出土的「木製轉射」、「苣」（蘆葦）等，一九七三年金塔天倉漢代烽燧遺址出土的「絹製魚網」、「鐵製農具」。現時這些實物已屬少見，卻足以作爲社會演進的參考資料，以今視昔的歷史變化佐證。嘉峪關魏晉壁畫墓出土物，眼見六十多幅磚畫，有一磚一畫，半磚一畫，多磚相疊形成壁畫的，線條和用色簡明，繪出主題有「出行」、「宴樂」、「放牧」、「打場」等，是當時河西社會的眞實生活。

蘭州市日漸繁榮，是蘭新線上大都市之一，風光較所經河西各縣市為佳。博物館陳列的漢唐文物年代深遠，正代表著先民精神文明上的創造成果。

（民國八十二年九月）

攀登雄關看長城

公元前一三八年，張騫率百名勇士經隴西郡，渡黃河進入河西，這時的河西和地域廣大地區，俱在匈奴控制當中。前一二一年西漢元狩二年，選派年僅二十歲的驃騎將軍霍去病，統率騎兵萬餘出塞進軍河西，「轉戰六日，過焉支山千有餘里」，佔領河西走廊的東端；其後西擊匈奴右地，降昆邪，休屠王，遂空其地，徙民以實，初置酒泉郡。昔稱河西第一隘口的嘉峪關，自古就是中華大地通往西域的大道，名聞遐邇的絲綢之路的重要關口，也使後來成為中西貿易的集散地。一二七一——一三〇八年的元朝，從中亞、西亞和歐洲移居中國的人數增加，威尼斯商人馬可·波羅就是從中亞細亞經新疆到達酒泉的，正如唐僧玄奘赴印度取經，正從這一帶通過的。（相傳黑山有唐僧取經途中留有晾經臺、和晒衣場之說。）存世的《馬可·羅波行紀》內中有關酒泉的記載，是到處「環以牆垣的城村」。一六〇五年的明萬曆三十二年十一月，葡萄牙人鄂本篤從西歐經新疆沿河西走廊東行抵達嘉峪關，曾對雄偉壯麗的關城和長城雄姿留下深刻的印象。年底到達酒泉（隋置肅州，一九一三年改縣），病危不起，於一六〇七年四月十一日逝世，葬在祁連山前，長城北郊之野，算是達到他探索契丹（中國的別名）的目的。（見鄂本篤的契丹記）二十世紀初，瑞典斯文赫定探險中亞及中國西部時，曾到酒泉訪查鄂本篤墓地未著，經由一位蓋勃爾女士後來找到，在她著作中有說：「鄂本篤他的墳墓至今還在。」

酒泉西通玉門，再到安西，現由蘭新鐵路貫通，它與西南方的敦煌，相距四百公里，有空中和公路可資往返。古時是「諸夷入貢出師往來之道」，「戎羌通驛之途」，「河西保障之襟喉」，也是保障「絲綢之路」安全通達的重要軍事基地。明清時期，過往的商賈，使節多不在嘉峪關停住，而集中在酒泉住宿、經商。酒泉既是國際貿易過境點，又是通住西域的交通要口。因此，《肅州志》指明：「三邊岩疆一線通道，東接西遮，南蔽北捍，稱爲孤懸重鎮。」酒泉鼓樓四向題刻更明白的宣稱：「東迎華嶽」、「西達伊吾」、「南望祁連」、「北通沙漠」。外國洋人所著《沙哈魯遣使中國記》書中寫道：「肅州城市極大，城牆爲四方形，有堅固炮臺，市場無幕蓋，寬五十愛爾。掃除清潔，時時灑水，塵垢不起。人民畜豬屋內，……店內羊肉與豬肉并行掛列。各街均有華麗之建築物，頂上有木製尖塔與炮眼，用中國漆漆之。」元朝文學家馬祖常在《黃河書事》詩中，記述波斯商人用玉石換取中國農副產品的通商實況，是以貨易貨，互換所需的另一明證。

約距酒泉西行四十公里的嘉峪關，我們嚮往的雄關要塞所在。據《肅州新志．地理．形勝》記載，嘉峪關「自遠而論，東以關輔爲內庭，西以伊循爲外屏，南以青海爲亭障，北以大漠爲斥堠，襟山帶河，足限戎馬，所謂西陲鎖鑰也。由近而論，面瞰雪嶺，背倚長城，臨水渟於左，嘉峪峙於右，內有討賴，紅水之縈洄，外有黑河，白湖之環繞，群峰拱衛，虎踞豹隱，雖地兼沙鹵，居雜戎番，而泉香，土沃，草茂，牧肥。具此形勝，足以有爲矣。」前人所述，文辭兼美，地理形勢，亦尚有跡可尋。首先探討嘉峪關及長城的沿革，再就我觀察所得稍做翔實的記述。

遠在漢武帝時，爲著開發西北和西域時，就已修築亭障和長城。在從安西繞敦煌，經玉門關進入新疆一段，是前一〇二太初三年，命路博德由皋蘭沿黃河起，向西築一條長城以防匈奴的，計分三段，從居延古郡開始，向西南延伸，鄰近酒泉稱中長城，在元鼎六年（前一一一）始築，漢將長城稱爲塞垣。南有祁連雪峰，北爲隱約潛形的天山，相互映襯。長城之外有疏勒河，利用地形天塹，駐軍戍邊，免受北邊匈奴的襲擾。我們的西北高原之旅，所乘絲路快車是由西東來的。往返換乘冷氣巴士於柳園敦煌之間，還清楚看到當年廢堡頹垣的長城，猶如巨龍在浩瀚沙海中浮動身軀。這些古老的遺跡，親手撫摩，揀撿彩石，它大都用泥土夯實或版築構成堅實的地障，雖歷二千年的風霜雨雪，依舊老而彌堅。畢竟時代的不同，已是功成身退，只讓旅遊者對它作一番憑弔唏噓，稍減在無垠廣大的沙礫地帶的旅遊者內心單調和空寂。這一帶漢長城的歷史遺蹟，偶爾觸動人們懷念先人的智慧，以及所流出的汗與血，曾經灌溉，滋潤這屬於我們的國土。河西長城固然是始於兩漢，而西晉，北魏，北齊同樣花很大的力量來進行增築和修繕的，目的無他，旨在維護完善的國防。

明朝在甘肅蘭州以西地帶，從事長城的修築工程，也經過一百多年。洪武五年（一三七二），征虜大將軍馮勝，先在嘉峪山築以土城，正式大興土木修築關城的是弘治八年（一四九五），兵備道李端澄修建關樓，正德元年（一五〇六）續修內城東西二樓和附屬建築，嘉靖十八年（一五四〇），加築城牆，修築關城南北兩翼長城。以後只有維修，沒有增築。

我們一行於傍晚時分，驕陽朗照下，車停即換巴士，經嘉峪市區到黃沙遍野的關城。根據近代人邵元沖（一八九〇—一九三六）在《西北攬勝一書》中說：「嘉峪關在酒泉西五十里爲長城之西盡頭，南據紅山祁連，北倚黑山牌樓，關居適中，深藏固閉，誠河西第一雄關。」此話深獲我心。我們由北門進入關城，林木森森，溪水奔流，東西城頭的大樓上下三層，崇立壯觀，極盡巍峨完整之美，瓮城、羅城、戍樓、敵樓和其他附屬建築與之配合巧妙恰當。尚有玄帝廟、官廳、夷廳、倉庫、戲臺等。登城眺遠，祁連高峰，積雪皚皚，右倚黑山，南北高峰對峙，中是嘉峪關，長城伸展如翼，稱「懸壁長城」，從平地直上峰顚，建有亭閣并有烽燧。關城西牆外，驛道旁邊豎立的一座石碑，上刻「天下雄關」四個蒼勁有力的大字，側鐫小字是「嘉慶十四年甘肅鎭總兵李廷臣書」。雖然，過往留有很多碑刻，有的已經陳列在酒泉博物館，另在自然侵蝕和人爲破壞下，自所難免；現存最早一塊明萬曆年間的《嘉峪關漫記》碑，刻有草書五言詩，豎寫，共四十四句，二百二十字，書法流利，刻鑿精美，關內文物館有不公開的出售原拓。內城東「光華門」，西「柔遠門」，遙相對稱，頗具氣派，東瓮城文昌閣明代建築，清道光二年重建，兩層兩檐歇山頂式，脊有蟠龍。左宗棠手書「天下第一雄關」匾額已不得見。一八七一年，俄國在嘉峪關設立領事，商務重心實在酒泉。如今關城無一居民，只有少數管理人員。關外茫茫莽莽，一片荒寂，落日餘暉，映照在孤立的雄關城堡，漸漸已爲黑暗所吞沒，回程只留下一點去思，供作回憶。

（民國八十二年九月）

黃土高原的河西走廊

舊以甘州（張掖）、肅州（酒泉）兩地首字取得省名的甘肅，清代建省，地跨青、藏、內蒙古黃土三大高原間，簡稱隴。全境大部海拔一、〇〇〇公尺以上，以山地、高原為主。一般海拔二千到四千公尺，東低西高，隴南山高谷深，峰銳坡陡，隴中、隴東黃土高原，以六盤山地作界；黃河大致自西南向東北穿過。祁連山在本省又稱南山，形成一系列的平行山嶺及山河盆地，海拔三千至四千五百公尺；自南而北分祁連山地，河西走廊，北山山地。此行通過的河西走廊，祁連山主峰就高達五、五四七公尺，在酒泉以南的省界上，該山四千公尺以上經年積雪；距嘉峪關一二〇公里有大陸性冰川，日照充足，地土高亢，民間利用山上融雪，來作灌溉的水源。岩石裸露，山麓礫石年深日久的堆積，成為岩漠和戈壁。溫差較大，乃有「早穿皮襖午穿紗」的說法。由於自然條件的差異，生產和耕作諸多限制，糧食作物有小麥、糜子、穀子、玉米、青稞、馬鈴薯等。小麥也分東南種春小麥、西北多種冬小麥。我們所經過的農地，麥穗金黃已正在收割當中。東部森林曾因過去伐木太濫，導致氣候失調，十年九旱，影響農業生產和發展。目前興修水利，開展水土保持，昔有「金張掖、銀武威」的既往雅譽，若非擴展重工業，如酒泉鋼廠、玉門油田與煤、鹽的化學工業，方稍呈繁榮的景象。移民西來的很多，但農民生活仍待加強改善。惟一可喜的，片片綠洲中呈現著生機，荒涼景象蘊含著幾多綠意，但貧窮的農民，唯一願望的是收成，他們賴以活命的源泉。可是，眼見河西走廊找不到一塊土地，像臺灣一般青翠沃土，溪流縱橫，物豐戶足，面帶滿足去辛勤操作的大衆。這裡眞實生活如何，是不難想像的。

甘新之旅，滿足宿願。我總覺得所知有限，不僅在歷史和地理上該去充實資料的認知，更欲從他人已知的轉貸給我。讀罷青山將軍的《憶舊遊》，張恨水西北旅行的文章，以及始終留在大陸我的朋友晏明新詩《高原的誘惑》專集，他們所見所聞，是處在不同時空與見解裡，自信不如我自己親身實地體會的深刻。我的重點雖不在山水之間，不在民間生活苦樂，而著重於歷史文物和古蹟名勝佔先，回味著千載百年那時先民的締造艱辛。

現時。我抄錄晏明一首題名「河西走廊綠了」的詩：

春風，用輕柔的手，彈響綠色的琴鍵，河西走廊綠了。

×××

河西走廊綠了，紅艷的朝陽染紅田壠，給公路塗一層層彩虹。

×××

天空灑下桃花雨，大地暢飲一樽春酒，河西走廊綠了……

我想，晏明所見河西走廊的「綠」，是他想像的綠罷了，究竟是綠呢，還是一種虛幻？他應該是心知肚明的目今那塊土地的眞相。

張根水的西北旅行，應該是六十年前的舊事。他談到甘肅除了平涼縣還有點樣子，其他各個縣城，沒有一個像樣的，人口少，市面荒涼。「一個縣城不如江南一個村鎮」。一家人沒有被子蓋，將熱的沙子當被子，還看到「十八歲大姑娘沒褲子穿，只好用沙草圍著身子當褲子。」等語。相信經過這麼長久的時空變化，農村的苦難應該減少到零。我坐著蘭新鐵路列車時停時馳的東行，城市鄉村比較來看，還是臺灣的富足生活就如寄跡天堂，俗說人在福中不知福的，河西走廊的人民何時擺脫控制，定位開放？他們也永遠不知道──什麼是福。

偏處河西走廊盡頭的敦煌，地近西域，是我國漢族最早接觸佛教的地區之一，佛教藝術的興起，是匠師們利用中國傳統的泥塑技術替代石刻宏揚佛法。首有莫高窟的開鑿，開我國洞窟佛教藝術的先河，甘肅地區算是首創風氣之先。向東傳佈，自安西的榆林窟（又名萬佛峽）迤東，有昌馬的東千佛洞；玉門赤金堡的紅山寺，酒泉的文殊山，張掖馬蹄寺等，這均在黃河以西的。永靖有炳靈寺唐述窟，天水麥積崖石窟，涇縣有石窟寺，縱有千佛、萬佛的名稱，實際完好保存彩塑佛像的已居少數，歷代缺乏保護和任意摧毀，是不可否認的事實；祁連山脈的文殊山千佛洞，就是遭到紅衛兵毒手加以破壞的一個顯例。莫高窟現存繪塑的洞窟數量居大陸首位，畫壁亦稱完善。從彩塑遺存，有十六國時期，北魏、西魏、北周、隋、唐等。主要的有佛、菩薩、弟子、天王、力士。佛的莊嚴慈祥，菩薩恭謹虔誠、弟子唯信唯敬、天王威武十足，力士猙獰可畏，造型不同、個性神態各異。姿勢有立姿、端坐、交腳、趺跏、大多光腳、唇邊留鬚、手部托腮、伸掌、托缽、合十的。天王腳踏的邪鬼頭腳著地，顯出不勝負荷的「地神」；北周始建的浮塑「羽人」一身，頭上生角，臂上飄飛披巾替代的翅膀，軀體矮小茁壯，裸胸赤腿，四隻獸爪，佛經中稱之「人非人」，僅見於西魏，北周的窟頂壁畫裡，這項確是怪奇動人的彩色的塑像，使用紅、赭、綠、紫、黑多種顏料，描繪圖案、花紋、竭盡巧思，配合所處時代，如今，呈現於後世人們的眼前。驚詫往古人們的藝術與構思所在，難怪欲行又止的流連。

有人或具一種錯覺，以爲莫高窟位於鳴沙山東麓，誤以爲遊人必去的鳴沙山和月牙泉，就在一道，其實大謬不然的。由敦煌去鳴沙山和月牙泉，它在直南五公里，與莫高窟所在鳴沙山相差二十公里，並且還要經過一段沙漠，穿鞋襪的朋友要受一段跋涉之苦。俗說聞不如見，三面環繞純粹黃沙堆積的鳴沙山，有著悽涼遠戍軍人赴戰的一段古老故事的流傳，征途露宿軍人，爲狂風巨沙所掩埋，常有咚咚鼓聲可聞。眞假無從考據，只是傳說；但年年風吹沙動，依然山仍如舊，不稍變易。黃昏向晚，攀登的青年男女極多，是專爲祈福而來，也有專來溜滑七十度角的山坡找樂。泉在山腳下，有池無水，只剩蔓草點綴和二隻破龍舟擱在一邊，新建寺觀和雕樑畫棟的長廊工藝品店，卻應運興起。據說幹部用抽水機抽水灌園，被沉沙封閉了泉眼，所以，斷送月牙泉的永恆生命。我們浩浩蕩蕩的，興緻勃勃乘坐駱駝的，也有坐用駱駝拉的轎車來的，鼎沸人聲，駝鈴聲，吆喝聲，混在山凹裡，直到晚間十時始歸它的寂靜。（九時後天黑）鳴沙山和月牙泉的盛名和它的眞面目，總算已經領略。

在柳園、敦煌、安西、嘉峪關、酒泉，看到荒野臥伏的漢明兩代的長城和烽燧，它爲保護中國人已盡心力；既往我曾經登上河北省境八達嶺磚建的長城，卻無緣領略整個的西起嘉峪關，東臨山海關間，跨越多省的萬里長城全貌，現今在甘肅境內，親撫漢代和明代長城殘破的遺跡。追憶漢武帝爲中國人民作想，防匈奴劫掠，設立河西四郡，延續秦代長城，威服西域諸國，寫下開疆拓土的奉獻偉績，令人難忘。戰國時的趙、燕兩國所築的長城，是沿陰山，經熱河赤峰，到遼東襄平；再經秦始皇從甘肅臨洮往北，環繞黃河北方接連燕趙長城，阻止胡人南下的襲擾；戰國長城我無由尋覓，秦代萬里長城，在河西之行中也無從一探遺址。

可是，值得探討的，唐代吐蕃（藏族，源出古老羌族）王朝，曾在七五五唐天寶十四年藉著「安史之亂」，統治河西遼闊地區六十年，留有對敦煌佛教洞窟的開鑿，現尚存有四十多個，助長佛教藝術空前的發展。及之，一〇三六宋景祐三年的西夏佔領瓜、沙，歷一九四年，後爲蒙元遺軍（一二二七）佔領，莫高窟留有洞窟十七個。中國的治亂相循，留給後世的啓迪，要從甘肅長城古蹟，轉來看少數民族既往的作爲，仍是可以想見敦煌地區歷史眞相，而對佛教傳承，還是有著莫大的作用。宗族不在大小，彼此融和仍是值得重視的關鍵。

（民國八十二年九月）

肆、舊物仍多託情懷

秦陵的兵馬俑群

千古一帝的秦始皇（公元前二五九—二一〇），父親嬴異人，被昭王送到趙國去當人質，娶呂不韋的趙姬爲妻，在邯鄲生下一個小子的他，即以趙氏爲姓，叫做趙政。送回秦國恢復嬴姓，始叫嬴政。十三歲（公元前二四七）即位稱秦王，政權操在太后與丞相呂不韋的手中。及之，二十二歲（公元前二三八）舉行加冕典禮，誅滅嫪毒集團，爲秦國掃除一大禍患，獨攬國政；兼併六國天下一統，自爲皇帝，所以，皇帝稱號，是秦始皇的創舉。

回顧從前，秦是古國，嬴姓，由襄公開始，春秋時領有陝西省地，列爲諸侯。孝公（公元前三八一—三八八）是穆公十五世孫，原本春秋五霸之一國勢益強；戰國時任用商鞅而法令大行。諸侯各國仍舊將秦視同戎、狄，更促使發奮振作不已，求賢變法，務求實政的精神毅力，頗著成效，澈底變法，爲其後世奠定強盛堅實的根基。經過六世的擴張，風雲激蕩，七虎爭雄，彼消此長，期執牛耳。秦始皇舉賢用能，如：韓非子、李斯、甘羅、姚賈、尉繚子等，有助於連橫成功，主要的一著，是離間諸侯，秦國乃得勝利。佔巴蜀天府之國，更攻占楚地黔中郡，勢力延伸達到貴州，再攻義渠和丹、犁等國，發展到甘肅、寧夏，以及川西南一帶。根據蜀鑑所記：「滅六國而一天下，豈偶然哉，由得蜀故也。」

不可一世的秦王朝，其興也速，是有賴先祖歷代的經營，土崩瓦解的飛快，乃在於頑固不化。這段歷史堪供後世的人列爲教訓。秦始皇其爲人也，人格發展受到家庭和社會環境影響，養成他的孤僻、忍耐、暴戾、殘酷的多面性格。試舉古書描寫他出生一段情景：「產時紅光滿室，百鳥飛翔。生得豐準長目，方額重瞳，口中含有數齒，背項有龍鱗一搭，啼聲洪大，街市皆聞。」再就待爲上賓的尉繚子私下語人的看法，是：「秦王那副尊容，鷹鈎鼻子，細長眼睛，前胸凸起，肩膀聳立，配合一副沙啞的嗓門，活像一隻豺狼。有著這種長相，待人就會刻薄。窘困不得志，裝作謙卑居於人下，一朝得志，就會輕易地傷害別人」。然耶？否耶？堪供吾人識人的參考。

秦始皇先後兼併六國一統天下，廢封建置郡縣，收天下兵器，聚之咸陽；統一法度，車同軌，書同文，築長城，治馳道，政治作爲大有可觀，其功值得稱道的。惟採用丞相李斯建議的「焚書」「坑儒」這一史實，弄得他永世不得翻身。根據宋元時期的歷史專家馬端臨考證，至少兩次：一在咸陽，坑有四六〇人，是繼「焚書」後第二年（公元前二一二年）的又一創舉。第二次是在驪山腳下坑殺七〇〇多人。古老相傳，坑儒的地方，漢稱「愍儒鄉」。唐天寶年間，改名「旌儒鄉」，還修一座旌儒廟，以後廟毀碑失，惟碑文尚存，宋人重刻石碑并作序，置於臨潼文廟，「文革」時蕩然無蹤。目前旌儒鄉稱洪慶堡，昔稱紅坑村，又名滅文堡，清改名興文堡位於西安市東的灞橋區。民國五九年村民挖地時，還發現大量人骨和一尊唐代石雕文人像。如今、「焚書」的遺跡，一在渭南、一在灞橋，從地裡一塊黑土和土丘上有著灰層的殘痕來判斷的。眞抑是假，年深久遠，難作明確的考證。

五次出巡，秦始皇行蹤遍及黃河上下和長江南北，并在七處勒石立碑，記述功勛，其目的在于：一、親巡天下，威服海內。二、行巡郡縣，周覽遠方。三、求仙問道，覓尋長生不老之藥。試問神仙何處？俱在虛無縹渺之間。出入無定，不喜世俗，隱形匿跡，隔離大臣，寵用方士，練丹求藥，不變做神經癡漢，那才怪呢。

造咸陽宮，是秦始皇好大喜功，窮奢極侈的滿足慾望的具體表現。特別是擴建咸陽城和營造驪山陵，給了當時秦國人民極沉重的負擔與痛苦。秦于建都雍城後的宮殿和城邑建築，已有封宮、平陽宮、大鄭宮、陽宮、霰宮、高寢、蘄年宮、蘷泉宮、資陽宮、平陽宮、羽陽宮等。在民國六十五年以來，就雍城遺址地下發掘說明，宮殿規模宏大，建築技術高超，居於春秋諸國之首，有人感嘆「使鬼爲之，則勞神矣！使人爲之，亦苦民矣！」秦始皇二十七年（公元前二二〇年），更繼先人大張旗鼓，於攻滅六國後二年，在渭水南岸建長信宮。到秦始皇三十五年（公元前二一二年）營作朝宮于渭南上林苑中，適應求仙的需要。「前殿阿房宮」，就是朝宮一個組成部份，規模雄偉，遺址在今西安市西約十五公里，當地叫做「郿塢嶺」，村名阿房村。目前無可復睹宮殿林立，富麗堂皇的昔日景象；但從唐代詩人杜牧「阿房宮賦」寫的「覆壓三百餘里，隔離天日」，「五步一樓，十步一閣。廊腰縵迴，簷牙高啄。」「長橋臥波，朱雲何龍？複道行空，不霽何虹？高低冥迷，不知西東。」來看，文人筆下雖好渲染、誇大；但可想見秦始皇的阿房宮豪華壯觀，享有美女，珍寶的樂趣；生活奢靡，終非其福，無怪杜牧最後寫著：「族秦者，秦也，非天下也」。「秦復愛六國之人，則遞三世可至萬世而爲君，誰得而族滅也。秦人不暇自哀，而後人哀之。後人哀之，而不鑑之，亦使後人而復哀後人也。」流露出感情豐富，語重心長。究其實際，世人也該深省國家興亡的至理。

秦陵氣勢軒昂，堆土成山，現高七十六公尺，依然雄姿巍然。青翠葳甦，外環磚垣，據說種的是石榴樹。國人牢不可拔的觀念，「事死如事生」，秦始皇對靈魂之說，堅信不疑，對儒家的「敬其所尊，愛之所親」孝之至也，他并不反對。從他即位（公元前二四六年）大建陵墓，欲在陰間地府，永享人世榮華；於是，一墓獨尊的秦始皇陵園，由李斯作陵，將天下刑人徒隸七十二萬人用來構工。他在位三十七年中主體雖已完工內部裝修仍得繼續，不意秦始皇突然病故，為使入土為安，胡亥迅即把營建阿房宮暫停，調集刑徒、役夫竟達七十餘萬加入趕工，九月入葬，覆蓋封土當時高度一一五公尺，有內外城之別，總面積達二百二十五平方里。工程浩大，陳設豪華，儲藏豐富，想是十分驚人的；目前發掘只是秦始皇陵兵馬俑坑，挖墓尚無定期；一、二、三號俑坑現場，距離陵墓一點五公里的東端。民國六十三年，由當地農民掘井偶然發現，民國六十八年建成野外博物館，震驚中國，也轟動世界，使秦始皇死後二千二百年的殉葬器發現成為奇蹟。民國六十九年，三號坑出土青銅車馬，兩輛各有一個銅俑馭手，站坐各一，大小是眞的一半，車上各件俱全，馬的絡、御、鑣、靷、靳、驂等皆備。秦陵的兵馬俑，筆者初見於民國六十七年四月的美國雜誌圖片，去歲再見於北平中國歷史博物館陳列的實體眞品，陶俑高一點七五—一點九五公尺，陶馬大小與眞馬相似，形象逼眞，比例適度。此次復作跨越江河萬里之行，親臨古都西安，目睹林林總總的陶塑兵馬俑群，浩大陣容陳列面前，偉壯已極。

姑不論秦始皇生前的功過，而其殉葬物中有如此衆多的兵馬俑，規模宏大，形象如眞，製作精細，就一號坑兩次發掘，出土陶俑、陶馬約二千件，木質戰車二十乘，青銅兵器四萬餘件，估計這個俑坑陶兵馬約六千件，排列在十一條通道裡。二號俑坑，是騎兵、步兵、戰車兵混編組，估計駕車陶馬三五六匹，鞍馬一一六匹，各類兵俑九百餘件，戰車八十九乘。三號坑戰車一乘，陶馬四匹，兵俑六十八件，另有建未完成的廢棄空坑。在出土的兵俑手中，都曾持實戰用的兵器，如：弓、弩、戈、戟、鈎、劍等，至今仍是寒光逼人，鋒利無比。在人物性格塑造上，有共同性又有個別性，高大威武，身穿戎衣，手執利刃，免冠束髮，表情各異，個個栩栩如生，昂首虎視著前方。當筆者面對群俑，意識到抗戰期間赴湯蹈火的袍澤，他們嚴陣以待，整裝待發的冥想，深入腦海；突然轉念黃土坑中的兵馬俑群，原是陶塑，經過窯燒、彩繪的工藝製品。軍吏俑的身分高低，戴冠上即有差異，從其造型風格和神態刻劃，也可辨識誰是將校誰是士兵。馬俑有的正駕御戰車，有的在恭候跨騎驅使，形象準確生動，手法洗練概括；首、尾、驅幹，肌豐骨勁，四肢用的硬直線和面，塑得稜角分明，馬頭塑造更是絲絲入扣，繁簡得宜，其精雕細塑的程度，確實做到刻劃入微；高度身長，幾與秦馬沒有分別，就連彩繪，極力模擬眞馬，做到盡善盡美的境地；雕塑藝術創作上，堪稱古代寫實的傑作。

陵園東側上焦村一帶，發現近百座馬坑和跽坐俑坑，活埋的馬約六、七百匹，它是象徵宮廷廄苑；跽坐俑便是飼養馬匹的圜人。有否生人隨他殉葬，因發掘工作暫停，現尚無法預測。依據史記，秦始皇本紀所載於下葬時，二世胡亥竟認爲「先帝後宮非有子者，出焉不宜」，皆令從死，既然「死者甚衆」，不僅女性，還有皇子、工匠殉葬的。

現時，秦始皇陵的謎底，仍待不斷的揭開，就要看看中共當局有無寬裕的經費來支持這項考古發掘工作了。

（民國八十二年七月）

湖南行處曾相識

長沙給我的想念

「到了湖南到了家，到了湖南不想家」。抗戰期間國軍官兵輾轉調防湘省的一致論調。湖南景色優美，又是魚米之鄉，而湖南人的個性剛直，爲人慷慨，熱忱處世，樸實無華，爲我所喜愛。

大陸之行。廣州搭乘雙引擎航機飛往長沙，當在黃花機場落地，田野碧翠，坡地杉木成林，路邊建有兩層樓房的比比皆是，飯館、修車、瓜果、雜貨的「個體戶」小店參雜其間，往來車輛破爛污穢，不斷按著喇叭顯示它的特色。入城，只有小吳門郵政局舊址殘存，其它都已不復相識。宿湘江賓館，原係何鍵住宅遺址，樓高十四層，現有客房三百間，作爲此行的寓居所在。

流經長沙城西的湘江，浩浩蜿蜒，寬闊流長；東來的瀏陽河在落刀嘴注入其中，形成屏幛。昔日曾是守備的要隘，如今靜靜無波，淘盡當年民族戰爭的血淚。由頭及尾的湘江，我曾履踏過的脚步，也就早經隨風而逝，了無遺痕。而烙印在我心頭的創傷，卻將無可磨滅。

回溯這座歷史名城，日寇於此曾有三次慘敗紀綠，死傷九萬六千餘衆。公元前二二一年，秦始皇分天下三十六郡的長沙郡，就是此地。漢高祖於公元前二〇二年，封吳芮爲長沙王，建長沙國，傳留「楚漢名城」的美譽，更稱「屈賈之鄉」。人文薈萃，代出賢能，就以書法來講。如：唐代歐陽詢，歐陽通父子，僧人懷素。再如、明代茶陵詩派著名長沙詩人李東陽。清代楊恩壽、王文清、王湘綺、王先謙、魏源、左宗棠等，俱是活躍文壇的名儒。

二遊岳麓山。岳麓書院經修葺後劃入湖南大學的校區，院內匾對石刻尚多存留。入門的「惟楚有材，于斯爲盛」。不明何人手筆，也不知道何時所題。有人認爲湘中多狂士，未免驕妄，但也有人認爲自勉自勵，步伍前人又未嘗不可？唐代開元十八年（七三〇）麓山寺大修，時稱「書中仙手」揚州人李邕，爲文並書，文、書、刻俱佳，譽爲「北海三絕碑」。不幸在破「四舊」時被人砸裂，眞爲之叫屈。中華文物的破壞，又何止於此！寺廟蕩然，僧道雜處斗室，那是孑遺。

雨中參拜岳麓的黃克強先生長眠之處，復詣白鶴泉後蔡松坡先生墓，名山有幸，葬有創建中華民國著功的偉人，墓雖毀後重修，來往弔念者多，冒著淅瀝雨聲，點滴似淚，在爲黃蔡兩賢低泣。黃興故居遠在市東，座落滿眼秧田中一隅，陣雨駛車，泥濘處處，舊宅遺留存屋數椽，陳列生前有關圖片，並有中山先生與之往還的書信，以及，自書的「無我」「篤實」兩幅橫披。惜受環境限制，亦無錢整修，算是聊備一格而已。臨場有其嫡孫黃偉民君在側，木訥不多言，紀念館館長也很緘默。

攬勝途中，得見兩具龐然大物，一在西渡湘江大橋後的湖南大學廣場中，一在清水塘長沙市博物館內，那是毛澤東立體塑像，色彩從淡。清水塘曾是毛楊工作場所，不無要人聯想到毛妻楊開慧。當民國十六年，毛氏組成工農紅軍，發動秋收暴動失敗逃入井崗山。殺人無數，血染街頭，禍延其妻楊開慧，替夫付出生命的代價。十七年毛在江西永新就已愛上漂亮活潑的賀子珍，匿居長沙板倉外家的楊開慧，賦懷夫感懷五古一章：「念茲遠行日，平波突起伏；足疾已否痊，寒衣是否備？孤眠誠愛護，是否亦凄苦？」楊女墓前現豎漢白玉雙碑，後立大型字碑，刻毛的「我失驕楊」蝶戀花詞。有人批評毛的個性，睚眥必報，記怨不記恩。大陸人士對毛貶過於褒。試從他的感情生活來看，不難窺探其爲人。

長沙多日，到過株州，也遍逛街衢。工業城市的株州，建築整齊，市容頗佳，隔水農村，依然在嚴密管制下，大家度著陰暗消沉的生活。標語強調：「一對夫婦只生一個孩子光榮。」廣土衆民向來重男不重女的，一個孩子有多單調，竟有連生二女再生一男的事實存在。那怎麼通融？賄賂掩飾，不然就得重罰受罪。已婚男女那顧得「光榮」和「政策」，在生育年齡當中。唯有在多一層陰影中強制忍受而已。

「信得過」的餐廳和小吃，有蓉園、凝香軒、湘江賓館裡的正宗湘菜，我所特好的「湘泉」酒、牛百頁、刨涼粉、豬血湯。每餐名菜「馬拐」（田雞），不敢多吃。至於，原富盛名的「清眞李合盛餐館、九如齋食品店」，談來津津有味，始終沒有親往一嘗。

有人誇耀長沙火車站的壯觀，南來北往車多，爬上爬下要人夠受。屋頂紅辣椒的裝飾，有失火炬的象徵，站前五彩的噴泉，也是乾涸得瓦礫滿地。湖南「第一個屋頂旋轉餐廳的銀河旋宮」，號稱是一座多功能的長沙大廈別緻建物，具有現代風格外型，卻多因陋就簡的內在欠缺。

舊地重遊，檢拾不堪回味的陳年幻夢。我愛城西湘江之中的橘子洲，果園修竹，山嵐水闊。我也很愛古老城牆上的天心閣，如鳥展翼，仍具初意。登樓遠望，「楚天一覽」的氣慨，受著雨霧的籠罩，悵然若失。我特別偏愛的，岳麓清風峽裡愛晚亭，日已西斜接近黃昏，紅霞從叢叢枝葉間灑落山谷，金黃耀目。踟躕徘徊在靜肅的雙峰夾峙裡，人稀鳥絕，端坐默想人生年華易老，生活又那麼變化無窮，際遇究竟是誰操縱？溪聲淙淙，從亭畔悄悄流逝，腳下瀦成的一泓水塘，垂柳輕拂，裊裊多情。如今峽中沒有千年古木，雜樹野花掩映於綠叢中尚不失雅趣。本名紅葉亭，是受杜牧「停車坐愛楓林晚，霜葉紅於二月花」詩句影響，直至清代乾隆五十七年（一七九二），岳麓書院山長羅典營造更名「愛晚」的。勝景幽境，歷經滄桑，尚留有羅典詠清風峽的聯刻，傳誦著羅與袁枚相晤的故事。文士風流，憑添佳話，讓後來的人，於此啓迪無限的遠懷。

紅葉也罷，愛晚也罷，處此晚霞塞空，林葉輕柔飄動中，萬里歸來的遊子，重臨小駐，故國河山景物的劫後面目，多少零落？多少瑕疵？怏怏心靈，那堪坐待暮色來臨。

湖光山色兩相依

去岳陽，遊君山，乘的長沙岳陽區間車，它是京廣線的一段。車廂純鋼皮構造，寬大廣深，硬席顯得人衆壅塞，小販叫賣不絕，兜售冰棒和蜜桃。男客長髮不修，上唇留鬍，衣服色彩單調，涼鞋不著襪子，辛辣煙味滿車。沒有茶水供應，只得吃著黃瓜止渴。女性年輕的，梳著長辮，燙髮認是一種時髦，衣著也愛花俏。男女講話，喜歡高聲嚷嚷，似乎是入無人境地，學生型的特甚。

過望城、汨羅、岡巒點點，杉木新植，幹瘦葉稀，算是近年封山造林的成果。從民國三十九年六月三十日，大陸頒佈「土地改革法」，在「窮人翻身」口號下，形成恐怖統制，超越「鎮反」、「肅反」、「土改」、「勞改」，以及「人民公社」的殘酷，人民成為牛馬般的生產工具，在虐政中日日掙扎於死亡的邊緣。民國五十四年的瘋狂「文化大革命」的政治運動，由破四舊、立四新「（文化、思想、風俗、習慣），否定過去歷史遺產，否定現代文化思潮，使得陷於落後和愚昧。毛氏廣泛利用知識經驗欠缺只富於熱情的青少年，組織「紅衛兵」，作為「文化大革命」的主力軍，摧毀我國歷史文物和倫理道德，干涉生活習慣，造成社會及生產秩序的大混亂。如此胡來的暴政，害慘百姓蒼生，後遺症直到今天，養成許多人的得過且過的自衛自私心理，疑忌和互不信任的人際關係。加之，經濟閉塞，政治強調管制，城市和鄉村戶口的界限分明，如此一無自由的情況下，欲求希望、幸福的理想，雖已萌芽滋長，但不知爭取與奮鬥要到何時？

田野新綠一片，溪河水流不息，湖南有著「湖廣熟，天下足」的原始本錢，人民習勤從儉，僅求溫飽，外貌呈現眼前的，依舊是農業社會勤耕一點可喜。

汨羅原是小站，記得抗戰時武漢撤退於黑夜過此，燈火寥落，鞭炮不絕，看到空際一輪明月，方悉又逢中秋。今日車過汨羅，江流西去悠悠，緬懷屈原所言「衆人皆醉我獨醒」一句，人在醒醉之間如何抉擇？從酣醉裡甦醒過來？抑長此醉而不醒？任其糊塗一生。

湖濱大城的岳陽，古稱巴陵，又名岳州，位於江湖匯合處。唐開元四年（七一六）在西門建有岳陽樓，成江南三大名樓之一。岳陽賓館宿定，窗外洞庭的湖光山色，盡收眼底。先看魯肅（一七二——二一七）墓園，外環磚垣，門立石坊，豐碑黃土，覆以瓦亭。當年周瑜曾得魯肅的分糧相助，薦肅於孫權，結歡劉備，大破曹操在赤壁，授奮武校尉，瑜死代領其兵。記得鎮江也有魯肅墓，經人說明應在岳陽，百聞不如一見，看來較比貼近史實。

岳陽樓高踞西門瀕湖所在，建築宏偉，景象萬千，它佔著城牆的最高點，數座牌坊別具傳統藝術之美，並有園林之勝。入岳陽門洞，拾級登樓，視野頓然開闊，水光明灩，擁抱入懷。復可逐級下行直至湖畔，大有曲折通幽的妙趣。樓頭懸掛先賢范仲淹的岳陽樓記，宋仁宗慶曆六年九月十五日所作——楠木鐫刻，描繪巴陵勝狀在洞庭一湖，銜遠山、呑長江、浩浩蕩蕩、橫無涯際的氣勢實景，而其「先天下之憂而憂，後天下之樂而樂」的愛國卹民精神，也道出知識分子的責任心聲。樓西湖邊，有著一座兀立的唐代慈氏塔，遙遙相對，浩劫中倖獲保存，據說是當時中共縣委毛致用堅持，頭可斷就是不准毀掉樓和塔，因而，岳陽古蹟古物能夠維護迄今。另外，還有南宋淳祐（一二四一——一二五二）年代的青銅雙鼎及其它的文物，爲中華文化留著一些餘緒。

距離岳陽十二公里水程的小島君山，長約一公里，寬〇．七公里，高不及百公尺，無風無浪，輪渡不驚波瀾，一碧萬頃，在題刻「白銀盤裡」牌坊下登岸，首往虞帝二妃墓，種有妃淚的斑竹林，充滿盎然綠意。娥皇與女英二姝，一是湘君、一是湘夫人。堯女舜妻的湘君，在屈原著的離騷和九歌裡，都曾提到這位正妃，她是湘水之神。廟與墓雖經毀壞重修，香火鼎盛，求拜抽籤的未婚男女特別踴躍，推行無神論的大陸，總算敵不過民衆的宗教習俗。

唐代詩人李白，既有「日落長沙秋日還，不知何處弔湘君」句，復有「杜鵑聲似哭，湘竹斑如血」的極具感性的詩。墓前石柱刻有「君妃二魄芳千古，山竹諸斑淚一人」的名聯。

漫步蓊鬱竹木的君山小徑，遊罷傳書亭、柳毅井、飛來鐘、酒香亭，也曾啜飲君山毛尖茶。惜乎味淡無香，恰與當年初飲大大不同，碧青芬芳葉葉倒立杯中的印象，已經不再。

岳陽樓和君山的遊覽，常留記憶中的唐代彭城人劉禹錫（七七二—八四二），他是反對天命論者，遺有哲學論著天論，詩文剛健清新，語言明快。其詩：「湖光秋月兩相和，潭面無風鏡未磨，遙望洞庭山水翠，白銀盤裡一青螺」，刻劃至爲深入。同行李元洛教授，朗誦晚唐詩人唐溫如題「龍陽縣青草湖」詩句：「西風吹老洞庭波。一夜湘君白髮多，醉後不知天在水，滿船清夢壓星多。」並談此詩雖不若名士屈原、李白、杜甫、劉禹錫等人爲世矚目。其況味無窮，卻能一新思考。（李元洛教授八十二年八月受邀來訪中華民國臺灣一月并曾相晤。）

王村古鎮猛洞河

「行萬里路，讀萬卷書。」

世人評定「桂林山水甲天下」，看陽朔奇峰突起，泳游在藍藍灕江之間，山水接連，秀美無比，這是我早就深深體會的。至於說它甲冠天下，那該相信是文人筆下跡近誇大的形容，甚或是渲染的飾詞。近探湘西山水，予我新的印象，假如將山水視若娘親，自認秀外慧中，是永念難忘的一種美的感覺。在我主觀認爲，處處山水俱有其優越所在，但是，你用的是何種角度？何種心境去欣賞它的。

過去對湘西的皮相觀感，認爲是漢苗雜處，田土瘠薄，民風強悍，個性率眞。現今，包括十縣的「湘西土家族苗族自治州」，涵蓋著吉首（原稱乾城）、鳳凰、瀘溪、古文、花垣（原稱永綏）、保靖、龍山、永順、桑植、大庸（原稱永定）。晚間九時。搭長沙開的硬席臥舖夜車，過株州、越湘江，隆隆車聲裡，窗外一片漆黑，只有過站稍見微弱燈光。湘潭、湘鄉、新化、溆浦、懷化，轉北經辰溪、瀘溪，到吉首下車，已是翌日午時，經京廣、湘黔、枝柳三線，整整十五個小時，覺得怪長的一條路，約有六百公里。

宿於州政府的對街賓館，環境清幽鄰近市場，只是設備維護與管理欠缺，莫可奈何。晚餐豐盛，有野生動物的大鯢、石蛙、豬、兔，還有烏龜等稀有食物，出人意外的，我們成了饕餮人物之一，這不能不說是湘西之行的機緣。

爲著一探鳳凰三位傑出人士的故鄉，我們改坐汽車繞行所里鎮南去，沿途人家無多，居室破爛，仍是落後窮苦的地方。沱江對岸山頂上樹木青葱的所在便有苗寨，據高臨下，仰攻不易，用以自保。而村頭村尾步行往還的，均身背竹簍，那也是湘西男女置物的奇特景觀。車子爬山越嶺不停奔馳，「國產」車輛避震不良，顚來顚去，有人笑稱：終日俱在搖籃裡。鳳凰背山面水，越橋駛入南華門，城樓雙疊，也是山間居民的通道。西門臨河，衰敗陳舊，危樓一角住一孤苦老人，埋頭作畫。沒有理會我們這批不速的過客。城洞外的綠水緩流，碧波盪漾，婦女就樹蔭下擣衣洗濯，拍拍聲響，節奏鏗鏘。訪慈善家熊希齡（一八七一—一九三七）幼年故宅，文學家沈從文舊居，畫家黃永玉人在香港，未去探望。走走城內石板小街，看看建有女家牆的少數家屋。鳳凰山城，對外公路新闢不久，殘破景象未能緊跟著歷史去改變步伐。過花垣、保靖縣境，經十八里的長嶺，下是柳枝鐵路最長隧道，還遭遇幾番風雨，幸無阻礙。具有歷史考據價值的老司城古寨，未暇親臨。在酉水匯流區域的鳳灘水庫邊渡猛洞河，到達永順縣境的王村的溪州舊地。這兒有群山，有複水，有鐵路、公路相通，是湘西土家族人聚居的鎮市。

王村銅柱是研究土家族唐宋之間的歷史資料最佳說明，刻有二千六百餘字，正體、古體、異體分八面鐫刻，在「大晉天福五年」（九三六—九四三）樹立于五代後晉高祖石敬塘主政時代。文字有正文和附文，並非同一時期所刻，它是用來記載一場激戰結果，約和遂立銅柱爲表，學士李皋作銘的。近年由劉曉慶主演一部電影芙蓉鎮，大大提高王村知名度，渡頭有劉女賣豆腐的倩影，而小街上那家曾是豆腐店的二老，要對在此攝影的索討二角，不啻是「唯物史觀」的後遺症—唯錢是賴。一日下來的收費，是超過賣豆腐賺的，並且，不須繳付個體戶應付的「國家稅收」。

先遊河，後探山，事所必然。猛洞河在永順境內，與張家界毗鄰。王村登輪，曾是大學畢業的青年鎮長，彬彬有禮，全程陪著我們。河面碧水瀠洄，峽谷幽深，林木繁茂，岩石壁立，站在甲板上飽覽大自然的風光。岸邊一群猿猴跳躍奔逐，接拾旅客拋擲的果餅食物，不知從何處突然來了一條白色土狗，猴兒們沒命的迅即竄入林間，一幅猴趣圖頓受野狗破壞殆盡。水上捕魚小船尾隨遊輪兜售魚鮮，正好為著午餐加菜，漁獲俱多鱖魚，正是難得而少見的。抵龍峒登岸，坐小舟划入洞中，陰暗汪洋，石鐘乳滲水滴滴答答，稍破寂寥。在電光照明下，沿著構好的環洞石樑，升高走低，遇到鐘乳下垂的地方，必需彎腰低頭蛇行，不然，若非「以頭擊石」，便將墮入深不可測的寒水。大夥小心翼翼，一步一趨，摸索中走遍全程。洞隅供有觀音大士塑像，香燭高燒，煙霧繚繞，奮力拾級爬出洞外重見天日，眞不禁要高呼，大慈大悲觀音菩薩的神力萬歲。

原始風光自然美

「張家界國家森林公園」引起世人跋涉的興趣，還是近年的事，其實遠在明清時代就有文人的吟詠讚賞。它的範圍涵蓋著慈利、桑植、大庸、海拔一、三三四公尺，屬武陵山脈，包括馬鬃嶺、青岩山，張家界三個不同的地域。

一早從王村坐車北行，山野荒涼，人跡至稀，大雨滂沱，時行時止，到達大庸縣城業已太陽西斜向晚。停車小憩，繼續完成三十公里行程，終於抵達張家界幽篁山莊的預訂宿處。

地名鑼鼓塔的一帶，雙峰遠相對峙，青禾雨洗後尤現生機，溪水潺潺奔騰不已，翠竹葉細節粗，滿野俱籠罩在綠色世界之中。晨興旅遊，一天行程僅領略黃石寨的景區，由老磨灣出發，石條舖道，風光獨特，沿途峰奇石怪，碧水青松，印入眼簾的，遼闊而羅列山野林樹，心情舒暢，美不勝收。由右上行十華里，在寨內午餐啜茗，再從左下走十二華里，結束愉快旅行的全日。

登山攬勝，邊走邊爬坡道，也邊坐滑竿欣賞景物，置身於幽徑杉林裡，暑熱盡消，微風掠來滿山清涼，是十天來最舒適的享受。給我特別深入印象的，莫若怪峰奇岩，如「夫妻岩」、「天書高掛」、「南天一柱」、「霧海金龜」、「大岩屋」等，這些如幻似眞的虛實參半的雅稱，還難說得清楚許多峰岩的本來面目，遠不如情有獨鍾的自我欣賞，自我感受的領悟較爲眞切。尤其，遠山含黛，近嶺如屏，眼前群峰林立似棋。在有霾的天候下，極目四望，那造物主的神奇，將它渲染成的一幅幅珍貴水彩名畫，無不令人體會這般目不暇接的美妙。銘刻心頭的所有景物，杉林、叢竹、楠樹、梓樹、蒼翠欲滴，再有白沙井、琵琶溪的清泉可掬可濯，沁人心脾。更驚異的是那些插地如筆的形異奇峰，覆蓋青松和藤類植物，絕似披著一襲華麗的外衣，益增峰岩的風華與嫵媚，頓增張家界的活力和生趣。

登臨一千二百公尺的黃石寨絕頂，峭壁懸岩，地勢險峻。百畝隙地，有樹、有園、有泉，還有「國營」餐館，只是簡陋已極。爬上「霧海金龜」的石上堆石，腳下群峰盡在眼底。印證唐代詩人杜甫「會當淩絕頂，一覽衆山小」的又一寫照。寨門毀損，形勢猶在。於此孤零的方寸之地，假設仍然保存著寺廟、道觀的話，晨鐘暮鼓，木魚梵唱，避囂靜修，遠離紅塵，讓萬里歸客一無牽掛的歸還自然，那眞是一大福祉。但是，誰能有福於此太虛幻境中獨領淨土？腦裡充滿起伏的思緒，隨著雲海山林變化，踏穩石級，扶著鐵纜，步向歸程。溪上清風亭，是仿土家族人居室外型設計，另外，半山間峰迴處也有類似的建築，這裡是土家族的聚居地帶，農耕生活與漢族無大差異，另設有「民俗文物館」（王村也有），發現他們對雕刻、刺繡有著成就，歌唱和擂鼓更顯露才華，到過美國的「鼓王」，於此和我們有一面之緣。値得同情惋惜她的遇人不淑，受盡委屈，如今，還帶著女兒跟她習藝表演，她的身材嬌小，舞蹈起來搖曳生姿，活潑輕盈。

回長沙是換的另外一條路，由慈利經桃源，在常德午餐。過益陽、桃江，在寧鄉留宿一夜。沿途遇雨，河水暴漲。我們在酷暑中繞行湘西各縣，幾及川鄂黔三省的邊境，鄉土可親，人情可愛，而既往的創痛深遠，久久未復。在缺乏訊息大陸行程中，湘西發生山洪死亡一四五人的慘劇，到香港方始得到證實，寧鄉僅知一地溺斃七人而已。天災何嘗非是人禍的缺失？

（民國七十九年八月）

長江南岸博物館中古器物

一、先說往古滄桑

韓非曾說：「人始於生而卒於死。始之爲出，卒之爲入。」儒家重生死的觀念「事死如事生」。因此，禮記有言：「魂氣歸於天，形魄歸於地。」於是，人死以後的形骸使之入葬，所以說：「葬者藏也」。葬的方式固有多種，歸於地下的還是多數。中國就由於重生且重死，厚葬之風，自古即烈。帝王、皇族、達官、貴人的墓葬，隨之深埋土中的殉葬品，視其地位與財富各不相同。若以現代人的眼光，似乎並不值得，認做是勞民傷財。而在考古學上，很多隨葬品由於歲月累積形成文物，變做歷史的證據，給人類文化發展有軌跡可尋，功莫大焉。例如：殷墟、秦始皇墓等，就是一個顯例。近年田野發掘工作，在大陸各地積極推動，有「文物考古隊」的設置。根據一項清理統計，就以楚墓而論，被發掘的：鄂省江陵雨臺山五〇〇餘座。湘省長沙二、二〇〇餘座，益陽四三〇餘座。還有窟藏的被發現，這些埋葬地下的：銅、陶、瓷、玉、黃金器物等等，不僅是考古的收獲，且在文物累積與保存、研究、陳列展覽，有益於社會教育的宏揚，眞是無法估算其價值。何況，大陸原先私人收藏的文物古董，雖在「捐贈」美名之下，總得奉獻歸公。中國大陸的的文化資產豐碩，固與中國五千年悠久歷史與古代厚葬風氣息息難分，而中共斂集的文物財富，也是不易統計估算的。

大陸近年文物的發現和發掘，文物考古隊人員奔波田野，跋山涉水的備嘗辛勞，助長文物的出土，當然是無可否定的。尤有進者，如「文物」、「考古學報」的出版，開拓大陸文物研究的方便之門。地域性的研究刊物，如「楚文化研究論集」、「楚史與楚文化研究」、「江漢考古」、「湖南考古輯刊」、以及，「湖南考古文獻目錄」以及鄭州市的「華夏考古」等書刊印行，多多少少在研究工作上助益不淺。筆者曾經由臺北遠赴湖南與蘇州、杭州、上海等地作一個月的旅行，足跡所至，訪問參觀湖南省博物館、長沙市博物館、湘西民俗文物館、上海博物館、蘇州博物館、淅江博物館等。在長沙的時候，承長沙市博物館館長兼長沙市文物工作隊隊長黃綱正、副館長魏明等先生與女士的協助，使我飽覽文物的藝和美。此行雖係匆匆，領略到中華文化之光輝，各類各項文物的精美，甚具無限親切的感受，內心對列祖列宗崇敬至深，深覺先民是無負我們，而我們有許多地方，卻有所愧懟，此行不無感慨，如何木本水源，繼續發揚光大，應是吾人的責任。

二、馬王堆的西漢文物

長沙東郊的鄉野，林木茂盛，道路曲折，三座土堆並不十分引人注目。民國六十一年（一九七二）至六十三年（一九七四）初，在這裡相繼發掘三座漢墓，是西漢早期長沙丞相軑侯家族墓葬馬王堆的一號墓，葬的馱侯利蒼的妻子辛追，死于漢文帝十二年後數年（約一六四），三號葬其子（漢文帝十二年公元前一六八年），利蒼是一號墓（死于呂后二年，即公元前一八六年）。當我們乘車前往訪問參觀這個田野博物館時，窗外落雨，迷迷濛濛，先去參觀墓穴和軑侯妻子的栩栩如活的遺屍。昔時湖南有盜墓風氣，抗戰以前與戰時都很昌熾。據說：二、三號墓就曾經被掘，有一件彩繪帛畫流落于美國博物館展覽，而這位「盜墓賊」現仍任職於湖南省博物館，也就是馬王堆文物出土的所在。由於盜墓者具有技術與經驗，因此，這種技術人員留用迄今。

豐富多彩的馬王堆文物，震動世界，計有三、〇〇〇餘件，大致分成三類：㈠醫藥方面的：出土的帛書竹簡中的醫書，有十四種之多；記載養生、健身、防治疾病的醫案和藥名，有二百七十多個。㈡絲織品方面的：我國是古老的絲綢之國，在馬王堆漢墓出土的絲織品種繁多，色彩艷麗奪目，而且，保存完整，從出土物中算是首屈一指的。難得的是手工細緻，圖案深具藝術價值。我國四大名繡的湘繡古今著名，於此待窺其淵源。㈢工藝品方面的：各種銅器、織錦、竹簡帛書畫、漆器、木雕，精緻秀美，富有重大研究價值，在美術工藝上，富有承先啓後的傳統借鏡，從工藝史上的觀點，也給了國人太多的製作價值概念。

許多古代墓葬發掘當中，縱或有很多文物出土來增益中華文化的發皇，惟皆屍骨無存，甚至棺槨也無絲毫影蹤可尋。馬王堆的一號漢墓的軑侯妻子屍身，猶如新喪似的沒有殘損，算是一項世界的奇跡。二千一百多年前，是一個不能算短的時間，晝夜漫漫，隱沒無聞，竟然在考古發掘中有著如此驚人的發現。或有人說，中國幅員遼闊，在西北和東南也曾發掘到未腐的屍身，當然包括女屍。可是，保存時間或有如此長久，但是沒有長沙女屍如此的完整無缺。中國西北的乾屍，是受氣候乾燥沙漠掩蓋所致；東南的女屍，則己略有腐蝕，而且，在時間上竟有一千五百年的差距。所以，筆者進入陳列館內，先去看那二千多年的女屍。墓穴深在地下，參觀者立足有護欄的迴廊週邊。頂有屋蓋，牆有玻窗，燈光足夠照明。屍身仰面直躺，出土時身長一五四米厘，體重三四．三公斤，皮膚潤澤，露出的手、臂、腳、頭部一無遮蓋，其餘俱以白布罩著。看她的面部團方，雙耳不小，頭髮烏黑，只是戴的假髮，唯一的睜眼、嘴部張開很大，據說在解剖的時候，胃內還留有很多甜的瓜子。另外，特別奇異的，部份關節還可轉動，軟的組織仍具彈性，毛髮尙存，就連胸部還是隆起的。盛屍的內棺、外槨，層層套牢，塗漆彩繪，俱用巨大楠木構成，不用一釘皆以榫頭契合的，材質精細，龐然偉物，加之塞滿木炭、白膏泥，無怪深埋潮濕土下千年，沒有半點腐朽現象。

陳列在櫥櫃裡的文物，很顯眼的，是便於懸掛的上方下長的**T**形帛畫，四角附有飄帶，原是覆蓋在內棺上面的。整幅彩繪，分上、中、下三個部分，代表著天上、人間和下界。上部右側繪有一輪紅日，內中金烏，圓日之下有扶桑樹，樹上掛著八個球狀圓日，似與古代太陽神話有關。左上是一彎新月，有蟾蜍，有玉兔，下即嫦娥奔月。正中人首蛇身圖像，再下飛龍、仙鶴、異獸，還有兩位衣冠楚楚，拱手對坐的男子。中段繪一老婦杜杖而行。最後繪的下界，兩隻尾端交接的大魚，中間立一巨人，托舉著大地。魚上兩側的背部站著鴟鴞、大龜。主題似在說明主人站在龍形「魂舟」上，龍鳳導引「升天」。這種引魂上天的帛畫，無論是線條、色彩、技巧俱屬一流。由於帛畫頂端裡有套竹竿的空隙，再繫以棕色絲帶，推斷是當時葬儀中張舉的旌幡。陳列的兩幅，一是軑侯夫人墓內的帛畫，有嫦娥奔月，有老婦柱杖而行。一是利蒼兒子墓中的帛畫，只有中段繪有一男子穿著紅袍，腰邊佩劍。相信，其中圖繪有著不同，是因人而異的。

利蒼夫人墓中的漆器，高達六七百件，有漆鼎、杯盒、漆鐘、漆盤等，陳列展示的，無不完好如新，器型繁多，光澤鑑人。有竹木胎的，少數是夾紵胎的，黑色作地，再施朱色、赭色作繪，圖案中有各種草葉、花瓣、雲氣、動物、線條細膩，非常美觀。很多使用朱漆、黑漆、朱砂寫著文字，內容或表明所有者，如「軑侯家」；或表明用途的，如「君幸酒」；或表明容量的，如「石」、「四斗」等。當然，有裝食物的，也有放梳妝用具的。筆者對漆器中的雙層九子奩（高二〇・八公分、口徑三十五・二公分），嬌巧精緻，漆彩美麗，上層置放絲巾，梳妝鏡袋、手套，下層是九個形狀大小不同的小漆盒，有方、圓、橢圓等造型，合置圓形奩內，勻稱適切，認爲二千多年前，漆器製作就有如此成就，令人嘆服。

絲織的素紗禪衣，確是墓中出土的寶物，衣長一二八公分，袖長一九〇公分，重僅四九公克，薄如蟬翼，紡織手工業的成就，不難想見；織錦的紋飾、刺繡的花樣、鮮活華麗，巧慧畢現。因此，墓中的隨葬品，不僅紡織品、漆器、帛畫、帛書、竹簡、木牘、竹笥、銅玉印章、竹木器、陶器、樂器，還有長柄大竹扇（長一七六公分）、鐵口木插等，種類既多，件件精美。木俑的雕刻生動，大小形狀不一，有樂俑、侍俑、雜役俑等，不亞於所曾見過的兵馬俑、文武俑、素陶和三彩陶的製作。在表現楚文化特色的二六六件木俑中，形態異常生動，令人發出會心的微笑，主要的是雕刻者給它在儀態與表情上，有著幽默感與趣味感。兵器三十八件當中，得見弩、箭矢、箙，與戈、矛、劍、刀等一併陳列。弩用機械發射的，力強足以擊遠，有用腳踏或用腰開的，也有數矢並發的連弩。馬王堆發掘出土的弩，較戰國時兵器，已經有所改進，推斷利蒼之子是一位武將，筆者有幸看到這衆多的漢代兵器，其中有著長六〇·九公分的漆弩，殊覺欣喜。

長沙漢墓中的利蒼夫人未腐屍身，加之，陳列一八〇〇多件文物展品，面積佔一二〇〇平方尺，許多種類的文物，其價値至爲驚人。在筆者參觀以後的感覺，總有一點因陋就簡與措施欠當的印象。所以，當聽取其「領導」的黨委書記簡報時，我就提出女屍如此暴露於衆多的觀光客的眼前，能否保持恆溫與恆濕，長此以往，會不會發生質的變化？黨委書記只說每月均有檢查，至於其它更好措施未蒙解答。筆者再問：墓掘許多文物，可否複製出售以改善員工福利，如：難得一見的雕刻木俑和漆器等。此一問題引起主持者的興趣，陪座的主管們也很注目。自承：「文物事業經費困難，還有許多急需的文物保護設備和措施無法落實。」「試製的一批仿馬王堆絲織品，曾被日本、美國、香港等地客商搶購一空」。并特別說明，計劃設置「馬王堆西漢文物博覽區」，成立基金會并設四個研製中心，如：醫藥、紡織品、仿古工藝品、仿古烹調食品。這種有特色、多功能、現代化的博覽區的籌集資金，將採取，贊助、捐贈、投資、合作方式，準備爲著馬王堆文物保護開發予以籌劃，可是，空喊口號是無濟實際的。若是站在中國人的立場，對中華文化的宏揚應予贊同，而中共現況能否在重視傳統文化與珍惜民族瑰寶的同時，兼顧大陸同胞經濟改善，生活自由的講求，是一重大的關鍵所在。徒事粉飾，不能從腳踏實地著眼，縱或擁有先民遺留著歷史文化的結晶，對大陸廣大人民生活改善，仍是毫無意義，也不實在。

三、醜相即丑像的兀立街前

地名清水塘的有一範圍較廣的所在，目前是長沙市博物館。由於毛潤之曾在該地策畫過造反的叛亂行動，當他盛極一時的當兒，在此設置「革命事蹟紀念館」。毛氏惡名昭彰，先有民國十六年的農民秋收暴動，蹂躪長沙，殺人無數，十九年統率的工農紅軍再度乘機攻入長沙，造成更多無辜市民的犧牲，竊據大陸以後的各種運動興起，更是民不聊生，且排斥異己的專制獨裁，造致湖南全民對毛的醜陋形象，深惡痛絕，取消對他個人的崇拜，乃將原為紀念他個人的機構，改設長沙市博物館，現任館長黃綱正，其父就是遭毛毒手殺害者之一。不過，如今存在館內廣場的，還剩毛氏的黑龍江鋁合金塑鑄的一座臃腫人像，另外，陳列室還有一些生前活動圖片，據告將逐一清除，使之成為人文的純粹地方博物館（筆者先是參觀湖南省博物館，也就是馬王堆的西漢文物陳列的地方，復去市博物館參觀的。）

館舍較廣、庭院深深，得其副館長魏明跟隨說明，一窺全貌，眞是快事。

湖南開發很早，是中原文化與南方文化交流的樞紐，長沙自古即是楚南重鎮，漢墓楚墓的遺冢很多，文物窖藏的當不在少。考古發掘是近數十年來大陸各地蔚成的一股風潮，湖南先後設有省博物館、長沙市博物館，各縣文物館陳列文物。執行蒐集與發掘工作，有長沙市、懷化地區、益陽地區、常德地區等處文物工作隊，成績斐然。筆者既參觀湖南省博物館，又復參觀長沙市博物館，前者有馬王堆女屍號召世人，後者範圍廣闊，應該是一所保存文物與展覽的好場所。而湖南各地發掘保存與陳列展覽的各類重要文物並不算小，極富歷史價值與藝術光輝的一些器物，亦未留在湖南，館舍狹隘固爲一因，中共的統籌運用，或許還是主要因素。根據湖南考古墓葬陶器統計顯示，出土型式不盡相同的器名，計有：壺、釜、罐、鼎、杯、盂、鬶、缽、豆、碗、器蓋等，計有三二六件。筆者親目所睹的，壺、鼎、甑、豆、釜、鬶，造型別緻，爲世罕見的，例如「豆」，支柱長圓，留有五個小孔成行的次第排列，上置侈口如盆。「鬶」成管狀有大小兩口，下爲中空三腳，腰有把手，還想是爲著燒煮和取用方便而設計實做的。市博物館展示品中，還有新石器時代的陶釜、長沙南北大塘村出土物，惜有裂紋。還有二件唐代的陶瓷，較比生動，一是「黃釉貼花壺」，望城縣韋堂鄉古城村出土，一是「瓷塑立獅」，同是望城古城村的出土物。

湖南西周時代青銅樂器的銅鐃、甬鐘、銅鎛計有四十一件，型式不一，分佈於湘中、湘南的湘水流域；大致出土於湘潭、株洲、湘鄉、瀏陽、醴陵、臨武、資興七個縣內，湘北和湘西未曾發現。長沙市博物館現時陳列著一具大型銅鐃（鉦），重達二二一·五公斤，乳釘成行，黃館長笑謂是鎮館之寶，道道地地是湖南本地鑄造的，有著十分顯明的地方特點。主張禮祀的青銅器，應在中原鑄造的論調不攻自破；而在楚地有著木刻人俑的史實，也是證據確鑿，其造型生動不亞於陶塑。

不僅西周青銅樂器在湖南出土，在長沙、岳陽等地，也有商周以及春秋時期的越族青銅器，被掘出土的紀錄。

民國七十一年（一九八二）九月，岳陽的魴魚山腰出土的商代銅尊，重一〇·七五公斤、高五〇、口徑二六·二、腹深三四·八、圈足徑二五·二、圈足高一五·六米厘，紋有犧首、鳳鳥，夔龍、獸面等，鑄製精良，造型獨特，紋飾繁縟，係屬窖藏的。同年六月在象形山出土的西周銅鼎，豎耳、直口、深腹、圜底、柱足，紋飾簡樸，亦係窖藏。在其附近唐家屋後山坡發現商末周初時期的遺址，出土銅矛、銅戈，民國七十年（一九八一）十二月，金井農民整地時也曾發現青銅鼎六件，胎質不厚，間有長期使用破損曾經過修補的殘痕，按其形制分成三式，應是古代實用的炊具，另有人像裝飾的匕首一件。這些爲數雖不算多的器物，與中原同類的頗有差別，尤其鼎上曲折紋飾，變形夔紋和短直線紋等，卻與中原的顯著不同，又與楚器有異，可以說它是南方土著民族獨特的製品，判斷它是古越族的遺物，且與湘江流域春秋時期越式出土銅器相似；越人的活動範圍，是在楚的勢力尚未進入此一區域以前，就已存在。

在展示器物中，長沙出土文物五三〇多件裡，銅器應該具有相當的比例，可是，四羊首瓿、銅敦、銅俑、銅簋，均未得見，卻只看到瀏陽出土的商代銅卣，饕餮紋飾明顯，完整端莊。

湖南在我國的陶瓷工藝早就發達，一般人只知長沙銅官以及醴陵姚家埧的瓷業，實際并不僅此，其主要集中地是在衡陽市附近，統稱衡陽窯的，實際是以蔣家窯作爲代表，曾因發掘採集上千件的標本，由隋唐至北宋時期的紀年窯具多種，受到重視。其在工藝特點，非僅產有碗、盞、盞托、盆、缽、缸、壺、瓶、尊、罍、燈臺、硯等，而素釉器物，往往採用刻花、印花、雕塑、碗身個別的加彩與書寫文字。還有衡山的湘江窯、衡南的東江窯也各具特點。另有湘陰的青瓷窯、懷化縣燒造青花的龍井窯。至於位於長沙縣北的銅官窯，經考證它是歷史瓷窯之一的長沙窯，并不如一般人所說「長沙窯是一座名不見經傳的民窯」而已。唐代揚州、寧波俱是重要的出海口岸、兩地出土的長沙窯典型器物就很不少。民國六十四年（一九七五）揚州唐城遺址，掘出長沙窯彩瓷片五九八片，出土完整的唐代瓷器中，長沙窯瓷器高達百分之七〇。寧波在民國六十二年（一九七三），漁浦門出土唐代瓷器，曾有約七〇〇件，（其中越窯產品最多，長沙窯瓷器第二。）當與外銷有關。海外出土的國家。有：日本、朝鮮、伊朗、伊拉克、巴基斯坦、印度尼西亞等國，益足證明長沙窯產品用來外銷確是出盡鋒頭。根據一項統計，在長沙窯址大量發掘和蒐集的器物，基本完整的釉下彩繪壺二三〇件，釉下詩詞壺七十九件，釉下彩繪盤五〇件，竭斑貼花壺二〇件，白釉綠彩壺二十四件，釉下藍褐點彩雙耳罐一三件，釉下彩繪瓷枕一七件，如此衆多的壺、罐、盤、枕等發現，說明長沙窯器在唐代已經是釉下彩運用純熟，製作精良，至於瓷枕，並非磁州一地所獨佔。瓷壺的釉色鮮艷浪漫，具有明顯的中亞與西亞的風格；適於遊牧民族的需求，自能便於外銷，乃成爲貿易瓷的要角之一。筆者在市立博物館見到長沙窯的（也就是銅官窯，緊靠湘江）許多唐代產品，如虎枕、貼花椰棗紋壺，彩繪童戲壺、彩繪龍紋壺、彩繪鹿紋壺、背水壺，還有一具「五文」壺的，書寫文字是「富從昇合起貧從不計來」句。有人說壺左銘文乃是計値的，若以天寶五年「斗米之價錢十三」來計算，五文錢只能買到四升米，長沙瓷器售價低廉。民窯找主賤售，自是商業經營之道。因此，在質量上競爭不過越窯瓷器，其原因在於胎質、釉色與造型：一、胎質—長沙窯瓷胎質灰黃，比不上越窯的潔白細膩。二、釉色—長沙窯瓷偏黃，比不上越窯器的清澄如水。三、造型—長沙窯瓷厚拙，不若越窯玲瓏精巧。更由於當時社會重視青瓷，長沙窯瓷在國內行銷就不如越瓷光彩。市博物館館長又是市文物工作隊隊長，長沙銅官窯址由他主持發掘，所以，許多出土的唐代瓷器，還有日常飲食的用瓷，如荷葉邊的盌、用以盛茶，也在展示之中；使人領悟古代既作飯碗也是茶碗，沒有現時在使用時，有如此清楚劃分的。

長沙市立博物館的藏品，來自地下發掘者多，展出受著空間的限制，亟待擴充來分室分類陳列。遺憾的是說明簡而不晰，內容頭尾不顧，字小潦草，確是大陸文物展示中的一大通病。因此，既無系統，又欠簡明，更少圖說，恍如一個文物攤子，任人蜻蜓點水的輕輕掠過，無法從歷史過程中多留一點深刻印象。這些獲得不易的文化資產，民族文明的瑰寶，難以引起一般參觀者的重視，反而產生一種對列祖列宗遺物創造成就上，含有無足輕重的怠忽心理，未免令人惋惜不止。

四、湘西行腳話習俗

據筆者所知，湘西各地目前并無什麼博物館的設置，無論是人文的、科學的。偌大地區，在政治上有著湘西土家族苗族自治區的政府設置，包括著十縣，首城吉首市就是過去的乾城。搭火車於晚間七時從長沙啓程，夜黑奔馳，翌日午時抵達，再乘冷氣中型巴士，止於大庸。中間曾經繞道鳳凰去參觀沈從文的舊居，算是對這位知名文學作家與服裝史家，且曾在一九五六年在北京歷史博物館陳列室充任講解員的先進，聊致一點敬意。並爲土家族、苗族分在永順縣王村、大庸張家界，各設民俗文物館，同時列入湘西行程中，成爲參觀訪問的對象之一。

民俗文物館內容貧乏，屋舍狹隘，屬於自治州的文化局輔導。當然，它同湖南省博物館藏有自戰國以迄西漢的十二萬件文物藏品不可比擬。長沙市博物館陳列縣市出土文物五三〇多件，就設有考古、陳列、群工、保管、資料六個業務的部，也無法等量齊觀。這兩個專爲觀光攬客的民俗文物館，經費短缺，僅有一位兼職管理主任，自然談不到有何設施可言。更難苛求它能發揮多大的作用。

巴人之后的土家族，是聚居於湘西、鄂西、川東、黔東北這一塊武陵山區的千山萬壑之中，在清雍正年間「改土歸流」之前，是視爲「蠻夷」的。文化造就其特殊保守現象，使得巫文化極其盛行，由於俗信鬼而好祠，所以，必作歌舞鼓舞以樂諸神。擊鼓鳴鉦、跳舞歌唱，幾乎成爲土家族的每一男女的基本技藝。筆者從其民俗館壁間懸列的圖片，看到各種儀式總離不開人神共通的巫術，以例行「對歌」，先用「歌根」相盤，來作爲祭祀歌神的儀式。有著「梯瑪（土家族巫師）巫祀」，「喪葬祭祀」、「婚姻儀禮」、「建築祭祀」、「挖土祭祀」。其中「哭嫁歌」，在婚姻儀禮裡最具特色。土家姑娘嫁前半月乃至一月，即不出門做工，蹲在家裡「哭嫁」，先是夜間相陪的九女輪番而哭，待嫁女兒就以次酬和，其歌稱之「十姊妹歌」。此後無分晝夜的二人對哭、母女哭、姑侄哭、舅甥哭、姑嫂哭、來一個、哭一場，顯示「戀親恩，傷別離」，曼聲甚哀，淚隨聲下。出嫁當然要哭要歌，更是你唏我噱，滿堂大哭。「哭辭祖」、「哭背親」、「哭上轎」等。土家族相沿成習的「哭嫁」，本源是在信巫娛神，有著「出嫁不哭，對女家不利」的傳統說法。出嫁既是氏族骨血的轉移，不再是本氏族的成員，乃以「哭嫁」的儀規，乞求祖宗的諒解，不失是對祖宗敬畏心理的表現。

文物館裡陳列還有織錦、刺繡、木刻等手工藝品，另有一面大的皮鼓架立堂中，小姐們個個著刺繡滾邊的絲織服裝，相當華麗。訂時表演擊鼓，姿態優美，既歌且舞，主擊的矯捷身軀，投手舉足，轉背彎腰，玲瓏無比，由徐而急，從輕趨重，歌聲嘹亮，鼓音咚咚，舞時從緩慢漸及快速，累得鼓手香汗淋漓，突然而止。王村近猛洞河邊的文物館，內有溪州銅柱的象徵模型，實體係在鎮東兀立瓦亭的千年古物，計有二千六百餘字，正體、古體、異體分八面鐫刻，在大晉天福五年（九四〇）樹立，那在五代後晉高祖石敬塘主政的時代（當時楚王馬希范（五代十國的楚國，疆域包括今湖南全省與鄰近小塊地方，惟未改元。）銘字有正文與附文，非同一時間所刻。）用來記述溪州與楚國交戰始末，約和遂立銅柱爲表，學士李皋手銘。（按：湘西北酉水和澧水流域即古代的溪州，包括永順和古文之間，銅柱初立於永順沅陵交界地方。）說明土家族抗拒強權的歷史眞實紀錄，也是無能官吏以力壓人的後果舉證。

張家界的民俗文物館和王村的同一名稱，位在旅館區域，自然環境較佳。鼓手是一位譽爲鼓王的女士，到過北京，也到過美國，表演技藝不凡，身材嬌小，輕盈活潑，當年花容月貌，依稀留在眉宇間尚未完全退除，王村擂鼓的，便是她的女兒；目前母女相依互助，她自認是命運多乖的女人。

湘西族類的苗族，是我國古代部族之一，亦稱三苗。街頭所見苗族男女，都喜歡背著一隻竹簍，便於爬山越嶺載運貨物。湘西很多高崗峰頂有著苗寨，據山而守，自成離群獨處的人家。他們的語言，說著高亢親切的普通話，相與湘東南北顯有分野，個性率眞熱情，喜酒好歌舞，信巫畏懼鬼神。根據「廩君神話的巫術」內涵有說：「一九八七年吉首市舉行苗族盛大節日「四月八」，參加活動的巫師就有大幾十人，他們戴法冠，穿紅袍，執柳旗，吹牛角，施巫術，上刀梯，念咒語，跳巫舞，舉行祭祖的「吃豬」大典。」巫師活動大致和土家族類似，俱是生活在深山老寨，成了節日中逢場作戲的虛設人物，但仍有一定的群衆基礎和活動場地。」苗族在日常生活當中，男耕女織，而女性工刺繡，喜近藝術。參觀文物館的展示，對土家族、苗族的文化、經濟的分辨，實在不易。筆者特別喜愛他們的爽朗待客，以及婦女們手工藝品的織繡。

五、青銅工藝的光彩

上海博物館青銅器陳列，品質俱佳，値得一顧。館址原是上海聞人杜月笙所有，光線不足，窗戶太多，樓梯狹隘，轉彎抹角。說明字體太小，過分簡約，使得參觀的人無可領略其全貌，未免可惜。

中國歷史上夏、商、周三代是青銅時代，這古代文明燦爛標幟的青銅工藝，具有鑄造的最高水準。春秋晚期和戰國時代再顯聲光，秦漢又曾呈現餘暉。鑒於古代的「國之大事，在祀與戎」，青銅工藝出現瑰異和豪華壯麗色彩，鑄造大量禮器、兵器爲其特點，形成民族的風格。其在禮器鐫鑄銘文，是爲後世作爲歷史研究與考據的重要資料。而且，不僅古代中原地區有著青銅器的鑄造，邊遠各族對青銅工藝也有著輝煌成就，是不容否認的。

青銅器是人類文明傑出的表現，具有獨創性，無論就高度文化發展著眼，藝術風格的體理和鑄造技術提昇諸方面，確認是中國的文化藝術最具價值的遺產。

具有二千餘年光彩的青銅工藝時代歷史，在公元前二十一世紀中國就已開始。河南偃師二里頭遺址，發現用陶質塊範法鑄造的青銅容器、樂器、兵器和工具等，出土的造型複雜的青銅禮器，成爲夏代社會文明的象徵之一，史稱「萌生期青銅器」。及之，商代早期在黃河中游至長江中游廣大地區發現青銅器，而在鄭州商代早期遺址中發現鑄造青銅器的作坊，留有酒器和水器等成組的青銅禮器，稱之「育成期青銅器」。商代晚期至西周早期，青銅器的禮器和樂器的品種極多，裝飾獸面紋和動物紋，瑰異莊嚴，是有神秘的氣氛；且從西周早期開始，普遍在器上鑄有長篇銘文，稱爲「鼎盛期青銅器」。到了西周中晚期以迄春秋早期，青銅器以端莊厚重見長，列鼎制度業已形成，而波曲紋、鱗帶紋等變形動物圖案，取代獸面紋和鳳鳥紋的地位，更加重視作器鑄銘，是商周文化不盡相同的具體表現，這是「轉變期青銅器」，諸侯各國普遍建立青銅鑄業，使青銅工藝得到更廣泛的發展。春秋晚期和戰國時代，禮制衰弱呈現式樣新奇精巧，紋飾繁密華麗的全新青銅工藝，因此，青銅器作爲禮器的特性逐漸消失，部分轉化成日常生活器用，秦漢以後，中國青銅工藝接近尾聲，這一時期，稱之「更新期青銅器」。從造型和裝飾特點，將中國青銅工藝劃分五期，是相當合乎實際的。青銅製器是由公元前二十一世紀，到前四世紀，以至紀元前二二〇年間的中國最重要的手工業之一，得以揭開中國冶金史的光輝，主要是成就於經驗與技術的完善，科學知識的具備，並且傳播交流于邊遠的各族，無疑的先民智慧結晶的光榮發揚，從歷史上散發著異彩。

筆者在滬時，全心全力飽覽上海博物館陳列的夏、商、周三代青銅器，自認獲益不淺。公元前一八—前十六世紀的夏代晚期的「爵」和「圓釘文斝」，爵嘴誇張橫長，一端捲曲縮小，便於取飲，腹下三足短促，放置穩妥。斝也有把，成半圓形，口張而三腳鼎立，肥滿從基部直至足尖，幾成一種三角形的腳架。器身粗糙尙無紋飾。

商早期（公元前一六—前一四世紀）「紋鼎」和「文壺」。鼎腹與腳的部分鑄有饕餮紋樣，壺蓋和壺腹也是如此，還有串繩的雙紐。

商晚期（公元前十四—前十一世紀）的亞其爵、獸面紋斝、黃觚，臺北國立故宮博物院，國立歷史博物館均有陳列。獸面紋觶，蓋頂有如磨菰的提紐，蓋上與頸、腰、腹、基部，有繁複紋飾，獸面和動物紋俱全，瑰麗非凡，造型極爲美觀。還有佳父癸尊、⿱山共父乙觥、鼎方彝、四羊首瓿、戊箙卣、亞⿱宀旲方罍、龍紋扁足鼎、莞鼎、⿰口北簋等，壯碩瑰麗，紋飾突顯。當筆者一見「四羊首瓿」能在上海陳列，眼爲之一亮，欣喜異常。此一公元前十四—前十一世紀的商代晚期的銅鑄重器，在湖南寧鄉出土，有稱「四方羊尊」的，以四隻立體山羊構成，肩上有浮雕龍紋。羊首與龍首突出，羊角向內卷曲，具有強烈的立體感，以分鑄法製造，認是商周銅器中絕無僅有的珍品。筆者曾與長沙博物館館長兼市文物工作隊隊長黃綱正先生談及，這在長沙地區發現的燦爛光輝的青銅文化，統計其器物數量達三百餘件，其來源何在？承答是中原移民據以攜來是有其可能性。又問重寶所謂「四方羊尊」現藏何處？黃氏笑而未答。想不到當筆者參觀上海博物館時，竟然一眼見到「四羊首瓿」肅立於大玻璃櫥中。碩腹成圓，四隻捲角羊頭分置肩部四邊，羊額附著龍形。匀稱逼真，至美至善。腹鑄乳釘與刻紋，頸有橫的折紋三道，底部有長方四個小孔，餘鑄動物紋刻，平穩放置，是難得一見的商代晚期的青銅器物，雖無說明，想是從湖南出土商周銅器中揀選來滬的。

西周早期（公元前十一世紀）曲折雷紋卣，大方莊重。蓋占三分之一，底部與頂紐相等。腰部有著兩個龍形紐環和刻龍紋，裝有提把，全部刻著曲折迴紋。「鳳紋卣」，形制特異，紋飾別緻。西周成王德方鼎（公元前十一世紀）鼎身與四腳上端，有饕餮紋刻，銘文二十三字。「母癸甗」，上釜下灶，釜有下垂三角刻紋，釜腹動物紋飾。「甲簋」造型異常奇特，簋身雙龍耳把，腹部佈滿有稜刺釘，根根突出，基部成四長方形，二面有對稱的龍紋，成長方形，間刻柱形直紋。西周晚期的「仲義父鑑」，是公元前九世紀物，出土于一八九〇年（清代光緒十六年）陝西省扶風縣法門寺任村。「師遽方彝」，龍紋兩耳上彎，很是別緻，器身佈滿夔龍紋飾。西周「孝王大克鼎」，雄偉穩重，同時出土於陝西扶風縣的任村，器身佈滿龍紋。內部刻滿密密麻麻的銘文。

西周的「師寰簋」、「虎簋」、「梁其盨」，造型有一點奇特，而把手刻的龍首，以及夔紋粗細相交，頂紐各異其趣。「齊侯匜」，把與四腳，由龍形組成，內中銘文二十字。「白者君盤」，雙耳高聳，四腳外立，頸腹刻劃龍紋，兩俱西周晚期物。

「旅鍾」、「四虎鍾」，體積龐大，西周晚期鑄造。「旅鍾」塑造的柱形突起，分成三行，全部七十二枚，隙處俱刻龍鳳夔紋。「四虎鍾」是左右各二虎，頭下尾上作爬行狀，甚是生動。

春秋晚期的「鳥獸龍紋壺」，劃分四層，每層間隔處雕著象紋，層與層間紋飾繁複，俱是龍獸飛鳥，佈滿頸肩腹部，細緻秀麗非凡。「犧尊」，頭腹龍紋，鼻部穿著一個圓環。前、中、後部是釜口，看來就是一條能夠載重的矮腳笨牛，神采奕奕。

戰國早期的「原氏壺」，扁平有座，肩部左右兩環，便於繫帶，器身劃分十九大格，格內刻著細密的獸紋，稀少頗難得見。「羽翼紋壺」，蓋頂鳥兒分立，肩側有環，腹刻細紋。「蟠龍紋鼎」，雙耳四足，腹部龍紋，蓋頂三紐，勻稱挺壯。「鑲嵌雲紋敦」，器蓋器身，有蛇形環紐各二，頂踞同型二紐，四足分立，造型渾圓附紐，別具心裁，通體刻有三角形紋。還有春秋晚期，在抗戰時期河南省輝縣出土的「鑑」，龍耳加環，附塑雙虎，鑑身刻滿細紋，惟漫漶已難辨認。一面戰國「四虎鏡」，刻四虎紋環繞，另西漢「見日之光」的「透光鏡」，非常稀罕特殊，正面微凸，當陽光或聚光束照射在鏡面的時候，映在平面上的反射光，會出現與鏡背紋飾相同的明暗亮影。而鏡背的雙圈與紋飾，抽象富有變化，外圈有十六枚，造型并無一致，難以辨認是花卉還是他物，方、圓、角型螺紋皆備。

中國古代邊遠各族的青銅工藝品，有與中原文化互爲融通的，也有造型別具的。陳列計有十七件。其中春秋早期的「獸面紋龍流盥」、「龍耳尊」、「西漢鎏金鬥獸飾件」，戰國「動物飾牌」，「郗竝采戈」、「虎紋鍾」、戰國刀劍，與中原文化息息相通。一面巨大無朋的南北朝時代「蛙飾鼓」。幾與臺北的國立歷史博物館珍藏的最大的一面銅鼓相伯仲。臺北的出土於雲南祿豐，那是抗戰前開闢滇緬公路挖土所獲。高度達六二．二公分，鼓面直徑一一九公分，邊沿蹲有六蛙，中央八道光芒，上海市博物館的一面六蛙與光芒，高度及面積，與之雙雙相埒。頭、腹、足、三節，也有暈三道僅是把手刻成直條紋四道，非雙綹紋而已，惜出土的地點不明，未見上海市博物館有所說明。

中國四千年前的青銅時代，器物鑄造精巧，紋飾雕鏤細膩，造型優美，綿延甚久，其想像的豐富，構思的巧妙，應乎祀與戎的需求，得以實際使用於當時的社會，此種最高智慧的發揚，益信中華民族屹立東亞於不隳的來由。而在藝術與工藝的表現上，捨歷史文化的光輝燦爛外，尤其值得稱道創造的精神。唯一的，古代銅器造型各有不同，紋飾有異，而名稱複雜艱深難懂。

六、凋零殘破悲西子

西湖的煙柳紅桃，在我記憶中，那裡的風光綺麗，遐想難忘。杭州二日旅遊中，湖波盪舟，山間跋涉，岳王墳，樓外樓，俱曾重臨。浙江博物館是筆者原訂參觀的所在，鑑湖女俠墓祠也列入計劃之中，惜秋祠秋墓均己摧毀，博物館總算如願所償的入內瀏覽。

在裡湖之濱，記得是民國二十二年西湖博覽會時，留有印象最深刻的，在玻璃櫥中躺著一具直挺挺的男性老者殭屍，瘦削黃蠟的臉，唇邊蓄有幾根鼠鬚，南宋時代的人。發現卻有著一段傳奇：嘉興鄉村一戶農家，生兒育女幾度夭折，經陰陽先生指點，屋後墓中有鬼作祟。農民無知，掘墓赫然發現未腐殭屍，先火焚復再投人塘中，經人報警送辦，殭屍交由博覽會陳列，參觀踴躍，奇聞異事，轟動一時。這次在凋零殘破的陳列室中，僅僅看到一具明代女屍，老年男屍已在大動亂中失去蹤影。筆者要爲這位女屍呼冤叫屈的，一張小小說明卡片上，草率寫著：「王氏遂昌人，死於嘉靖三十七年四月十八日，生有六子一女，福建連城縣知事的女兒」。最荒唐的，還加上「先妣」二字，想是從墓誌銘中抄來，竟未加以重組，中共這種文化幹部的水準，也就可想而知。屍身乾枯，乳房部分稍有腐蝕，小腹部也是如此。私處有稀疏的黑中帶白的陰毛遮掩，彎曲的小腳，一目瞭然。全身沒有一絲一縷的蔭蔽，就那麼雙眼緊閉的永恆長眠，既沒有櫃櫥盛著，也無馬王堆西漢女屍那麼受到重視。生前並不瘦弱，頭髮黑黑的，微露的牙齒，還算潔白。明代女屍孤零零地赤裸裸躺著，四週還有陳列怪胎的玻璃瓶，大概是醫院婦產科的標本。參觀博物館的人士，幸好是星星點點。

河姆渡人遺址發掘出來的器物陳列，是浙江博物館裡唯一值得一看的地方。

距今約六七五五—七一三五年的河姆渡人，主要分佈在杭州灣和舟山群島一帶。其遺址在浙江餘姚縣境。經發掘出土陳列的先民手工製作與使用的器物，有一、木質斧柄、二、石斧、三、磨石、四、石耜、五稻穀、六葫蘆、七木杵、八骨耜、九綜合性的炊具—甑釜灶。另有河姆渡人想像圖一幅。若以現代人的眼光，看這些農業勞動工具和一般生活用具，非石塊即是木材或骨骼所構成，陶器採原始方法，表面飾有繩紋、植物紋、動物紋，豬紋是最具特色，生活簡單原始。但是得以瞭解當時南方農耕社會的實況。從而推知，以石改鐵，以鐵代陶的變易，過程緩慢，絕無近五十年來的急遽變化如此快速進展，證實時代之流的勇往直前，自然會對社會生活有著不可思議的品質的衝擊。現時落後的大陸農民生活，還未明顯看出時代躍進的浪濤，它的農村現狀與海外先進國家的城鄉繁榮，有著偌大的差異。

七、吳地大城與其它

據「吳地紀」的記載：「伍員伐楚軍還，築大、小二城，大城即今蘇州，小城即無錫的闔閭城。」蘇州是吳國的中心，在春秋晚期的遺存中，已經發現含有楚文化因素的文物。楚文化的東漸，是從江蘇境內考古發現的，計有東周晚期城址，居住遺址，墓葬得到證實。目前，江蘇境內設有：南京博物院、上海博物館、鎮江市博物館、清江博物館，並且，江蘇省有文物管理委員會、吳縣文物管理委員會。在蘇州博物館內設有考古組的單位。不僅在蘇、錫一帶的東周墓葬及窖藏中，發現很多文物，其㈠民國六十四年（一九七五）十二月蘇州虎丘挖河工程中，從獨木棺墓四周出土鼎、壺、豆、盉、鑒、匜等青銅器七件，另有一件黑陶豆。其㈡民國六十九年（一九八〇）七月，在吳縣楓橋地方，徵集一批出土文物，其中青銅器計三十三件，有鼎、盉、簠、缶、匜、鑑、戈、矛、鏃、及車馬飾等。另有小方格紋的硬陶罐、原始瓷碗各一件。其中青銅「龍形提梁盉」的肩部，鑄有「楚叔之孫途爲之盉」的銘文。其㈢民國六十六年（一九七七）九月在蘇州城東北，發現的一批窖藏青銅器，計有鼎、鉌、錛、鋤、斤、鐮、耨、劍、矛、鏃、削等四十多件，還有小方格紋紅陶罐一件。其㈣民國六十二年（一九七三）十二月在無錫縣高瀆灣發現有鑑、豆、匜、洗、刀、劍等青銅器，其中鑑、豆三件器物上，鑄刻「郟陵君王子申……」銘文。另；在民國六十七年（一九七八）三月在淮陰（昔名清江浦，今稱清江市）南郊，發現木槨墓，槨內分隔四廂，以九人和狗、車馬殉葬，出土器物有鼎、鬲、盤、匜、缶、鑒及車馬飾數十件青銅器，以及較多的罐、瓮、鬲、豆等陶瓷器皿。（另在漣水發現漢墓，寶應的楚墓，徐州漢墓曾有大批陶俑出土。）民國六十四年（一九七五）蘇州疏浚葑門河道工程中，並發現青銅兵器及農具二十多件。總之，於此發掘出土的古物，俱是相當的豐碩和具有歷史的價值。

從衆多墓葬、窖藏、徵集出土器物中，青銅器和陶瓷器，既保有部分吳文化的特色，楚文化亦在逐漸開始交流、融合，形成楚、吳文化交流的一種融合產物，爲中華民族文化增添很多的光彩。

南京博物院藏展的瓷器，造型各式多樣，紋飾精緻細密，分在江蘇丹徒（原屬鎭江）、吳縣（昔即蘇州）、南京、揚州（昔稱江都）、六合、宜興、句容出土，現是南京博物院的珍物。有著西周（公元前十一世紀—公元前七七一年）青釉瓷缽，徑十一公分。春秋（公元前七七〇—前四七六年）青釉瓷缸，通高二五・九公分。西晉初期（公元二六五—二八〇年）青釉瓷羊，長二六公分。西晉初期（公元二六五—二八〇）青釉堆塑飛鳥人物瓷罐。通高四八・三公分。西晉初期（公元二六五—二八〇年）青釉雙鳥瓷盂，通高七·二公分。青釉瓷唾壺，西晉元康四年物（公元二九四年），通高十二公分。青釉瓷薰，西晉（公元二六五—三一六年）物，通高十三·三公分。青釉瓷篕，西晉（公元二六五—三一〇年）物，通高十一·五公分。青釉獅形瓷水注，西晉（公元二六五—三一六年）物，長十三·二公分。南朝（公元四二〇—五八九年）青釉瓷熊尊，通高八·五公分。以上在展的十件青釉瓷器中，西晉較多，於此得見那時的瓷器產品發展，業經凌駕陶器，其製作的如：雙鳥瓷薰、獅形水注、熊尊俱皆匠心獨運，特以走獸、飛鳥造型，顯現美術工藝之美。

蘇州博物館在西園寺附近，貌相不揚。筆者購券入內參觀，僅僅從鄰近地區出土的少數銅器，是來證實春秋晚期吳楚交流文化的產物，值得一看；其它的，令人仍有簡陋未予充實內容的感受。即以明代的蘇州畫壇而論，四大名家的沈周、文璧、唐寅、仇英，其遺世的作品書畫，即應廣事蒐集公開陳列，俾來蘇州人士在參觀歷史文物之便，得以一睹美術的明代傑作，豈不是增加蘇州的光采，且足與名勝古蹟相互媲美。但是，館內外所售賣的字畫，俱係後人仿作，摹作，竟有署著唐寅名諱的，不僅有人被騙上當，而是由官方公開的盜名欺世，實不應該！

八、感慨的傾訴

博物館的設置，中國起步較晚，古代官廷收藏雖是命名不同，性質卻非常類似。中華民國創建以前，法籍神父在一八六八年在上海徐家匯首先建立，那是科學性的。接著國人張謇，在江蘇南通自力設置「博物苑」。純由官方創設的，是民國元年（一九一二）教育部於北平創立的國立歷史博物館，以太學器皿作爲基礎。民國十四年（一九二五），就北平故宮建築物暨清室保有的四朝珍藏，成立國立故宮博物院，二者具有歷史性、藝術性的綜合博物館類型。

目前中華民國臺灣，本諸倡導社會美育、發揚文化、重視歷史，而國立故宮博物院、國立歷史博物館、臺灣省立博物館外，近年的專設機關次第興起，如：美術館、藝術館、自然博物館、科學博物館、國軍文物館、海洋博物館、工業博物館、郵政博物館等，以及各種陳列場所，猶如雨後春筍，蓬勃建立；尤以，各縣市文化中心的落成開放，規模宏偉，內容也在積極充實當中。

無容否認的事實，大陸各省的專門博物館設置，有著廣事推展的傾向，數量亦在陸續增多，在人文方面的較爲普遍。大陸於長年浩劫與動亂中，中國原有的歷史文物多所破壞，而本來藏於民間私人文物，因以徵集與捐獻的美名，無一敢於私自珍藏，完完全全交出充公，并無任何補償，即作窖藏也被蒐羅殆盡，甚至有人懷璧其罪的受盡迫害。文物來源，由於墓葬與考古發掘的，跡近狂熱，其在博物院館設有考古研究所、考古組的專人專職從事其事，縣市文物保管委員會，文物工作隊負責執行，帶頭開挖，鉅細無遺。因此，大陸出土文物的銅、陶、瓷、玉等，異常豐富，得以公開展示的百不獲一。試舉湖南岳陽市爲例。由於岳陽是古代巴陵，鄰近洞庭湖的八百里煙波浩渺，自古迄今，是水陸交通衝要地帶。有岳陽樓、君山等名勝古蹟，雖設有文物管理所，展示宋代范仲淹撰的岳陽樓記全文（清、張照手書）雕屏，還有宋代的銅鼎等物。據主事人語筆者，岳陽地區出土的古代青銅器皿以及唐代李白題聯「水天一色風月無邊」，元代夏永手繪「岳陽樓圖」等歷史文物，俱以陳列空間所限，不克展示。類此情形，筆者親見的博物館俱有空間不足的缺點。既然，博物館是以「教育國民，供給娛樂，和充實人生」爲宗旨，且以保持、維護、研究、闡釋、聚積及展示，具教育文化上有價值之文物或標本爲目的。包括藝術的、科學的、歷史的和技術的材料。所以，一個健全的博物館重要任務，包括收集、保存、研究、展覽四項，就其現狀而言，收集文物在大陸已是來源無缺，只是業經散失海外的尚難歸還；現存的若重復舊觀，公開陳列，也非一蹴即至的。保存需要溫濕配合的庫房與展覽的空間，還需要專門人才的主持。而研究方面，更是一項永無休止工作，包括編撰、譯述與鑑定、考證，緊隨著是出版工作，資料蒐集與整理應用等等。展覽是希望觀衆在瀏覽陳列或展出的器物後心靈確有所得，首先要考慮的，陳列空間大小配合，燈光照明、空氣調節，陳列順序，附帶設施等因素。同時，展器高度、櫥櫃裝潢、環境整潔、觀衆休憩位置選擇、必要的飲料食品與複製器物、出版物的價實供應等。其它，如說明與標籤，在展品發揮功效上是居於重要的部分，圖文並茂的專集與目錄印製，似不可缺。另外，合乎標準的建築，專業人員的配備，經費的寬籌，也是條件之一。大陸從事博物館事業者，處於不講效率與官僚化統治的社會，心勞日絀，誠不知是爲誰辛苦爲誰忙？

（民國七十九年十月）

談陶塑兵馬和金縷玉衣

秦始皇陵的兵馬俑

隨伴著秦始皇遺體入葬的兵馬俑群六千件至八千件，埋置於三個黃土坑內，那是公元前二一〇年前的九月。埋葬在地底幾達二千二百年，始於民國六十三年三月（一九七四）由陝四農民挖井時發現。民國六十八年成立秦始皇陵兵馬俑博物館，就地公開陳列展覽，成爲舉世公認二十世紀考古發掘最大發現之一。筆者初於民國八〇年三月，在北平中國歷史博物館親見兩件兵俑，一隻陶馬，陶俑高一點七五至一點九五公尺，陶馬的大小與眞的秦馬相似。今（八十一）年七月，在陝西臨潼眼見兵馬俑坑，排列有序的形體高大的兵馬俑，至爲雄偉壯觀。這批兵馬俑，窯燒、彩繪而成，極盡我國古代工藝之美，無怪遊人如織。由於年深日久，這批兵馬俑頗多損毀待修，據說掩埋在當地黃土層下的尙多，有待繼續發掘。現在開放的只是第一坑，第二、三號坑覆土未除，難見坑底實況，惟聞坑內殉葬物均己移地收藏。

「事死如事生」，是中國人舊有的觀念，自古造成厚葬風習。曹魏之後雖曾明令禁止，其效不彰。古代嘗以生人殉葬，春秋曾有秦穆公以三良殉葬的記載，以致秦孝公有「止從死」的命令。但是直到公元前二年漢哀帝禁止殉死，這一陋習方始逐漸減少。其實，遠在周代約公元前一〇六六—公元前二五六年，就有貴族以俑隨葬，象徵僕從，以陪侍主人於九泉處，以後更有以活人和牲畜殉葬的惡習；否則，也不會有孔夫子指責：「始作俑者其無後乎」的話語。由於秦始皇的國力強大，武功傲世，這次發掘的秦墓，其中陪葬的兵馬俑群數量特多，於出土後，更是令人刮目相看。

根據我國藝術史記載，既往僅知有漢代陶俑出現，如民國四十六年四川成都出土說唱俑，就令人感覺有強烈的藝術感染力。可是秦俑的藝術成就更爲突出，不僅兵馬俑形體高大，所構成的龐大軍陣，氣勢磅礴恢宏，充分顯現中國雕塑無可倫比的陽剛之美。

秦俑群雕的形象美，更是令人意想不到。陶俑中有戴冠著甲，雙手撫劍，氣度非凡的將軍；有手執長鈹，狀如短兵相接的甲士；有足登短靴，一手牽馬，一手提弓的騎士；有頭戴長冠，兩臂前伸，雙手握轡，技術熟練的御手，官兵群相無不栩栩如生。尤其在神態、個性的刻劃方面，更是顯得逼眞、自然而富有生氣；更能力求動靜適切，有的昂眉張目，肅然佇立；有的雙手凸起肌肉，神態堅定而勇敢。陶馬俑中最具特色的陶馬色彩逼眞又艷麗，使處于靜態中的群馬形象，似乎有躍動感覺，所具藝術魅力無可比擬。

秦俑雕塑由腳踏板做起。從下至上，先製作腳、腿、體腔和雙臂；再用模子製作頭顱和雙手，經過粘接，兩次復泥與細部雕塑，才告完成。「踏板」是秦俑製作的獨創，用以保持俑體重心的平衡，使站立陶俑愈益穩固。陶俑雖是有用模子製作；但是腳和鞋的製作沒有模子，俱是用手塑成。有方口齊頭淺履和短靴兩種，鞋底繩子結的間距，是中間稀、兩頭密。腿部是用手製作，有實心與空心的分別，臂部同樣有空心與實心之分。體腔有採用泥條盤築法，有用分段範模製作再套接的。甲衣用手塑成，並在腰部刻出腰帶。頭部製作最爲複雜，初胎雙模製作，前模顏面，後模俑頭，粘合一起，再用單模製作耳朵、鼻子粘上；在二次復泥時，細雕出各自的身分、性格、神態，接著再製鬍鬚和髮髻。

陶馬基本上也是用分模製成的，馬頭左右合模，體腔分上下合模、左右合模、前後合模等多種製法。馬耳馬絡均爲手製，馬腿和尾巴先以範模製作，加以粘接後，再做細部雕塑。

秦俑雕塑工藝，不但把圓雕、浮雕、淺雕等技術作有機的結合，還用塑、堆、捏、貼、刻、畫等六種傳統技法，使立體形象的體、量、形、神、色、質等藝術效果都表達出來。

陶俑應用於墓葬，可以追溯到春秋戰國時期。彼時的陶俑體形小，火候低，製作粗率，刮削刀痕遍及週身，有著較大的原始性。秦俑的形體高大，陶胎薄厚不一，輕重也很懸殊，燒製成功，的確是製陶史上的一個創舉。尤其陶兵馬俑體腔空心，火候不足就會疏鬆，色澤不一；假如火候偏高，又會出現裂紋、變形，甚至爆裂。目前出土的兵馬俑，其中大部分都能質體堅硬，色澤一致，足證燒製火候掌握的適切無疑；據研究焙燒兵馬俑的溫度在一千度至一千零五十度之間，最低亦需九百至九百五十度。燒製陶俑的主要原料是黃粘土，其中摻和石英等成分的砂粒。

當年製成的兵馬俑都有鮮艷和諧的彩繪。如今只能見到少數陶俑的彩繪殘痕，乃是出土後因空氣乾燥而逐漸脫落的。這些顏色均是礦物質，紅色由辰砂、鉛丹、赭石製成。綠色爲孔雀石，藍色爲藍銅礦，紫色由鉛丹與藍銅礦合成，褐色是褐鐵礦，白色爲鉛白和高嶺土，黑色爲無定形炭。所以，秦俑彩繪有著紅、綠、藍、黃、紫、褐、白、黑八種顏色，另如朱紅、粉紅、棗紅、中黃、粉紫、粉綠等，可說用色廣泛。本人親眼看到秦俑在藝術和神態上的效果，的確已臻盡善盡美的境地；不禁驚嘆二千多年前藝匠的工巧與技法，更領略到秦代中國雕塑的氣勢美與形象美。

漢代的金縷玉衣

中國人喜愛玉器，非自今始，從國立歷史博物館所收藏張默君遺贈的良渚文化時期玉璧，以及上海博物館所收藏良渚文化很多玉器，可說我國人士很早就已欣賞玉器。我國長江下游雖不是玉石主要產地，卻是琢玉的中心。遠在良渚文化初期，春秋戰國，以至漢、唐、宋各代，琢玉工藝都有輝煌成就。石之美者爲玉，一般將玉分成軟玉和硬玉兩大類，硬玉也稱翡翠。凡是溫潤而有光澤的美石，都可納入玉類，不僅包括軟、硬玉，還包括瑪瑙、綠松石、孔雀石、蛇紋石，甚至水晶等美石。國人愛玉，爲我國文化的重要特色之一，自七千年前迄今未衰，而且發揮它具有非其他工藝美術品所能替代的功能作用，例如：一、崇天地祀鬼神的禮儀玉，由周朝規定以玉作六器，以禮天地四方，而琮璧玉器，也明示古人「天圓地方」的宇宙觀。二、祈求不朽再生的喪葬玉，深信死後以玉陪葬，可以保持屍體不朽，於是用玉陪葬，用玉作殮服，祈求屍體永存。三、呈福祉避禍凶的祥瑞玉。四、聚財富耀門第的陳設玉。

國人既迷信玉是具有如此功能，因之，玉自殷商即受人珍愛，而且認爲玉有避邪神力，所以，亡者七竅都用玉塞，有嘴含蟬形玉的，甚至連屁眼也不放過，這稱之瑱玉。漢代侯王死後穿著金縷玉衣，就是以玉作殮服的具體實證。近年大陸流行掘墓，東西兩漢被掘出土的墓制很多，其中有諸侯王的，也有列侯的。諸侯王中出土的墓制，最著名的，是河北省滿城縣的崖墓，出現的殉葬品特多，其中最引人注目的是金縷玉衣。迄今出土的玉衣，包括滿城在內的計有十一件；衣是用白大理石製成有兩件，女性專用的。河北定縣漢光武之子亦封爲中山王的劉焉，墓中出土用金銅縷的玉衣；河北定縣最後一代中山王劉暢夫婦墓中的，只是銀縷玉衣和銅縷玉衣；有說男性玉衣是用金縷，女用銀縷或銅縷，此項說法尚待繼續考證；就已發現的玉衣，並不完全符合男金女銀之說。筆者於民國八十年在南京博物院，就曾看到徐州出土的銀縷玉衣，它由頭罩、臉蓋、左右袖筒、左右鞋靴等部分，皆用玉塊組合，計用玉片二千六百餘塊，加上八百克的銀絲編綴形成，判定是漢代貴族的玉作殮服。較早時候，本人已在北平中國歷史博物館中，看過兩件金縷玉衣，彼此大致相似，僅玉質有一點差異。

滿城漢墓第一號墓，葬的是中山王劉勝，二號墓是劉勝之妻竇綰。（劉勝是景帝劉啓與賈夫人的兒子，亦即武帝劉徹的庶兄。）墓中的金縷玉衣，乃是用無數方形玉片將屍體從頭到腳，包括四肢全部裹住，玉片是用金線連綴固定。王衣上半身稱爲「珠襦」；下半身就稱「玉匣」或「玉柙」。據說在戰國末年稱爲「鱗施」，也就是說，玉衣之制，始於戰國末年，約在公元前二二一年以前。依據「續漢書」禮儀志載：「皇帝用金縷綴玉衣，諸王與列侯的第一代、貴人、公主用銀縷，大貴人和長公主用銅縷」，證之從發掘出土的各墓中發現，所載也並不盡然。

玉衣不論是金縷、銀縷，抑或銅縷，各種各式的葬衣都是殮屍用的。出土時屍體仍舊肉消骨毀，毫無想像中的功能，只爲豪華厚葬留一見證。中共佔據大陸，考古學術研究頗有進展，得有很多材料，可是，遍地平墳挖墓，不經其子孫親屬同意，有紀念性、歷史性的祖墳古墓照樣夷爲平地，美其名爲增進生產，棺木遺骸，一把火燒成肥料，成深埋地下化作沃土，誰敢抗辯?相信居留海外或旅居臺灣的國人，房屋田產無故被沒收；祖墳早無遺跡，更是傷心欲淚。

參觀了秦始皇兵馬俑及漢代金縷玉衣等文物精品之後，更徹底瞭解中共倒行逆施的其他層面。

（民國八十一年十二月二十六日）

密縣漢墓畫像石

宋書禮志二記有：「漢以后天下送死者靡，多作石室、石壁、碑銘等物。」寥寥數語的記載，說明中國陵墓由秦及漢建構完美，且裝飾華麗，厚葬的風尙普遍，不僅是帝王如此，貴卿、富室、官吏也就效法。從考古發掘顯示漢代墓葬的遺存，使古代藝術得以重現，成爲後世社會的無窮寶藏，具有無上的價值。

尤其繪畫方面至爲顯著。例如漆器及陶器上裝飾的圖畫與紋樣；許多石室或磚室裝飾著各種壁畫；石或磚用淺浮雕刻著畫像，形成研究漢代造型藝術的豐富材料。

在中國美術史上値得稱道的名詞術語，有「畫像磚」和「畫像石」，顧名思義，這兩者俱是古代祠堂、墓室的裝飾畫。畫像磚盛行於東漢，在四川、山東、河南等地發現較多。表現形式有：陽刻線條、陽刻平面、淺浮雕相互結合；或用模型印製，或直接雕刻在磚上的，有的則施加色彩。

畫像石的圖像．故事

畫像石起於西漢，盛行於東漢（公元前二〇六—公元二二〇年），表現形式可分凸出線條和塊面陽刻，以及線條凹進的陰刻兩類。臺北國立歷史博物館藏有一方巨大的畫像磚，刻著鳳凰花紋，是十分大型的漢磚，內中有孔，便於磚磚連接。波士頓美術館有一組畫像磚，作五人交談狀，是東漢物，造型和線條樸質生動，構圖富有變化。

畫像石較早為世人熟悉的是「武氏祠畫像」，墓葬建築，是在山東嘉祥縣內。從桓帝建和元年（公元一四七）開始，歷數十年陸續完成。其中，以武梁的祠堂為先，亦稱「武梁祠畫像」；用減底陽刻法，像旁刻有隸書題記。在山東肥城孝里舖孝堂山上的「孝堂畫像」，則建於順帝永建四年（公元一二九），墓前石祠內壁上所刻的畫像，卻是陰刻著歷史和神話故事。另外，山東濟寧兩城山祠堂和沂南墓壙畫像石的雕刻，無論風格趣味，樓閣竦崎，人物服裝等，都在引導欣賞者神遊古意的境地。江蘇徐州博物館「碑園」陳列著鑲嵌的近二百塊畫像石。四川省博物館（成都）的漢畫像磚，題材有鹽井、收穫、弋射、放筏、車馬、庭院、市場、宴飲、舞蹈、音樂、雜技等。

陝西省博物館陳列的東漢畫象石，出土於陝北綏德、米脂一帶，原多用於墓中門楣、門框、墓門和墓室四壁、頂部的裝飾，題材具有濃厚的生活情趣，一類是農牧生活，如：「放牧圖」、「牛耕圖」、「拾糞圖」等；一類反映社會生活習俗的，如：「出行圖」、「狩獵圖」、「蹴鞠圖」、「七盤舞圖」；第三類，以神話傳說做題材的，如：「東王公訪西王母圖」、「羽人尋靈芝圖」、「玉兔搗藥圖」等。在河南省的南陽，設有漢代畫像石刻藝術館，是目前大陸具中國特色的專業博物館之一。

南陽在西漢時期是重要商業城市，東漢光武帝劉秀於此起家，自是皇親國戚、豪門巨富麇集所在，他們死後的厚葬，造致石刻畫像，成爲歷史文物的瑰寶，漢代畫像博物館便在考古發掘績效上，專門收藏、陳列、研究這裡的畫像石。展品出現的天文圖象，有「日月同輝」、「日月合璧」、「牛郎織女」等。音樂、歌舞、武術、雜技高度技巧的畫像石，有：「扛鼎蹴鞠」、「飛劍弄瓦」、「吐火」、「倒立」等。反映生活享樂的，有：「樂舞車騎」、「騎射狩獵」、「舞樂宴饗」、「宴客投壺」等。中國大陸各地出土的漢代石材刻的畫像，表現當時人們生活上的物質與精神層面的種種，它透過藝術手法採用平雕、陰刻或是陽刻，留存迄今；不僅是美術作品，而且，它幫助我們瞭解古代民俗風情重要的歷史資料，比諸文字記載具體生動，直接觀察，可作相互印證最好的學術研究對比。

密縣漢墓一探究竟

有人說百聞不如一見。溽暑作西北之行，由鄭州乘坐汽車去洛陽，道經西南九十華里的密縣，得以親履漢代墓壙一窮究竟。較諸在長沙馬王堆，看漢長沙王丞相夫人墓穴和出土之物陳列的湖南省博物館，以及河北昌平明十三陵之一的定陵地下宮殿，尤其給我對漢墓有著一番別具彼時彼地的認識，與在雕刻藝術上的創意感受。

密縣漢墓位於城西打虎亭村，若不是有公路通達，事實上是一個荒村。但墓壁保存有內容豐富，色彩絢麗的畫像石和壁畫。兩墓南向併列，相距約三十公尺，爲林木花草、黃泥土丘所掩蓋。西墓分七室，總長二五·一六公尺，寬一七·二八公尺，中室高四·八八公尺，有斜坡墓道，長二五公尺，墓底鋪煤，厚〇·五公尺。墓門正背兩面刻有鋪首銜環和珍禽異獸組成的圖案，世所罕見。前室頂部由蓮花和菱形方格組成的藻井。壁上刻有大幅「迎賓圖」，東、南、北三面耳室，內壁與甬道均有瑰麗的畫像石刻。

各室墓門雕刻最是精緻，巨大的石門中央浮雕鋪首銜環，四週邊緣有雲氣繚繞的陰刻，在雲紋中間刻有各種鳥獸和人物；週邊刻的朱雀、玄武、青龍、白虎四神組合圖案，畫面構圖精細，雕刻生動活潑，使整個石門顯得壯重美觀。前室所刻的「迎賓圖」，人物畫像作抬壺、執物、掃地、接待等迎賓狀。南耳室兩壁刻有「車馬圖」，刻有侍者和車輛，還有餵馬、餵牛等圖案；南壁刻有「收租圖」，人物收授與交納情景，猶如秋收入倉的忙碌寫實眞相。東耳室刻的「庖廚圖」，其中殺雞宰鴨、宰牛屠豬、負薪生火、汲水洗物、煮魚烹肉種種庖廚工作，灼然得見。北耳室四壁刻的「宴飲圖」，帳幔高懸，几案箱櫃羅列。女侍捧物、端碗、抬壺、執燈以及主人宴飲情況，隱約分辨在目。

東墓冢土相連，墓內后室外諸室，畫著壁畫。那先在壁面塗上白灰，然後打磨平光，再用墨筆勾勒出題材的輪廓，繼以朱砂、朱膘、赭石、石黃、石綠、白粉、黑墨繪成彩色鮮艷的壁畫。除前室繪「迎賓圖」，其餘是「獵騎圖」、「相撲圖」、「車馬出行圖」、「宴飲百戲圖」、「侍女圖」、「戲車圖」。其中所繪的「相撲圖」，二人赤膊上陣，角力競技，如今已不多見，描繪十分生動有趣。

密縣兩座漢墓，一是畫像石刻，一是壁畫。據查酈道元「水經注」洧水條下注云：「洧水出河南密縣西南馬岭山，……洧水東流，綏水會焉……東南流，經漢宏農太守張伯雅墓。」壁畫墓的墓主認

是張的親屬，兩墓相接，由此判斷似有可能。（伯雅名德）

墓外的設施，早經蕩然無存，綏水之陰的石闕，是近年修造的，無法與太室闕比美；石獸、石廟、碑石、石人、石垣等，已經找不到半點痕跡。曾經被盜過的東漢晚期張德墓壙，歷經世事多變，年華如流，還能保有多種畫像石藏於地下，讓萬里來訪者探古思往，誠華北旅遊的一大樂事。

（民國八十一年九月一日）

魏晉墓的磚畫特徵

中國藝術史裡記載兩漢的「畫像石」和「畫像磚」，用淺浮雕刻著畫像，形成現代研究漢代造型藝術的豐富材料，它在四川、陝西、河南、山東等地出土較多，表現於形式的，有：陽刻線條、陽刻平面、淺浮雕相互結合；或用模形印製，或即直接雕刻在磚上的，還有施加彩繪的。

暑季有西北甘新之行，在河西走廊西部嘉峪關，得悉漢魏屬酒泉郡的戈壁灘上發掘到魏晉古墓裡的磚畫；讓我親目所睹有異於兩漢的畫像石與磚，增廣見聞，獲益非淺，似有筆記必要，以饗讀者：

魏晉時期（公元二二〇—四一九年）墓室彩繪磚畫，猶如回到一千六百年前的古人社會，領略到當時人們生活情趣，間接有助研究絲綢之路歷史文獻的一項豐富資料。這些出土的嘉峪關魏晉墓中彩繪磚畫，其顯著的特點，在於取材廣泛。表現現實生活為主，具有獨特的風格。內容有農桑、畜牧、井飲、狩獵、林園、屯墾，營壘、庖廚、宴飲、奏樂、博弈、牛車、出行、塢壁穹廬、衣帛器皿、還有營帳、驛傳、牽駝、車輿、濾醋、蠶繭、絲束等，生動寫實。由嘉峪關、酒泉一帶的戈壁灘裡魏晉時期的墓葬中出土的藝術珍品，自是當時社會生活的寫照，於此稍予說明的，該一地區那時是中國的邊陲，處於備戰的狀態，屯墾是軍民有著共同生活的需要。戈壁是無水又無河流的不毛之地，沙裡生長的植物，紅柳用之燒鍋，駱駝草供應沙漠之舟駱駝的食用，芨芨草編成掃帚作爲清除塵埃所需；飛禽僅有體積龐大的純黑烏鴉偶一出現在空疏荒漠裡，給寂寞旅人帶來一點生氣。就因爲戈壁彩石滿野，一望無垠，綠洲出現，那才是極大願望的實踐。所以，墓室俱建於地下礫岩洞中，無需磚的結構來負苛較大重量，是和中原形制顯明的區別所在。從彩繪磚畫中，反映「農業」、「畜牧」並存。「井飲」、人工牽繩從井中汲水，來供人畜飲用；據四十多年前被派遣來西北高原的鄉親談及，那時鑿井要深入地面下五十多米，但有時還是滴水俱無仍待續鑿，甚至，只有鹹水而沒有甜水的。千餘年來固多變化，限於地理環境和人爲措施，改變和改革談何容易？目前城市已有自來水，有些車站如鄰近敦煌五十公里的柳園，必需火車裝水來解決員工的用水，居民是無法住留的。磚畫也有顯示富有的畫面，如「絹帛」、「絲束」等。其特殊的尙有「濾醋」、「塢」等。途經甘新城市，做菜的大師傅告訴我：佐料仍以酸、辣、鹹爲要件，嗜醋是其來有自的。「塢」的平面方形，墻頭設女墻，墻下開一小門，門上有高聳的門樓；也有的「塢」，四周置碉，均具有防禦的性質；古人居處建碉堡，利於戰守防敵，五十年前還隨處可見。

魏晉墓中彩繪畫磚，筆法簡練，以線描是尙，一般先用土紅線描起稿，或用墨線勾勒人物、動物的輪廓，然後再用黃、白、朱紅、淺綠、赭石等顏料著色渲染，稍加點綴，色調明快，使一幅生動美妙的畫面顯然呈現。線描特點是用粗細快慢來表現迅疾飛動、頓挫分明的形態。另外，還有一個顯著的特點，描繪事物往往由簡及繁，自粗到細。魏與晉時期的彩繪磚畫畫法，仔細觀察稍有不同，曹魏時期樸實古拙，人物造型較比低矮；西晉時期線條勻細，人物造型清癯；在人物畫方面，比起東漢時期的人物畫像有著提高進步。至於西晉以後的繪彩磚畫，繪畫精細、造型雋秀，色彩清淡，蓮花紋飾增強；不僅出現神幻圖形，仙靈異獸的題材入畫跟著加多，成了構圖生動，形象逼眞，色彩熱烈明快，線描粗豪奔放，平易自然，猶如行雲流水。嘉峪關魏晉墓葬中彩繪磚畫，成爲埋藏地下將近二千年的藝術瑰寶重見天日，是近年的事。假如，是在地面的話，它的命運就會和祁連山下石窟佛像一樣，同在「文革」中遭受毀壞無存的。

嘉峪關雄踞甘肅省的西部，是著名的絲綢之路必經孔道，漢魏屬酒泉郡，東接關內第一重鎭酒泉，西抵陽關、玉門關，形成中西文化交流通道。在魏晉時期，此一地區社會比較安定，經濟繁榮，貿易昌盛，促進西北邊陲與內地經濟、文化兩者溝通橋樑。現今在嘉峪關市，大廈林立，工業有酒泉鋼廠，員工五萬人，且鐵鑛早在開採，是蘭新鐵道的大站，居民來自東北、山東、河南最多。市屬新城鄉的戈壁灘上，據勘察有一千四百餘座魏晉時期的古墓，經已發掘十餘座，規模較大的有多室磚墓，由幾個墳堆集中於圍墻內，另分二室和三室的墓兩種，內中彩繪磚畫，多爲一磚一畫，也有半磚一畫的，少數是由幾磚組成畫面而成的小幅壁畫。墓葬造型結構，不少三室疊造磚墓，裝飾有三至五層，或多達十層的彩繪磚畫和磚的雕塑，出土約六百餘幅，無不構思精巧，技藝嫻熟，有著較高的藝術價值，也是說明河西走廊的魏晉時期的發展概況，更豐碩河西開發的史料。當我到蘭州七里河區參觀甘肅省博物館時，特地瀏覽嘉峪關魏晉墓的彩繪磚畫，（酒泉縣博物館有同樣彩繪磚畫在展。）由市東北二十公里戈壁灘上開挖搬遷陳列的，計有六十多幅，俱來自酒泉石廟灘下河清五墩河以及崔家南灣丁家閘等地魏晉墓中。另在一幅放大實景照片上，看到長方磚塊堆砌圓形墓門旁邊的墓室墻壁，有著一磚一畫，半磚一畫，疊成四層的磚壁畫的實景，猶如置身其中，親自領略這些寫實的生動畫面。農業兼畜牧社會生活，有「犁地」的，一人右手扶犁，左手執鞭，驅使牛隻犁地前進。「牧馬」的，有六馬奔馳，牧人揚鞭跟進，其人身形袍靴具羌族模樣不似漢民，想像當時少數民族已經衆皆和洽相處，駿馬乃得繁殖生息。「牧羊」是十隻大羊，有公有母，還有一隻全黑的小羊羔子尾隨諸羊之後，在牧人高舉桿子下昂首前進。「打連枷」，是一種打落麥穗的農具，連續反覆打落在麥楷上，此種農具直到今日依然在各省農村到處可見。「牽駝」、「騎馬持戈武士」、「窩棚」、「擠羊奶」、「蒸饃」，他處少見而河西走廊鄉村仍舊有著這些生活景象。至於「採桑」，假如不親自見到這一幅彩繪磚畫，幾難置信古時酒泉郡也曾有植桑養蠶的事實存在，如今，捨綠洲上的白楊、槐樹外，我卻沒有看到一棵桑樹，或許由於氣候由溫暖逐漸轉冷所致，當然，不若江南的遍地有桑，家家育蠶的幼年所獲得的深刻印象。

從彩繪磚畫畫面裡，想像魏晉河西少數民族，就有氐、龜茲、羌、鮮卑、羯等，該一地區雪水灌溉、土地肥沃，宜於耕作。加之，畜牧發展、林木繁茂，曾經有著一番風光的。今見農民灰頭土臉，欠缺水草，顯然還不是一個繁榮的社會，雖礦產開發與工業興起，希望河西走廊恢復猶如魏晉彩繪磚畫一般，有著昔日農村生活富足再現的一天。

民國八十二年九月

江南處處六朝青瓷

江雨霏霏江草齊，六朝如夢鳥空啼；
無情最是臺城柳，依舊煙籠十里隄。——唐・韋莊

故國重遊，山河依舊，而再訪少時負笈的南京，尤增感慨。每到大陸一地，俱著眼古蹟古物的探訪，「南京博物院」亦是託寄心靈所在。是以窮一天時間專以六朝青瓷爲主得窺精妙，特就所見作綜合敘述，藉供讀者參考。

六朝俱都今日南京

漢（前一四〇—二二〇）隋（五八一—六一一）兩個朝代當中的三國孫吳（二二九—二八〇）、東晉（三一七—四二〇）；以及南朝的宋（四二〇—四七九）、齊（四七九—五〇二）、梁（五〇二—五八七）、陳（五六〇—五八九）六朝，均以今之江蘇省的南京做爲都城，先後計共三二四年（南朝一七〇年）；名稱數易，有名秣陵、建鄴、建康（金陵由戰國楚威王建，秦稱秣陵，及至五代梁置金陵府，南唐都之，是爲後話），位於長江南岸。六朝疆域是江湖縱横、河港分歧的地帶，大致以長江

中下游，包括今之浙江、江蘇，還有珠江和淮水流域。當時所有的疆域，人文薈萃，盛產魚米，綠野平疇，溪流縱橫，文學與書畫的成就，在中國文化史上占著輝煌的一頁，就以石刻藝術與陶瓷的工藝發展而言，也值得大書特書，尤以青瓷這一方面的造詣，更讓人刮目相看。

原始瓷燒造的母地

瓷器是中國重大發明之一，「瓷」之一字初見於漢代，在六朝的三百多年中，從現時存有的瓷器來探索，青瓷的創造與發展，在陶瓷史的研究上，應該是一項既重要且是有根有據的科學與工藝美術的珍貴成果。

先談從原始瓷萌芽中，創造出青瓷器的光輝。

在中國東南沿海地區，近年出土的印紋硬陶，發現它的原料與後來創造出來的青瓷原料頗爲類似，只是含鐵量較高；因此，燒造出的胎體顏色，就會現出青灰色或是偏赭色彩。由於這種印紋陶器的出土，說明遠在商代時期的製陶技術，已經孕育著產生瓷器的可能性，並且燒瓷原料的精選和高溫製成的技術，均已從商代工匠們的掌握中，進而有著新的黏土窯器出現，表面掛有一層透明青釉，於是定名釉陶。由於這種釉陶器皿不同於既往的陶器，當然它也不能與後來成熟的青瓷器相比，所以它仍具有一定的原始性，學術界就給它定名爲原始瓷。

原始瓷既然源於陶器，儘管它比陶器要高級，但仍顯露著瓷的原始狀態，色釉固非青翠，有著粗糙的釉面，直到戰國、西漢時期，原始瓷稍稍成熟，由萌芽逐漸接近青瓷的階段，爲中國人揚名立萬。原始瓷產於我國的長江以南，浙江算是原始瓷誕生的母地，民國六十五年（一九七六），浙江的上虞縣發現東漢晚期的青瓷窯址，甌江兩岸和金華地區也有東漢燒瓷窯址。根據文獻記載，青瓷就是綠瓷，越窯系的上虞窯和寧波窯最具代表性，而紹興、上虞、餘姚的越窯，永嘉（溫州）、瑞安、位於甌江兩岸的甌窯，在三國、兩晉，南北朝時期，業經燒造有明顯地方特色的縹瓷，所謂縹瓷是指一種釉的透明度較高，色彩淡青的綠瓷。漢代鄒陽「酒賦」：「流光醳醳，甘滋泥泥，醪醴既成，綠瓷是啓」和晉朝潘岳「笙賦」：「被黃苞以授甘，傾縹瓷以酌醽」足以佐證漢、晉青瓷爲文人歌頌的事實，樂爲當時士人所採用。

江蘇宜興燒陶，古有范蠡棄官歸隱改名「陶朱公」的故事，因此，宜興陶業在春秋時代即已開始，乃有「江蘇宜興，亦與景德鎮相埒」之說，（見中國陶瓷史）撫今溯昔，宜興曾是六朝產製青瓷的地區之一，從窯址發現是可以相信的。

蘇省青瓷衆美雜陳

距今一七〇〇多年前的歲月裡，中國青瓷歷史，捨諸文獻記載與所遺實物來印證眞僞虛實，考古學術的效用助長，愈益彰明六朝青瓷的價值觀與藝術觀。就其用途分別，一是日常用具的品種，如：碗、缽、壺、罐、杯、盤、薰盒、盂、硯等。二是隨葬的人俑、動物俑、倉、灶、井、磨、豬圈、雞籠、魂瓶等。在造形和裝飾上，孫吳和西晉時期，距離漢代不遠，受著漢代陶器、銅器與漆器的影響，壺罐往往腹部較為扁矮，口徑和底徑較小，紋樣豐富多采多姿，以動物造形的非常生動，自與石雕藝術發展有所關聯。親目所睹青瓷器物中，如：吳末帝歸命侯孫皓（二六四—二八〇）「甘露元年五月造」的青瓷羊尊，造形生動別致，作臥伏鳴叫姿態，鬃毛、耳形、眼神，雙翅刻紋，以及周身施釉勻淨，優美穩重，出土於南京清涼山畔。同時出土的，還有熊形檯燈，承盤柱就是一隻著衣的仔熊，雙爪抱頭頂著油盞，形態滑稽可笑。另有獸狀提梁虎子、蛤蟆水注、雞和雞籠。西晉時期燒製的，出土在南京及其附近，有辟邪、伏熊、伏兔、蛙形等水注，狗舍、獸尊、辟邪、虎頭虎子、犀牛、鳥盂、雞壺、雞頭執壺。

最值得重視的，那便是瓷器上銘文，不僅是中國瓷器創有銘文之始，且足說明造器的眞實年月，有助於陶瓷歷史的研究與探討至鉅。雖然這件具有重大價值的青瓷器，在名稱與實用上，或許難登大雅之堂，而其存在卻年深日久，裝飾也是變化多端，在我們中國人來說，頗多蘊涵幽默的。例如：赤鳥十四年銘青瓷虎子，字體並不工整優美，乃屬男子夜眠時的溺器，它在民國四十三年出土於南京趙士崗的吳墓，現則藏展北京的中國歷史博物館。器身似一蠶繭，背有虎形提梁，底部飾有屈曲蹄足四隻，口徑四・八公分，橫長二〇・九公分，通高一五・七公分。器腹右側陰刻：「赤鳥十四年會稽上虞師袁宜作」銘文，左側中鐫「制宜」兩字。（按：赤鳥是吳大帝孫權的第四個年號，若從歷史記載，赤鳥只有十三年，翌年該是太元元年（二五一），細加推敲，頗饒趣味。）其他青瓷器皿中，也間有銘文的，但在年代上業經晚遲，有的寓義欠明，不再例舉。

從江寧縣板橋鎮西晉永寧二年（三〇二）古墓出土的青瓷男女俑，男俑高二〇．三公分，灰色胎，綠釉剝蝕殆盡，額凸目凹，戴著圓形小帽，披服右衽，袖攏雙手，面部冷漠的跪坐著。女俑高二四．一公分，青灰色胎，釉已脫落，頭覆角巾，眉目刻劃清楚，雙唇緊閉，表情木然，兩手交叉腹前，上身裸露，兩乳微突，下體圍著褶紋長裙，肅穆站立。

南朝的宋、齊，設有東西甄官瓦署，置督令以專其事。陳朝後主陳叔寶至德元年（五八三），在今之南京大建宮殿，詔由昌南鎮（即景德鎮）燒造陶礎供用，雕鏤巧妙而不堅，有再製仍不堪用的紀錄。現仍藏於「南京市文物管理委員會」的梁朝青瓷大蓮花尊，是民國六十一年五月在麒麟門外靈山出土，口徑二一．五公分，底徑二〇．八公分，通高七九公分，用劃花、貼花、刻花等技法，作出尊體的蓮瓣、飛天等裝飾，顯彰它的氣魄雄偉，端莊華麗，最具南朝佛教藝術流行的風格，而「秀骨清像」以瘦爲美的時尚表露無遺。

三百多年中，在南京賡續建都的六朝，從歷史觀點去探究，它的成就不在政治、軍事，而在於經濟與藝術的衡量，尤以南朝一七〇年間的佛教興盛，從青瓷燒造的裝飾表現上，更屬表現明顯，衆多魂瓶（一說穀倉）的附著雕塑物事，精巧秀美絕倫，成爲隋唐宋明瓷器發展的先鋒。散佈於浙江越窯系統燒製的青瓷，以及江蘇南部的宜興、金壇、蘇州、常州、丹陽、鎮江、江寧、溧水、句容等地出土的器皿地位，無不相與南京建都的史實息息相關，肯定六朝青瓷的應有地位，形成它的歷史價值與藝術造詣。這些背景所在，自與水網地區的地理環境、經濟發展、人文薈萃，帶動工藝美術的突飛猛進有關。假如六朝時代的安定承平能夠維持不墜的話，留給後世的光輝燦爛的文化與文明，當是倍增於今日所見多多。

民國八十一年九月

沙州懷古探佛窟

盛極於唐代的莫高窟，是世界罕見的佛教藝術寶藏之一。清末在莫高窟藏經洞發現古代寫本、刻本、古籍文獻，爲英人斯坦因、法人伯希和等串通主持的道士王圓籙，竊取所藏六朝至宋的文獻資料、圖書繡品偷運出境；甚至日本、俄國也有人潛來盜走經卷的情事。幾經蹶而復振，巍然屹立，不僅莫高窟爲舉世皆知，所在地的敦煌，因此，成爲中國西北「沙漠綠洲」上一顆燦爛明珠。現時交通便捷，鐵道、公路並有國內航機相通，人口達十二萬人之衆。世人有敦煌熱，導致研究廣泛深入的敦煌學興起，居於東南海隅的臺灣也不例外；曾經留住莫高窟、在國立敦煌藝術研究院研究的江蘇鎮江人氏蘇瑩輝，年事已高，從國立故宮博物院離職；所著《敦煌彩塑》等書中，得窺其對敦煌學的造詣深邃，聆其多次講演，啓發我探索的決心，俾長留一點有關敦煌歷史和敦煌文化藝術寶藏中的掠影旅情。

敦煌二字的含義，據東漢史地學家應劭解釋，「敦，大也，煌，盛也。」喻以盛大輝煌。它在西漢武帝劉徹元狩二年（前一二一）先設酒泉郡，相繼又分置武威、張掖，敦煌郡，是謂河西四郡。同時，又建陽關、玉門關兩個軍事要隘，作爲交通西域的門戶；敦煌郡轄有六縣，即敦煌（故城在黨河西岸，距今城三公里是清雍正三年新建的。）、龍勒、效谷、廣至、淵泉、冥安。如今的範圍，大致是疏勒河以西、陽關、玉門關以東的土地，包括現時的敦煌、安西兩個縣市和阿克塞哈薩克族自治縣（博羅轉井）、肅北蒙古族自治縣（黨城灣）的土地。相傳古代西域和闐等地美玉經玉門關輸入中原，從地理形勢判斷，敦煌位於甘肅省河西走廊的西南邊緣，是河西走廊的最後一個綠洲；經玉門關到南疆盆地（塔里木盆地）南端和闐，幾乎是一條由東向西的直線通道。玉門關在敦煌大西小北，距離市區一〇二公里的戈壁灘中。陽關今在敦煌市區西南七十六公里，位在龍頭山南。昔日的雄關要塞，時過境遷，玉門關的墻垣依稀尚在，全爲黃膠土版築，城堡平面是方形，城北一條大車道，想是古時中原和西域諸國來往過客及郵驛的孔道。登城北望，長城斷續殘缺，自東迤邐向西，蜿蜒在平沙莽野裡；瀚海游龍，相與烽燧土墩遙遙峙立，歲不我與，猶似英雄老邁頹廢。看廣漠落日，黃沙微揚，頓興年華飛逝，不無帶幾分悽涼遠適的滋味。陽關湮沒無存，僅剩山上一座烽墩。荒蕪寥落，徒增思古幽情；有人吟詠：「絕域陽關道，胡煙與塞塵；三春時有雁，萬里少人行。」大地蒼茫，人跡罕至，吐露「西出陽關無故人」的感嘆，因此，「春風不度玉人關」的悲悽感人的怨恨，也會從詩句裡體會。實際目前甘新的交通，早經易勢有所更變，而地理形勢依然一如往昔。

我們一行，由新疆越境到達敦煌，是坐絲路快車從烏魯木齊出發，經吐魯番，過哈密、尾業，進入柳園，（屬甘肅安西縣境）。戈壁灘上只長紅柳、沙棗樹、另有駱駝草和芨芨草，公路柏油舖設，雖前夜暴雨沖毀迅被舖上砂礫，（終年很少有雨），仍有一點顛播，受不了的下車休息方便，順便撿些五顏六色的小石頭，它具有媲美南京雨花臺和枝江江邊的彩石。南下一二八公里的敦煌，在藍天白雲下，爽朗明快，多次被海市蜃樓的幻影所騙，終於看到白楊林中另有一片天地，夢寐以求的敦煌市區已快接近。縣裡有金黃的小麥正在收割，玉米、穀子、豆類青翠蓬勃的生長。還有桃、李、杏、葡萄等水果滿市，棉花生產量大質優，是甘肅省產棉地區之最。一種「李廣杏」，色黃、味甜、肉厚，內有一段將帥惜愛士兵的故事；李死於公元前一一九年，文帝時擊匈奴有功爲武騎常侍，號「飛將軍」，是漢隴西成紀人，有功國家，且爲鄉親，以杏紀名，還有著崇功報德的含義存在。另外，中藥材豐富，甘草、麻黃、羅布麻等。

敦煌博物館位於通衢，館舍有樓，規模不大，內中陳列的當地文物，不失社會教育的作用，啓發人們對這座歷史悠久的絲路古城二千年來的認知。新石器時代的石刀、石斧、陶罐。漢代鐵鍤、銅犁，大唐都督楊公紀德頌功碑。爲後涼統治敦煌的佐證。並留有敦煌名族東漢二八六年，三河王呂光「麟嘉八年」的五谷瓶，民國七十年（一九八一）在佛爺廟墓殿出土，現存館內書法家張芝草書，西晉索靖（二三〇—三〇三）章草，這兩位敦煌人，晉代王羲之推崇：「漢魏書跡，獨鍾（繇）張（芝）兩家。」梁武帝蕭衍稱譽索靖的字「飄鳳忽舉，鷙鳥乍飛。」既善寫草書，原是東漢張芝姐姐的外孫，其書法疑受張芝影響很深。

歷史上的十六國時期的敦煌，是由於西晉元康（二九一—二九九）中，惠帝司馬衷王朝內部爭權奪利，諸王相互殘殺，史稱「八王之亂」，動搖西晉統治基礎，引發地方勢力及北方民族紛紛起來反晉，各據一方，稱王稱帝，乃形成東晉偏安與十六國混亂局面，彼此政權對峙，長達數十年之久。在河西地區先後經過爭奪分裂，前涼政權，是涼州刺史張軌（漢人）遙擁晉室建立的，其子張實繼任，三一四年改元建興（永安），敦煌仍屬前涼。三七六年，前秦世祖符堅（氐人）滅前涼，據有敦煌歷時十年，曾一度完全統一北方，且徙江漢萬餘戶，中州七千戶於敦煌。其間龜茲邀來的高僧鳩摩羅什，途經敦煌，所乘白馬病死瘞之建塔，名白馬塔，形奇飾美，別具風格，歷千有餘年，現仍絢爛莊重，光彩如初。三八六年，呂光（氐人）於符堅死後，自立稱大都督、涼州牧，酒泉公，改元太安，建立後涼國，三八九年年號麟嘉。三九七年段業（匈奴人）先以建康郡太守（今甘肅高台縣境），改元神璽，史稱北涼；四〇一年被沮渠蒙遜（匈奴人）所殺，執政三十六年中，掌握北涼，建都張掖，又遷酒泉，他在敦煌「廣傳信教、廣收門徒」，莫高窟現有十六國時期的七個洞窟，可能就是北涼蒙遜鑿建。定都敦煌的西涼（四〇〇—四二一）由六郡公推太守李暠，（漢人）、（三五一—四一七）李廣十六代孫統治，首先擴大疆域，後遷酒泉，并令三子鎮守敦煌。終生忠於東晉，以統一中原爲己任，六十五歲卒，諡涼武昭王。西涼三傳，歷二十四年，於四二一年亡於北涼。北魏於太武帝拓拔燾（鮮卑人）太平眞君年號時（四四二年），攻打北涼殘餘於敦煌，後以李寶奉表于魏，敦煌始漸恢復，設敦煌鎮，其範圍亦以北魏最大。五五七年，宇文毓（鮮卑人）廢魏自立，敦煌歸北周統屬，五六〇年，毓爲明帝，臨死傳位武帝（宇文邕），曾經下詔滅佛，但在莫高窟中現仍有北周洞窟數達十五個，證明當年佛事的興盛。隋代改北周鳴沙縣爲敦煌縣。隋文帝非常侫佛，尊爲國教，建廟立祀，在崇教寺（即莫高窟）建舍利塔，隋立國四十二年中，留有石窟九十四個，當亦由於「區宇晏如，人般物阜」所致。公元六一九年，李世民親自領兵進軍隴右，唐沿隋制，稱敦煌爲瓜州，六二九年，是唐貞觀三年，玄奘路過瓜州等地，出玉門關去天竺取經。敦煌一度稱爲西沙州，復改稱敦煌郡。八五一年（唐宣宗大中五年）沙州置歸義軍，先由張氏家族統治，自八四八唐宣宗（大中二年）到一〇三六（宋景祐三年）西夏佔領止，稱歸義軍時期；再到曹氏（今安徽合肥人）世守敦煌達一百九十八年之久，其中曹氏家族統治是一百二十餘年。西夏崇奉佛教，建國始祖元昊（黨相族）曾受唐宋二朝賜「皇姓」，有「稱」李又稱「趙」的，一〇三八年以興慶府（今銀川市）爲都城。西夏有效控制敦煌，是在北宋仁宗皇祐（一〇四九—一〇五四）以后，從莫高窟留存的西夏文題記來看，西夏文化別具一格。元設沙州路，明代沙州衛。清代移民屯墾，開設沙州，修城建署，設置新城，建學校，興文教，民國時期，結束二千多年帝制政體，代之「民主共和」，發展教育，倡導民間文化活動，地方人士與政府官員合作，頗多建樹。

莫高窟開鑿與敦煌藝術保存，那在五世紀後。俗稱千佛洞的莫高窟，在市區東南二十五公里，由南到北長達一千六百餘公尺，是我國現存佛教藝術的「三大寶庫」之一。見唐人寫本，敦煌有「漠高鄉」、「漠高里」之名，（唐文宗開成四年《八三九》敦煌陰處士修功德記。）鳴沙山隋唐也稱「漠高山」，附近鄉里同稱「漠高」，古語「漠」與「莫」通用，後人雅化而成莫高。乘車越戈壁灘，於酷熱中抵達，黃沙飛塵，絕少樹木，僧侶骨塔，散落其間，越橋溪流淙淙，綠樹叢葉成蔭，二座牌樓先後聳立，藝術研究所在焉。由導引人員陪同擇洞參觀，黑漆一團，准用電棒不許攝影，摸黑得觀藏經洞，原是主持所居，登高走低，瀏覽逼視，看到一九三五年始行建成的大雄寶殿（俗名九層樓），外表紅色，顯得雄偉壯觀，成爲莫高窟一項重要標誌。內中供有依岩鑿石所締造的大佛像一尊。敦煌佛教藝術，是建築、雕塑、繪畫的綜合體，若強調彩塑是莫高窟民族藝術遺產之一固可，它與雲岡、龍門神、人、動物具有相關性的。敦煌近郊地均砂礫，並非絕對無石。「鑿石締造大佛于唐武則天延載二年（六九五）由和尚靈隱和居士陰祖等人創修。」（六九五年是「證聖」年號，則天帝武瞿，國號該稱「周」。）再根據唐代宗大曆十一年（七七六）功德碑有記：「千金貿工，百堵興役，奮鎚聾壑，揭石聒山。素涅盤像一鋪，如意輪菩薩，不空罥索菩薩各一鋪」。讀此勒石，證明我的老眼還很雪亮，私心稍慰。

敦煌莫高窟，開鑿始於三六六年（前秦建元二年），連續營造十個世紀，盛極於唐，存有二七九窟；另北魏、西魏二十一窟，北周十五窟，隋九十四窟，五代二十六窟、宋十五窟，西夏十七窟，元九窟，清二窟，朝代不明的六窟。具一千六百三十餘年歷史。現存敷彩泥質塑像與畫壁，計有佛、菩薩，比丘或比丘尼各朝彩塑二千四百一十五身，造型容稍有異，誰皆承認是創造瑰麗生動的藝術品目的則一。歷朝間有修整，有意無意破壞的也有事實可考；類如：白俄陸軍五百餘人由新奔逃敦煌住莫高窟（千佛洞），洞窟壁畫及佛像損壞頗多，時爲中華民國三年（一九一四）。經卷、文物、文獻資料盜取偷運出境的，有好幾個國家的所謂考古學者所爲，主要的伯希和（一八七八—一九四五），現由巴黎國立奇美博物館收藏來自新疆與敦煌的，說是他一九〇六至一九〇九年沿著絲路的考古收獲，計有二百二十件繪畫、二十一件木雕、三角幡頭、紡織品殘片，絲錦與竹編經帙等，宣稱足以媲美史坦因由敦煌攜回現存大英博物館的藝術珍品。根據「敦煌歷史大事記」所載：「一九〇七，清光緒三十三年。英人斯坦因（原籍匈牙利）隨帶翻譯蔣孝琬至千佛洞，串通主持王圓籙，竊取石室所藏六朝至宋的文獻資料二十四大箱，圖畫繡品等五大箱，偷運至倫敦博物館。」另：「一九〇八，清光緒三十四年，法人伯希和（原籍安南河內人）來敦煌，賄通王圓籙，盜走石室文卷數千卷，並攝影數百幀，偷運回國，為掩人耳目，伯氏僅揀取少數經卷于次年在北平公之于衆。」

莫高窟佛洞（尚有西千佛洞，安西小千佛洞、榆林窟今名萬佛峽，茲未論及）雖偏處沙漠的鳴沙山東麓，荒涼滿目，現有武裝駐守，各洞鐵門深鎖，外圍以堅固鐵欄，并有藝術研究所指派學有專長的負責引導解說。洞內地磚均係宋代蓮花浮雕，已是高低不平。窟外路平光潔，巨柯掩映，不失是一藝術寶庫的幽靜所在。回想，民國三十年，國畫家張大千偕夫人楊宛君，次子心智學生孫宗慰等，臨摹莫高窟壁畫，并對洞窟編號，貢獻至偉。敦煌偶遇世族張姓後裔，仍對大千先生深念不已，我曾扼要告知張氏渡海後的繪畫成就。張君北京師範學院美術系畢業，名「競生」，自覺本名非妥，將「競」改「竟」題名所作書畫出售。已故國府監察院長于右任先生同年曾到敦煌參觀千佛洞，回渝即建議設立敦煌藝術研究所，以鼓勵學人研究敦煌藝術，終於在民國三十三年二月一日成立，常書鴻任所長；從此，引發國人益加重視古蹟文物保存與文化藝術的發揚，那時，全民抵抗日本侵略，正是中華民國最受苦難的時期。

民國八十二年九月

龍門石窟的藝術雕刻之美

鐫壁記事、鑿窟造像，是佛教在中國盛行流傳的不朽記載，而其中所體現的雕鑿之美，則處處顯示中國歷朝各代高致的藝術成就。本文僅就特重於世的龍門石窟，作一藝術之巡禮，且對石窟建寺的歷史，作一次完整的回顧。（附誌）

中國東漢明帝八年（公元六五）遣蔡愔等使西域，於十年偕西域僧歸，從此有佛法的宏揚。既有外來的和尚，又有經典、佛像，更有宗教藝術的建築、造像、音樂、繪畫的引進；在「永平求法」中，隨之東來的高僧攝摩騰、竺法蘭，如今埋骨洛陽白馬寺；佛法北傳循著中亞細亞、帕米爾傳入途中，仍有石窟佛像的蛛絲馬跡可尋。

佛教在兩晉與南北朝期間最稱興盛。在北魏孝文帝十年（四七七—四八六），全國寺院六千四百七十八座，宣武帝延昌（五一二—五一五）全國佛寺一萬三千七百二十七座，到孝明帝正光（五二〇—五二四），佛寺三萬有餘；僅就洛陽城內計，就達一三六七座。南朝梁武帝時全國有寺二八四六座。寺院建築並非仿自西域，仍以中國官衙爲準的。

就山崖開鑿的石窟寺

石窟建寺造像，來自西域，例如：印度阿旃陀石窟寺院、阿富汗梵衍那大佛，卻成爲中國的借鏡。在四川就有三座大佛，一在潼南，依山鑿雕，坐像，高約二十七公尺，唐咸通年間的。一在江津，依岩鑿成，高約二十三公尺，明代物。另一樂山大佛，年代最早，又是最大，是世界唯一最大的石雕佛像，相信比梵衍那大佛更是壯觀。位於岷江東岸，凌雲山西壁，岷江、青衣江、大渡河三江合流處，于棲鶯峰斷崖鑿成一尊彌勒坐像，又名凌雲大佛。根據「嘉州凌雲寺大佛像」記載，大佛是唐開元元年（七一三）名僧海通創建，後劍南西川節度使韋皋於貞元十九年（八〇三）完成，前後工程進行約九十年的時間。大佛頭與山齊，腳踏大江，通高七十一公尺，腳背可圍坐百餘人。佛像雍容大度，氣魄雄偉，俗說：「山是一尊佛，佛是一座山」，的確是一項今古奇觀。

至於，中國的石窟寺，有人說是：「幾乎全部位於中國北部地區」，其實並非盡然。全國各地石窟中，四川大足的南山石刻竟是道教，南宋卲興年間所建，幾與福建泉州道教廟觀集中地老君岩相埒，露天老君造像一尊，高五點一公尺，厚七點二公尺，寬七點三公尺，由一塊天然岩石雕琢形成，充分表現老人慈祥和藹、健康愉快的神態，線條柔而有力，具宋刻手法與風格。

最著名的石窟寺，衆認起源于印度已無疑問，它是寺廟建築的一種，就山崖開鑿而成。中國開鑿始於魏晉時期，從北魏至隋唐爲最盛期，唐朝以後式微。中國古代佛教石窟藝術的三大寶藏，敦煌莫高窟（包括西千佛洞），它是中國西邊的門戶，商旅經過絲路的重要休息站，一九〇〇年方再爲世人所注目。莫高窟開鑿在東晉列國（十六國）氏人所建前秦建元二年（三六六）的樂僔和尚。歷代續修到元代停止，以石胎泥塑佛像爲多，乃由於崖體在地質上屬於玉門系礫岩層，質地鬆軟，不適合于圓雕和浮雕的造像。

雲岡石窟在山西大同西武周山南麓。現存主要洞窟五十三個，造像五萬一千餘尊。開鑿始於北魏文成帝和平元年（四六〇），大部完成于孝文帝太和十八年（四九四），一直延續到孝明帝正光年間（五二〇—五二九）。後世遼、金兩朝，也有修繕增建。以「曇曜五窟」開鑿最早，技藝承傳秦漢藝術傳統，吸收兼融外來藝術精華，創造獨特風格。

葉昌熾氏所撰「語石」一書。認爲「造像始於北魏」，有待商榷。石質雕佛，近有成都萬佛寺遺址出土佛像銘文，那是南朝宋文帝元嘉二年（四二五）雕琢的。石窟造像最先應是敦煌，次是靈炳寺，就其壁畫記有西秦建弘元年（四二〇）字樣，據此推斷當亦早於北魏。有說：「北魏明元帝拓跋嗣（四〇九—四二三）始建雲岡石窟寺。」根據文獻所載，明元帝也崇佛法，「命京邑四方，稍立圖像而已」。太武帝（四二四—四五二）不親佛法，同時大禁沙門，甚至嚴苛規定，自王公以下，至於庶人不得容匿沙門，否則「沙門身死，主人門誅」。及之，太平眞君七年（四三三）三月，詔諸州「坑沙門，毀諸佛像」。試想，沒有和尚那來的廟，石窟即有也不存在。直到高宗文成帝興安元年（四五二）開鑿雲崗石窟，算是工程的興始，迄至唐代完成。

世人特重的藝術殿堂「龍門石窟」

雲崗石窟的開鑿，雖稍早于龍門石窟。世人特重龍門，固然，北魏孝文帝元宏（四七一—四九九）遷都洛陽崇佛益甚，於四九四年建龍門石窟始，做到唐代才大部完成。由於在藝術評價上，精雕細刻，諸多巧技；洛陽又是中國七大古都之一，歷朝冠蓋雲集，中華文化氣息特濃，裨益民族精神的闡揚至深至鉅。筆者於仲夏之際，從鄭州乘車經登封抵達洛陽，於細雨霏霏中，登臨龍門伊水兩岸西東山岩洞窟，仔細瀏覽鬼斧神工的佛教造像，在歷史懷古的啓發與夫藝術造詣精湛之美的心靈享有，價值無窮無盡。

洛陽城南的龍門石窟，在伊河兩岸，「水經注」有說：「兩山相對，望之若闕，伊河歷其北流」，因此，又名伊闕；崖上刻有擘窩大字，挺勁有力，係明代人士所書。兩山夾峙，洞窟猶如蜂巢，岸邊垂柳隨風搖曳，混黃中流滾滾北逝，佛地有山有水，更引動遊客似同蟻聚。西山稍南的古陽洞，建於北魏孝文帝遷都洛陽前後（四九四），是爲龍門石窟開鑿最早，兩壁鐫有佛龕三列，佛像背光精巧富麗，圖案紋飾豐富多彩；而造像題記，書法質樸古拙，所謂「龍門二十品」，即佔十有九品，是研究書法藝術的珍貴所在。

賓陽三洞在西山北部，中洞北魏景明元年（五〇〇）始鑿，正光四年（五二三）建成，歷時二十四年，動用工匠八十萬零二千多個。佛像面相清瘦略長，衣紋折疊規整稠密，充分顯示北魏造像的藝術特色。南北兩洞始刻於北魏，完成則在唐初，浮雕有「佛本生故事」、「皇后禮佛圖」等，惜禮佛圖早經被盜他去。蓮花洞建於北魏晚期，洞中佛龕衆多，構圖精美富麗，有尖拱、楣拱、屋檐拱；龕楣飛天浮雕，婀娜多姿，優雅傳神。頂部鐫刻一大蓮花，瓣瓣重複排列，外圍圓形雲紋，中間圓心是待熟蓮篷，造型美麗已極，雕工精緻。另刻捲草紋、幾何紋、寶相花、瓔珞，帷幕和華繩等。

藥方洞開創於北魏晚期，唐代武則天時建成，歷時約二百年。洞內主佛、弟子、菩薩，和洞外力士等，皆爲北齊作品，藝術風格多樣，唯是龍門石窟中獨一北齊造像的大洞。另唐初刻有藥方一百四十餘種，爲古代醫藥學的研究資料。潛溪寺，西山北端第一個大窟，唐初開鑿，洞內造像的佛、弟子、菩薩、天王等雕刻，豐滿圓潤，雙目含蓄，衣紋流暢，造型敦厚。萬佛洞、南北壁上滿刻著小佛，約一萬五千餘尊，唐高宗李治永隆元年（六八〇）完成。後壁刻著五十四枝蓮花，花上坐的菩薩或供養人，形像別致。南北兩壁基部浮雕樂伎舞伎，奏樂的手執樂器，生動自然，舞者衣帶飄揚，腰枝靈活，栩栩如生，詭巧至極。洞口外壁浮雕觀世音菩薩，左提淨瓶，右舉拂塵，體態勻稱，動靜適度，刻劃慈祥肅穆。主佛座基雕有力士四像，姿態雄偉，筋肌突暴，顯現托重。極南洞在西山南端，武周時期（六八四—七〇四）造，坐佛手法簡潔明快，形像顯示個性；洞口北側力士，肌肉發達，胸部隆起，孔武有力的健壯形像，躍然在石壁間。

石窟寺北魏孝明帝元詡（五一六—五二八）時造，「皇后禮佛圖」、供養人等，群像衣著身分，刻劃入微。奉先寺是唐代高宗李治上元二年（六七五）完成，在龍門石窟中規模最大，藝術精美極具代表性。毘盧舍那大佛通高一七點一四公尺，面容豐滿秀麗，兩目寧靜，嘴角微露笑意，具有形神兼備的效果，也體現著唐代雕刻藝術的高度成就。由於武則天皇后曾捐助脂粉錢修寺，更是吸引遊客的特別青睞。

東山石窟有看經寺、香山寺等窟龕，雕刻技巧和風格特別獨到，年代與數量不及西山，而萬佛溝的一根荷莖雕著五朵蓮花，且各雕一佛，新奇罕見。曾經冒雨跋涉曲徑，拜見大詩人白香山的「唐刑部尚書致仕贈尚書右僕射太原白公墓」。

龍門石窟的開鑿，經北魏、東魏、西魏、北齊、北周、隋、唐和北宋諸朝的經營，北魏和唐代大力造像達一百五十多年，全山十餘萬軀，有彌陀佛、脅侍、力士、天王等像，或端莊秀麗，或虔誠矜持，或威武剛健，或氣勢猛壯，個性表現的維妙維肖，宗教雕刻的氣勢，達到登峰造極的境地。惜年深日久，未盡妥善維護的責任，間見斷首缺臂或空洞無佛，殘缺破壞景象令人心疼，回想前人發願開鑿造像的功德，益有「破壞容易建設難」的感喟。

民國八十一年九月

耀州窯是唐三彩又一故鄉

漢代中國發明瓷器（前二〇六—後二二〇），其實東漢晚期眞正出現的是青瓷。或有人認爲，只能算是瓷器的端兆，瓷器的成功，應以唐代才是鼻祖（八一九—九〇七）。從其發展上是繁茂於東南，西北難以踵其後；看史的紀錄，隋唐時期，陝西涇陽專製白瓷，尙有山西的內卯、榆次、平陽等窯，出品無多。北宋時期的西夏國王（一〇三二—一二二七），在寧夏境內靈武窰堡鄉，留有古窰遺址，從大量燒瓷標本中，發現其技術不免受到宋瓷影響。（見劉良佑教授宏文，載於民國八十年《交流》試刊號）如今，新疆烏魯木齊，甘肅河西走廊的山丹、永昌尙在燒造，陝西省、天水僅剩窯業的殘痕。茲從其跡象，對陝西耀州燒製陶瓷長遠歲月中做一簡述。

耀州瓷就宋代產品，以民用爲主，但也曾以常年例貢燒造貢器，供宮廷使用的。總攬宋世一代瓷業而觀，其色彩的變化，形樣的精巧，產量衆多，品質進步，實屬邁越前代，乃譽爲中國瓷器的突出時期。因此，大觀政和的作品（一一〇七—一一一八），就有被推崇。赫赫有名的，是在於南北定窯、汝窯、新舊官窯，哥窯、弟窯、均窯，幾乎包括北南兩宋時期著名的瓷業；當時統名視爲小窯的，耀州窯即在其列，稍具聲名的計有十六個，分設于黃河南北兩岸。

耀州窯，據記載又謂「黃浦鎮」窯，地在陝西省西安市渭河北岸，一說耀州窯就在陝西銅川市。唐開元（七一三—七四一）年間，曾是北方著名青瓷窯場，刻花工藝精湛，色調較為濃重，釉色微帶黃色。傳說北方青瓷的開始燒造，還是聘有浙江師傅去傳授，而且，有祠有碑可據的，大概是五代時期。兼燒黑釉、白釉瓷器，花樣圖案著重蓮花、菰草、纏枝花卉、波浪紋、魚鳥紋等。耀州窯花紋裝飾的特點是：早期器面刻劃簡單的花瓣紋，中期紋飾是佈滿器面，大幅花朵與成組的枝葉，疏密相間，主次分明。晚期，花紋線條趨於細密。產品以碗、盤、碟、罐、壺、盒、爐為主，施釉勻淨，顏色深沉，胎骨薄又堅硬，釉面多開小片冰裂紋。另產製三足瓷爐，腹身飾刻著花胎紋，根據朱琰著的（一七七四）《陶說》所記，中國「古無香爐，古銅器為香爐用者，皆尊彝獻鼎禮器，後之為爐者」，香爐始於東吳，宋以前僅見無足的香薰和托爐，因此，焚香用的爐，是由鼎類變化而形成的。至於日用器皿，碗是典型產品，斗笠形的最具特色，代表性的稱做「小海鷗」，有著美觀的造型，線條恍若海鷗展翅，是一種不可多得的樣式。現今，耀州窯的遺址上，建有耀州窯博物館和遺址大廳。

目前陝西省境已無一窯足資稱道，清代陝州窯的涇陽燒瓷也無聲無息。揆諸既往，耀州窯在中國古代稍著名望，是有事實可考的。其確切遺址在銅川市黃堡鎮上店村，立地坡和陳爐鎮一帶，南距西安市一〇五公里。隋唐時代，地屬耀州管轄，窯以地名，稱耀州窯。燒造的瓷器，也被稱做耀州瓷。唐宋時期的規模稱為「十里窯場」，瓷產著名於北方，乃由於工藝精湛所致。我到西安，友好告知，中共曾對耀州窯遺址，作過大規模的田野考古發掘工作，發現到大量的歷史文物；此一保存完整的古窯窯址，給我在研習過程裡，無疑的方便研究中國陶瓷工藝史上，提供很多重要的材料，勝過現在燒造時更具裨益。

歷經唐、五代、宋、金、元諸期，有著數百年連續燒造歷史，當爲中國陶瓷業的發展，曾作出傑出的貢獻，耀州窯在中國陶瓷史裡，留有輝煌的一頁。

燒造陶瓷窯爐、作坊，堆料場、晾曬場、淘泥池，在耀州窯來說，數量很多。窯爐俱爲饅頭窯，平面呈馬蹄形，頂是拱形狀似饅頭；由火膛、窯門、窯室、煙囱等部分組合，皆用耐火磚砌成。不同時期的窯爐，計發現二十八座，有的保存尚稱完好，有的作坊遺址中，還保留著拉坯轉盤和安裝轉盤的遺跡。宋代作坊遺址內，發掘出土的有十八個釉缸，還發現較大型的原料加工設施，如粉碎瓷土用的石椎、石杵、石臼、石釉槽等。從遺存的作坊、堆料場、晾曬場看來，耀州窯用於生產的各種設備似較齊全，分工也較精細。唐代開始，到蒙元以後漸趨衰弱湮沒之途。

耀州窯具有獨特的風格。唐代生產黑釉器以及青釉、白釉瓷器。尤其值得大書特書的它是唐三彩又一故鄉。生產色彩燦爛絢麗，造型生動逼真的三彩陶，沿著漢代鉛釉陶的基礎發展而來。顏色綺麗奪目，鮮艷璀燦，釉層透明，表面光亮；胎體是用比較細膩的白色黏土製成，燒造成一種多色彩低溫的鉛釉陶。唐朝的中國燒造三彩陶地點，主要的一是河南鞏縣（大、小黃冶村），一在陝西的耀州，俱已發現窯址。雖然，洛陽芒山古墓首先出土，但聞有燒造未見其窯址。近年洛陽之行，特往參觀二家仿唐三彩陶的製造廠，製作過程與燒造等，均加仔細的看到實作，年輕女工有條不紊的把握程序，大致是分兩次燒成，先素燒再釉燒的。其成型製作，不外一是輪製成型，二是模製成型，三是塑造成型。中國向以三、五爲多數的表示，因此，三彩也有多彩的意思。這彩色釉陶器是以白、綠、黃三種顏色爲其主要的色調，人們習慣稱爲「三彩」，實際名稱，該是「唐代彩色釉陶器」，它的釉彩包括：黃、綠、褐、藍、黑、白等色。唐三彩陶塑，不僅在中國陶瓷發展史上有很重要的地位，同時，在中國雕塑史上也有很突出的成就。其重要關鍵所在，是與唐代厚葬的風氣劃分不開，因之，要使之作爲一種陪葬品，即已開始它的製造。中國素重死葬之事，唐代尤爲重視，繼漢有明器製成。當然，也有作爲日常生活陳設裝飾品的自屬可能，銷往國外的就是輔證。附帶說明的：盛唐時期三彩作品，精緻生動，給人有著雍容堂皇的印象，當時社會經濟繁榮，人民生活富裕。其次，由出土馬俑和駱駝俑成組的當中，牽馬俑和牽駱駝俑的，大多是高鼻深目的胡人，官吏俑中也間有出現，其中一部分是國內少數民族，也有就是外國人。到新疆看見這些少數民族乘馬或騎駱駝的，神情體格，足以說明唐代的人群，正重現於我的眼前。中亞、西亞地方和少數民族地區，古代統稱「西域」的，漢民習稱他們是「胡人」。自從中原與西域在經濟與文化上增加往還，至唐尤甚，唐三彩俑便是唐代當時社會的寫眞，甚至就連「胡人善樂」都由陶俑上表現出來，在新疆直到今天，人們依然如此的喜歡歌舞。中國自唐以還，三彩俑的燒造，其影響所及，國內有宋三彩、遼金三彩等，國外，在日本有仿造唐三彩製作的「奈良三彩」，伊朗仿造唐三彩製作的「波斯三彩」。河南、陝西的唐代古墓中，出土大量的三彩陶，分成器皿類、人物雕塑類、動物雕塑類。甘肅出土的無多，我曾見到的，人、馬、駱駝、天王、魌頭，較諸中原的三彩要高大軒昂，只是人的神態稍差，色調似乎不如所見抗戰以前在河南出土的那一批。

神形兼備的三彩俑，也有神話性的故事，一位藥神將女兒配給陶哥，她本領通天，燒製的馬能跑，俑會跳舞，武則天知道就想看，果眞能歌善舞，召她進宮燒製這種天下奇物，一人一馬，縱身上馬往天外飛去。另有一說：古代的耀州窰，很可能就是後周柴窯，離題太遠，只能當作一段佳話。無可否認的三彩俑的雕塑，一種具體體積藝術品，是有著厚實的感受。

民國八十二年九月

「綠瓷是啓」話哥窯

中國在漢代（前一四〇—二二〇）始有瓷的名稱；瓷器的發明，是我們祖先獨特的貢獻，促使成爲最早發明瓷器的國家，上虞窯的青瓷已具備成熟瓷器的各種條件，換句話說，由陶到瓷的過渡最終是完成於東漢的。從發現東漢燒瓷窯址，非僅錢塘江南岸的上虞窯，即在甌江兩岸也有類似的發現。根據《西京雜記》「梁孝王忘憂館時豪七賦」載漢鄒陽「酒賦」提及「綠瓷是啓」，不僅有「瓷」字，並且指的「綠瓷」（青瓷、縹瓷有著越窯、秘色窯、龍泉窯的分野。）事實上北方燒瓷卻是晚於南方。

宋代承先啓後，瓷業大興，名窯遍布南北，輸往歐亞及南洋諸國列爲要宗，有以五大名窯概括宋瓷的成就，一說：「柴、汝、官、哥、定」；另一說：「定、汝、官、哥、鈞」；所謂柴窯，是五代後周柴世宗所造，以姓名之，超越唐代名窯之上，北方窯業精華所在，但又說它「傳世極少」，「後人得其殘器碎片，亦珍重無比」，雖然中外攻陶瓷的學者專家著作不少，惟考古學術日有進展，對明清兩代的瓷器著作有關柴窯的說法不無存疑。筆者於民國七十九年十月在國立臺灣藝術專科學校出版的藝術學報四十六期，曾有「剖析柴窯器歷史之謎」專論發表，針對胡光鏕先生的「千年柴窯出土記」一書，虛實不明，眞假莫辨所作批評，惟無迴響，惜胡氏已於本（八十二）年四月五日在加國以九十七高齡去世，請教無由；去歲曾詢大陸專家，據答柴窯故址發掘，并無收穫。「宋代名窯，柴居其冠」，應是宋代以後世人的假託，不必過於介意。

另一說的宋代五大名窯：定窯在今河北省曲陽縣；汝窯位於河南省寶豐縣；鈞窯是在河南省禹縣城北門內的鈞台與八卦洞附近；官窯的北宋官窯，在今河南開封附近；南宋官窯，因皇室南渡杭州，先置於修內司，後於郊壇下別立新窯；哥窯顧名思義，有兄有弟，以此名窯，卻也別致。世謂哥窯、龍泉窯同在浙江省龍泉縣境，古稱處州，南宋時章生一、章生二兄弟各設一窯，兄窯名琉田窯，又稱哥窯，弟稱龍泉窯，又名弟窯、章窯。其間由於出群拔萃，復有稱「定、汝、官、哥、弟、鈞」六大名窯者。哥弟二窯俱民窯巨擘，頗似官窯。哥窯釉色以青爲主，濃淡不一，且以碎紋著名，號百圾碎，亦號白笈碎，有作魚子紋，實際此種裂紋，係一種涇隱裂，並非爲最精的上品，應以釉色純粹爲紋者稱貴。弟窯胎薄如紙，光潤如玉，有粉青，翠青二色。器式則以觚瓶，鬲爐，葵花，菱盤等爲尙。

傳世的哥窯瓷器很多，主要收藏在臺北國立故宮博物院和北平故宮博物院，以及上海博物館中。雖然，從「龍泉縣志」有載章氏昆仲是燒造青瓷的高手，有琉田窯名工之說，明初學者又是高官的章溢，即是他倆的子孫。明代「格古要論」，提及哥窯特質，清代的「景德鎮陶錄」，也有如同上述的記載。參閱古籍，俱係明清兩代的著作，有人認爲宋代沒有哥窯，元代方始出現的。也有認爲哥窯就是龍泉窯，處州燒瓷的歷史是非常久遠的。根據日本常石英明著「中國陶磁之鑑定與鑑賞」一書，內載「哥窯與吉州碎器窯的比較」，因此，認爲「哥窯產地是江西的吉州窯」。近由大陸友人謝蔚明託應未遲帶來明、高濂著《遵生八箋之五・燕閒清賞箋》語及哥窯，有「故余每得一睹，心目爽朗，神魂爲之飛動，頓令腹飽。」論評「哥窯燒于私家，取土俱在此地。官窯質之隱紋如蟹爪，哥窯質之隱紋如魚子，但汁料不如官料佳耳。」近人鄧之誠著「骨董瑣記」（中國書店一九九一年版）提及：「青瓷窯地在琉田地方，（龍泉舊志）載章生二，常主琉田窯。」（按：臺灣商務印書館發行的吳仁敬辛安潮著中國陶瓷史，則云「生一所燒者，名琉田窯，因其爲兄，故又名哥窯。」目今研學之士皆從其說。）「其兄章生一所出之器，淺綠斷紋，號百笈碎，尤難得。世稱兄爲哥窯，弟曰弟窯，或稱章二生云。」

每就清末廣州許之衡守白著的《飲流齋說瓷》專論「章龍泉窯」有言：「哥有紋弟無紋，以是爲特異之點。龍泉不自章始，古龍泉不易見，章所仿製，大致同古而較精緻耳。明仿龍泉與宋無甚大異，惟其色略淡，其釉略薄耳。」

浙江龍泉章氏昆仲燒瓷，哥窯琉田，弟窯龍泉，盛名是公認的說法。龍泉縣曾被析置入慶元縣，去龍泉二百里，歷史變遷，區域劃分常有更動，本諸「龍泉舊志」與「龍泉縣志」來看，章生一、章生二設窯燒瓷事有記載，確實年代是宋是元，難以稽考，這是縣志編纂者所留下的缺憾。根據陳文平著《中國古陶瓷鑑賞》（上海科技普及出版社一九九〇年版）指示：「宋代文獻中沒有哥窯的記載，元末明初人的記載中只有『哥哥洞窯』和『哥哥窯』的稱呼」；明代宣德三年（一四二九）的「宣德鼎彝譜」中，始有「哥窯」正式稱呼的出現。

況龍泉燒瓷年深日遠，從唐代詩人韓偓「橫塘詩」中有「越甌犀液發茶香」句，即可概見越瓷甌窯燒造之古。哥窯在中國陶瓷史上向享盛名，亦僅是「相傳宋代浙江龍泉有章姓兄弟二人，開窯燒瓷」而已，「由於哥窯的窯址迄今尚未發現，對於它的存在與否，一直是學術界爭論的問題。」所謂哥窯瓷器，是依據文獻記載和流傳下來的器物判斷的。在關於哥窯所在地究竟是在那裡，經科學的驗證，目前存在三個論點，有著：㈠龍泉說：文獻既有龍泉哥窯的記述，源自明清兩代，先入為主的人就把哥窯認定龍泉所轄，但經考古工作者對龍泉窯的大窯、金村窯遺址進行發掘，經科學化驗測定，發現化學組成不同，製作有著區別。㈡杭州說：基於明代高濂《遵生八箋》說是哥窯瓷器產於杭州，但杭州尚未有其窯址出現。㈢景德鎮說：是從哥窯胎釉測定，成分與景德鎮仿哥器接近，有人就認為哥窯地點在景德鎮，此說仍待繼續考訂。三說各具說辭，距離明確結論尚屬有待；因此，所牽涉到的哥窯年代為宋為元？以及哥窯的窯址是在龍泉？在杭州？還是在景德鎮？有待更一進步的探討、發掘、研究、斷定。期使著名於世的哥窯所存在問題，實事求是，獲致解答澄清，得到徹底對哥窯的認知。

民國八十二年八月三十一日

「生春紅」古硯滄桑

閩籍報人林白水，于民國十五年因開罪北洋軍閥的張宗昌，而被公開鎗決在北京。林所創辦的「生春紅」三日刊聞名於當時的社會，竟以言論賈禍遭遇殺身，他的刊物題名「生春紅」，一說他所創辦的社會日報副刊命名「生春紅」；不僅如此，他的書齋也名「生春紅」。

林氏如此喜愛「生春紅」三字，乃由於清初的一方「生春紅」端硯，民國十四年（一九二五）為其所私藏，並視為至寶。當其臨刑以前，仍然不忘此一寶物，從章孤桐在「林白水先生刑場遺墨題詞」中還提到此硯，遺詩有言：「人生難得是從容，死日方徵澹定功。吾友堂堂眞自了，諸公袞袞孰為雄？世人妄詆盆成括，閒氣堪追揚大雄，誰知黃罏在宏廟，剩看秋碧照春紅。」

林白水是民國初年的名記者，新聞界嶄露頭角的人物，原名萬里，字少泉，福州人，畢業于日本早稻田大學。返國後在北方任記者，所辦報刊與南方的「晶報」，俱是當時中華民國的小報當中的佼佼者。自白水被害後，他所珍愛的那方端硯「生春紅」，隨著他的身影消聲匿跡，從此便不知落在誰的手中。北平坊間亦曾一度出現所謂「生春紅」硯，但始終無可確證是林氏的遺物。

中國古代製硯質料不一，有玉硯、木硯、銀硯、鐵硯、磚硯、泥硯等；玉硯、木硯現時已不多見，一般常見的是瓦硯、陶硯與石硯。瓦硯有以未央宮與銅雀臺瓦製成的，有用六朝時代磚瓦製的。用泥土燒成的陶硯，以澄泥硯最好。目前石硯，仍以端州（廣東肇慶的高要縣）端石製成的端硯與安徽製的歙硯（婺源縣）爲最出名。（臺灣螺溪石硯也很不錯）一般品評認爲端比歙佳。有說端硯於繪畫，歙硯宜於書寫。

「生春紅」這方端硯，原主是清代福建的黃任（莘田），康熙壬午（一七〇二）舉人，富有硯癖，喜歡收集各色古硯，自號十硯先生。雍正三年（一七二五）攝高要縣之時，非僅愛集古硯，又喜歡金石碑刻，自不免疏於公務，終於在雍正五年以「縱情詩酒，不親民事」奉旨罷官，返回故里，自此絕意仕途；他的「十硯軒」居所，也就易主。攜回只有一些端硯之外，別無財物，作官一清如此，眞是讀書人可愛的地方。帶回的端硯流散四方，引起後世特別注目的，便是其中一方的「生春紅」硯。

蘇東坡詩句：「小窗書幌相嫵媚，令君曉夢生春紅」，由此，譜出一段黃氏夫婦情愛悱惻的故事，從其悼亡詩：「端江共汝買舟歸，翠羽明珠汝不收，只裏生春紅一片，至今墨瀋淚交流。」并刻在硯底跋文中，可以想見。

大致說法，端硯的妙處在於潑墨細膩，適於書畫用場，這方「生春紅」名硯，自林白水逝世後就不知下落，事隔半個世紀仍無影蹤，實際並不盡然的。

我於民國六十九年，在國立歷史博物館任職時，何浩天館長於青年節前夕交付一方端硯，特別指明是被軍閥慘殺的名記者林白水收藏的遺物，由旅居美國他的女兒林慰君親攜返國捐贈的。據說，該硯自其父親去世後，始終由她珍藏的。

「春生紅」硯尚在人間，播遷萬里方由海外歸來，從此在國家典藏下將保存久遠。我十分高興得有短暫的玩賞機會。（該硯已於民國六十九年四月八日入藏。）

該硯色澤瑩潤，細如兒膚，呵氣久久不消，長約五英寸八分，廣四寸，高九分，硯面刻有一對鴛鴦，硯的左側刻有「生春紅」三個篆字，左刻「十硯軒」及「黃氏家藏」等字。硯背的銘文陰刻正楷，字跡娟秀有力，既刻有黃任的悼亡詩，計廿八字，更有東坡詩句。另刻「余在端州日，室人蓄此硯，戲名生春紅，摩挲不去手，邇來硯匣塵封，啓視尚墨瀋津津欲滴指，而室人逝已兼旬矣，悲何可言。」下款乾隆甲子（一七四四）二月莘田黃任，並刻朱文「莘田」及「香草齋詩史」二印。

蓋黃任詩沉博絕麗，雄視一代，著有「香草齋詩」與「秋江集」，曾詠及「生春紅」古硯，人雖早杳，而風雅遺韻，如今文物猶存，誠是值得記述的軼事。

民國八十二年五月二十八日

伍、血淚斑斑空留恨

「平江事件」的真相

製造問題，要挾政府，威脅民衆，聽其驅使，這是中共於全民一致抗戰階段中的慣常伎倆，得以藉此發展組織，擴張武力，建立政權，搜括民財，不僅在前方如此作爲，更滲透後方各省各地，在進行活動，來顚覆中華民國的法統政權。興風作浪，幾無日無之，其目的就在於你的就是我的，亟欲取而代之。當時強調抗戰第一，勝利爲先，一切可以容忍的，政府無不委曲求全，對中共所行所爲，忍辱負重，旨在對日作戰取得最後勝利列爲最大目標。湖南平江縣境的爭端，僅是一個地區所發生的國共矛盾所在，中共卻要推波助瀾，擴大其事，以遂其宣傳與張勢的雙重作用。中共地下組織開展所在，無不如此在製造事端，實際已隱隱透露國共合作的危機，因此，陸續導致江蘇省境的「黃橋事變」與「曹甸血戰」的大規模衝突，類此互鬥，日有所聞，終於演成「皖南新四軍事件」的公開大動干戈，我們假如不健忘的話，那是民國三十年一月間的事情。

抗戰雖稱勝利，而國共之間的杯葛，并未由馬歇馬特使調停有所改進或各讓一步，挫敗的是政府，而挾有靠山的中共，消長易勢，以致大陸沉淪，是誠非戰之罪，乃在極具有計劃，有步驟的，陰謀加暴力，欺騙與說謊有以致之。湖南「平江事件」，只是國共間於抗戰期中一個小小事證而已，星星之火，足可燎原，知其始末即能明其所以的。所謂「平江事件」，只是政府軍隊為維護後方的安全與紀律，對違法亂紀的部隊，甚或民間團體及個人，本著自有防制與阻遏的權能，並未考慮劃分何者應該制裁，何者應該寬容的。須知對日抗戰期間，中共高喊「抗日」，政府只希望中共，應有根本的眞誠，服從中央命令，執行國家法令，不居於國家體制之外，造成特殊。所以，給予共軍主力以國民革命軍第「八路軍」（旋改稱十八集團軍）的番號，兵力三萬人編為三個師，劃歸閻錫山指揮，開赴晉北戰線。於是，乃以山西為基地，採取單獨行動，分散向河北、山東、河南、熱河、綏遠、察哈爾，以游擊戰為名，在敵後爭取民衆，擴大武力，建立根據地，愈演愈烈，任意解除地方部隊武裝，佔領村鎭，造成河北、山東兩省行政為之癱瘓；甚至在陝西、甘肅、寧夏發動武裝擾亂，在二十八年十二月，竟然西竄、慶陽、鎭原、寧縣、合水各縣，攻擊地方機關，造致職員被擄，保安隊官兵被殺，武器被奪，形成「隴東事件」，是為八路軍破壞法紀的顯例，竟然發生在我國的西北甘肅省內。

中共「紅軍」作二萬五千里長奔逃竄所留下的江南游擊部隊，是在湘、贛、浙、閩邊境的殘餘，七七事變，八路軍編成半年以後，由政府改編的「新四軍」纔告完成，人數八千，劃歸顧祝同指揮，奉令以安徽乃至江浙地區長江以南為其對日軍作戰區域。想不到在民國二十六年九月二十六日，毛澤東召集八路軍連長以上幹部講話就指出：「中日戰爭，是共黨發展的絕好機會，基本政策是七分發展、二分應付、一分抗日。」并表明其陰謀策略，是分「妥協」、「競爭」、「反攻」三個階段。這兩支部隊名義上改變，實際仍照「紅軍」一樣老辦法，依舊悉受中共的領導，避免和日軍正面作戰，潛入地下全力發展組織，掣肘國民政府的現存措施，進而攻擊政府軍的敵後武裝部隊，擴充兵力，纂奪政權。

當北方的八路軍不斷南進，新四軍越江北進，在魯蘇邊境合一，不斷攻襲異己的時機，在湖南平江縣境發生一件爭端，那是中共組織轉入地下活動顯著的陰謀開始，所謂「平江事件」，時在民國二十八年六月，殺傷政府的軍人和農民。同年十一月，曾在豫南地區又發生「竹溝事件」，說明「八路軍」在北方各省作惡，「新四軍」也跟著在黃河兩岸興風作浪，滋生事端，當時並未引起世人的注目，或許是長江兩岸當時的中日軍隊正在大動干戈。

新四軍在平江設有通訊處，不明其用意何在，還設有衛隊。實際是新四軍在平江一帶建立湘贛邊境山岳地區的游擊隊根據地，不斷裹脅民衆加以武裝，策動政府軍的士兵投共，凡不依循共黨意旨的人，就毫不留情地予以格殺。如此作爲，巧在國軍二十七集團一三四師楊幹才的少數部隊進駐平江縣嘉義鎭，動員民衆防備日軍進攻，但潛留該地的新四軍的幹部卻煽動群衆抗拒，國軍前往檢查遭到阻止因而發生戰鬥，以致有中共江西省委組織部長曾金聲等六個幹部於衝突中喪生，中共認定是「平江慘案」，喋喋不休。

從此，八路軍殘殺河北民軍總指揮張蔭梧所部旅長李俠飛等二百人，由魯西南南下接應彭明治、彭雄柄兩部萬餘人，嘯聚蘇魯邊區，在豐縣襲擊第八縱隊司令馮子固、副司令兼特務團長胡子良大戰匝月，再入魯西，又伸張勢力騷擾豫東、皖北，相與擅自渡江的新四軍互相呼應，節節推進，蘇皖大江以北，幾乎無一淨土。到了二十九年更成燎原之勢。敵後國軍與地方部隊日日在敵寇，汪僞，共軍的多重包圍之中，倍加艱辛。所說雖是往事，中共假借抗日，從事叛國行爲，卻在抗戰初期就已開始了。

（民國七十七年初稿）

曹甸之役的烽火血淚

偶閱中共刊行「寶應縣情要覽」暨「曹甸鎮志」，載有「縣北曹甸一九四〇年部隊犧牲紀念碑塔，由陳毅題詞，建於一九五八年」；碑文敘明「曹甸地處淮（安）、寶（應）交界處，上扼運河，下控射陽湖，歷來是兵家必爭之地，著名的曹甸戰鬥就在此發生。」

曹甸是歷來兵家必爭之地

運東地區是黃淮沖積平原，曹甸附近水網似織，地跨涇河而分南北，東有射陽湖，北有綠草蕩，自清乾嘉以後，日趨富庶，乃有小南京之諺。人丁興旺的郝氏，先世於明太祖攻吳難克所遷怒，待張士誠兵敗身虜，盡逐迫遷以實淮揚兩郡，至成化年間由鹽城移居曹甸。今郝氏名人，如：郝更生留學美國，是體育界的先進。現任閣揆的郝柏村將軍（家住西安豐，是曹甸東鄰。），功業彪炳，舉世俱知。

曹甸是歷來兵家必爭之地，抗戰期間也就是中華民國二十九年的十二月一日至十六日，中共掌握的新四軍，在陳毅領導下由粟裕指揮圍攻國軍第八十九軍顧錫九部，一攻一守，共軍鎩羽潰敗，回竄鹽城、東台所謂根據地。

共軍作戰地境原本指定皖南，屬第三戰區顧祝同指揮，竟然越過長江在淮南發展坐大。從主觀方面分析，共軍假借抗戰爲名以掩飾其奪取政權目的。在客觀方面，蘇中地區鄰近皖東，西有津浦，北有隴海鐵路，中隔淮水，東濱海岸，南阻長江，該一地區，國軍駐守敵後的沼澤地帶，湖泊港汊處處，盛產魚米蝦蟹。在軍事上雖不利於大兵團機械化部隊行動，實有益部隊神出鬼沒的潛藏游擊。加之，運河西陲，邵伯、高郵、寶應三湖相連，再西即洪澤湖，蘇皖聯界，向爲流寇盜匪出沒的淵藪。抗戰初起，安徽省政府將皖東各縣委請江蘇省政府代管，限於力莫能及，新四軍就據爲生存的溫床。運河線上日寇佔有據點，運東地區則由國軍控制。越江北進共軍，又在李明揚掩護下逐漸膨脹勢力，運用所長，如：滲透、顚覆、秘密組織、情報、兼併誘騙、打上拉下、分化與製造矛盾對立等巧妙手法，使得國軍統率將領之間，不能一致防共反共，且亦難以集中力量一體抗日排僞，以致彼此猜疑，相互失去信賴；國軍有著系統上的差異，既不衷誠合作，又不精誠團結，因此，受著中共的愚弄和擺佈而不警惕，總以爲各逞本領，妄想保存實力。

民國二十七年春，江蘇省政府代主席韓德勤，所能統率的國軍部隊，僅由江蘇保安團隊所編成的八十九軍，另一獨立六旅和十一個旅雜湊起來的保安部隊而已。時任省府委員兼有蘇魯皖邊區游擊總指揮的李明揚部隊，稅警總團改的蘇北游擊指揮官陳泰運的部隊，原東北軍系的霍守義的一一二師，名義上統屬魯蘇戰區副總司令韓德勤指揮，實際上各自爲謀，另有打算。尤其，李明揚自恃是軍中老前輩，北伐時就任過師長、支隊長，又曾任江蘇省保安處處長，顢頇糊塗，不得最高統帥所重用，怨懟之餘，遂與新四軍支隊長陳毅相互勾結。駐睢寧國軍旅長曾經查獲八路軍軍官黃得勝攜有致洪澤湖地區共軍彭雪楓、羅炳輝密函有言：「共黨要在洪澤湖地區謀求發展，一定要能得到李明揚的相助；李忠厚而無頭腦，他會幫助發展。」由此可知中共抗戰期中分化、拉攏的伎倆高明。更何況李部南調揚泰地區後，其唯一親信李長江，目不識丁，既投僞任「第一集團軍總司令」，復公然反抗政府，聯合共軍胡來歹行，使李明揚番號改稱後的長江下游挺進軍總指揮部上下失和，殘殺異己，一味以共軍馬首是瞻，日寇汪僞無可如何；視韓德勤及其所屬將領更是不在眼下，百般企圖去而後快，最後演成唆使日寇海陸空三軍聯合攻陷江蘇省政府所在地的興化，省府要員被殺被俘，國軍撤往淮寶地帶。靠近國軍八十九軍駐地，藉資屛幛。

顧錫九將軍率無名軍堅守待攻

民國二十九年十月的黃橋一戰，（原爲保安旅何克謙駐地，七月間爲新四軍奪佔），由於國軍作戰計畫不夠周密，指揮無能，保防措施欠當，右翼李明揚所部不戰先撤，還接濟陳毅子彈十五萬發，既不遵令「會同堵剿」。且由「通共」進而「助共」，終於李明揚三十八年參加「和談」而靦顏事敵。當戰端開始，李長江即按兵不動，呼應李明揚的指示，隔山看虎鬥，坐觀國共兩軍搏戰的成敗，且笑對其親信說：「我們各看各的本領，倒要看看李守維究有多大狠勁！」結果國軍終爲共軍逐一擊破，宣告敗北。軍長李守維、參謀長丁虎、一一七師七〇一團團長陳學武陣亡，獨立六旅旅長翁達自殺，團長韓振翼、秦鵬陣亡。三十三師師長孫啓人、旅長苗瑞體被俘，旅長佘世梅、團長王學階負傷，官兵傷亡數千人。

共軍乘勢襲佔如皋、東臺、鹽城、阜寧等縣，國軍地方團隊、游擊部隊相繼逐漸瓦解、南通、海門、啓東也受到共軍的侵入，建立共黨政權、徵兵集糧，發行人民幣，設卡收稅，擴張武力，實行槍桿子出政權的願望。於此，國軍八十九軍番號經軍事委員會撤銷，戰敗部隊撤往蚌蜓河北，經整補分駐興化附近的獨立六旅負責護衛總部與省府各廳處，八十九軍一一七師駐防臨澤、時堡等地，抵禦日寇汪僞攻擊，沙溝由徐繼泰的保安旅防守相與共軍對峙。其餘軍直屬部隊，三十三師等，責由保安處處長顧錫九權宜以八十九軍代理軍長統率，重點在曹甸及其附近太倉、塔兒頭、崔堡、金吾莊，是軍司令部所在地。實際八十九軍已經成了無名軍，殘缺疲憊，精訓談不到，械彈俱感缺乏，維持孤軍的士氣實是煞費苦心。

所幸，顧錫九將軍，黃埔軍校四期畢業，經歷完整，青年幹練，是顧祝同將軍堂弟，得天時、地利、人和，秉性忠貞厚道，在八十九軍歷任旅長、師長，又是中央軍校駐蘇幹訓班主任，軍校十六、十七、十八三期在蘇學生，俱沐受薰陶，且兼三民主義青年團蘇北區團主任，文武青年均譽爲青年導師。責成他率領這支無名軍，苦心經營，築堡建碉，堅守待攻。

中共華東局由劉少奇主持，軍事部長陳毅則統率江北指揮部，以黨統政領軍，一元化相當徹底，由海安鎭遷至鹽城。延安又以十八集團軍一一五師黃克誠旅冠以隴海東進支隊代號（實爲八路軍第五縱隊），由北向南朝江蘇的贛榆、東海、灌雲、沭陽等地發展，也跟著竄進阜寧縣境的東溝、益林，不僅和原在蘇中栗裕等部新四軍聯成一氣，漣水土共隨之策應合擊，使得敵後的抗日局勢愈形惡化。

陳毅挾其倖勝餘威，乘國軍整補未竟而扣緊時機，未及三月，即再集中兵力約十五個團，踏進天平莊、射陽，一路緊追奉令西撤的駐蘇幹訓班，余世梅旅，國軍迫於來勢洶湧，相繼放棄金吾莊、塔兒頭、崔堡等地，集中兵力固守曹甸，旋即展開攻防大戰，共軍主客易勢，大軍越湖西進，曹甸週遭築有土牆，出入各門建有碉樓，四野遼闊，一無屋舍和林樹掩護，地形平衍，汪汪皆水，國軍更有閉鎖（伏地）堡環伺相接，雖非鋼骨水泥，頗稱隱蔽，利於防守。當時國軍在顧氏決心下，置之死地以求生，每逢共軍猛攻攀援，利用大刀、梭標、手榴彈遏阻猛衝來敵，更從飛機殘骸中拆下的二米厘機關砲作重點射擊制壓，增強震撼；并適時衝出突擊，在被擊斃共軍身邊蒐集械彈攜返用資補充。

來自八路軍的黃克誠，以其新銳牽制原東北軍系一一二師主力，逼得一一二師只有少數部隊進出大施河維護通道，保持與曹甸聯絡；另調三十三師及時佈防大施河地區，維護東西與北部國軍據點溝通，策應主陣地防守。盤據皖東洪澤湖濱的共軍羅炳輝部七千餘衆，橫越運河在日寇汪僞默契下任其集結兵力猛撲許圩，幸賴地方團隊王光夏、楊昉膽識過人，相與周旋，硬使由西東進的羅炳輝無可發揮；魯蘇戰區副總司令韓德勤鑑於曹甸戰鬥持續，恐難久守，不顧危殆，分調獨立六旅直指曹甸赴援，穿越日僞防線，小徑僻道，蟻舟夜行，當抵達蘇金垛時，陳毅乃率所部敗兵東撤，免遭反包圍的厄運。

七分發展二分應付一分抗日

國共兩軍蘇中對壘，是為抗戰期間兄弟鬩牆的第二回合。國軍黃橋戰敗，曹甸獲捷，戰略戰術與指揮官調度運籌，官兵用命大有關聯。曹甸戰役計：國軍俘虜共軍幹部五十一人，士兵四百五十八名，擄獲重機鎗五挺，輕機鎗二十七挺，步鎗一千五百三十六枝，（投誠的共軍孫國政團人鎗未列入統計），輕重傷與陣亡共軍七千餘人。國軍陣亡軍官二十七人，失蹤三人，士兵五百零六人。負傷士兵三九五人，失蹤士兵一九三人。（民衆傷亡與財產損失未計）

共軍江北指揮部陳毅，動用粟裕、黃克誠、羅炳輝三大主力在曹甸作老鷹捉小雞的一博，驕狂冒進，落得失利，使韓德勤一直維持到民國三十二年春，受到其他因素撤離淮南地區，任由共軍勢張力強，縱橫蘇省。陳毅由中共新四軍軍長（三十年），華中野戰軍（三十二年），華中人民解放軍（三十五年），第三野戰軍司令員（三十八年）一連串的竄昇，本錢是靠江蘇全省的物力人力所促成的；但他和粟裕始料未及的曹甸挫折，竟會重演於金門古寧頭的猛攻重創，依然是江蘇子弟為其送死。

世人知道民國三十年一月發生於皖南涇縣的新四軍事件（一說皖南事變），究其近因，新四軍藉國軍在江蘇地區南調接防時機，集中七個團兵力，三路圍攻國軍第四十師失敗，軍長葉挺被俘，而「中國共產黨中央革命軍事委員會」命令陳毅、張逸雲為新四軍正副軍長，一月二十九日在鹽城正式成立，擴編為七個師，且提出善後辦法十二項。殊不知民國二十九年的十月、十二月間，無視國共合作的神聖諾言，在黃橋、曹甸挑起兩大戰鬥，乃是一項有計劃、有步驟的破壞團結抗日，製造分裂妄想稱王的預謀。毛澤東曾在民國二十六年九月二十六日，召集第八路軍（旋改稱十八集團軍）連長以上幹部講話時指出，特別強調共黨基本政策：七分發展，二分應付，一分抗日。利用抗日戰爭發展，從事組訓民衆，擴充武力，儲存資源，建立根據地等等。再從民國二十九年五月四日，在「放手發展抗日力量，抵抗反共頑固派的進攻」毛選第二卷文中指出：

「在江蘇境內，應不顧顧祝同、冷欣、韓德勤等反共份子的批評、限制和壓迫；西起南京，東至海邊，南至杭州，北至徐州，盡可能迅速地，并有步驟，有計畫地，將一切可能控制區域控制在我們手中，獨力自主地擴大軍隊，建立政權。」

二十九年十月黃橋事變前夕，筆者曾經路過留宿該地一宵。同年十二月的曹甸戰鬥，筆者得悉陳毅業已潰敗訊息，旋由興化趕乘汽艇趨晤顧錫九將軍於曹甸郝宅，承示搜獲中共的「政治指示」，血跡斑斑，油光紙上鋼板油印的宋體字全文，雖經水浸，仍尚清晰，說到：「曹甸得失，不但是我黨（指共黨）在華中能否佔取優勢的關鍵，亦爲我黨存亡之樞紐。仰我黨同志，再接再厲，消滅頑軍（指國軍八十九軍），達成任務。」該項文件是從共軍幹部屍體上得來的。當發動攻擊前，共軍頭子向部隊講話，比喻國軍是一隻螃蟹，詢問士兵螃蟹最好吃的地方是那裡？衆答「蟹黃」。又講：「爪子將已吃光，蟹黃便是曹甸，攻下曹甸就告完全勝利」。共軍進攻目的未遂，顧氏流露著欣快心情，復以蔣委員長嘉勉電報交閱，那是十二月八日發拍的；全文是：「八十九軍顧代軍長：該軍艱苦奮鬥，深爲軫念，仰轉飭全體官兵，再接再厲，消滅匪軍，以竟全功。中正手啓。」國軍曹甸戰勝，一雪黃橋失敗的恥辱，八十九軍的番號恢復；在敵後孤立無援，迭受共軍與日寇汪僞攻襲而獲致層峰的肯定，揚眉吐氣，快逢此時，也是人之常情。

國共軍事衝突，日漸白熱，在民國二十九年這一年當中，就有共軍劉伯誠進攻晉省咸縣國軍，圍攻元氏黑水河民軍；朱德攻擊山西閻部國軍，驅逐陝西省府派任第二區行政專員，佔領轄區內各縣；徐向前攻佔山東省政府所在地魯村等，江蘇黃橋、曹甸遭受攻擊，是於年底發生的。同年，國軍駐地蘇、皖、贛、閩、桂、粵、鄂、豫、魯、浙、綏不斷阻擊日寇的侵犯，日機大規模的多次轟作重慶，而汪兆銘出走，三月在南京成立僞組織，國際通道復又受阻，整個抗戰形勢至爲險惡；共軍不遵約束，無視軍紀，且得蘇俄公開撐腰。十二月九日蔣委員長親電朱德、葉挺，依然置若罔聞，三十年一月四日，新四軍竟在皖南公開叛變，不作北調的打算，且企圖進兵奪佔京滬杭三角地帶，以致雙方關係惡化，造致中國現代史上的一大悲劇形成。

後以破壞抗戰陣營，終於演成「新四軍事件」；國共陽合陰分，在第二次大戰結束後，留給中華民族最慘重的教訓。中共在曹甸建立碑墓，究其實際既無可顯示其戰死者的光榮，抑且自暴其短，無以掩飾其叛亂的事跡，愚人自愚，終難擺脫歷史的眞實。時逾五十年往事，該算已矣，但望堪資記取。

（民國八十一年三月二十日重寫刊於中央日報）

空軍協同金門登步作戰的回顧

民國三十八年冬季，隔海相望的閩浙兩省的島嶼—金門古寧頭，定海登步島，曾經發生過決定性的兩個戰役，不僅迫使狂妄而躊躇滿志的共軍，遭到殲滅性致命打擊，抑且，是國軍轉敗爲勝的關鍵所在；獲得生聚教訓的契機，反共復國基地亦得以繁榮壯大，國軍官兵犧牲奮鬥與民衆支持，當爲主要因素之一。

稍一回顧四十年前的今時，敵我情勢懸殊，共軍有著得意忘形的虛驕，萬未想到慘敗於海島之上，正如軍事常則所指：「海島作戰，勝則滅敵，敗則被殲」。民國三十八年十月二十五日至二十七日的古寧頭戰役，同年十一月三日至六日復有登步島戰役，結果國軍獲得全勝。

筆者有幸，均曾先後親臨兩島，目睹戰場遺跡，灘頭滿佈破船，村內斷墻殘壁、林木枯槁、荒草凝血。彼時係以空軍新聞官的身分得此良機，也是筆者三十年來軍旅生涯中值得一述的史料。

三軍協同的具體表徵

檢讀國防部史政編譯局著的《古寧頭大捷卅週年紀念特刊》，胡璉將軍的《泛述古寧頭之戰》等著作，談到古寧頭殲敵經過，登步島告捷，胡氏特別強調，歸功於海空友軍與陸軍的密切協同。正如周至柔將軍倡言：「三軍一家，如兄如弟，三軍一體，如手如足所致」，於此兩場戰役中，陸海空三軍的合作緊密，運用圓通融和，眞算得上是淋漓盡致。胡璉將軍曾說：「海空友軍的密切協同，大力支援，實爲上述兩役迅速收功的重要因素，事實俱在，功不可沒。在金門，空軍對彼岸共軍的壓制，使敵不特不能調集船隻，續行增援，抑且瞰制敵砲，使其無法射擊。我海軍在黎玉璽司令卓越統率下，不但安定我海域，使我援軍源源而來，且以猛烈火力，對我作有力支援，群策群力，乃克有濟。在舟山的海空軍，其對登步之有力協助，殊不亞於金門」。

胡璉將軍是一位陸軍高級將領，當時受他統率的第十二兵團部隊，奉命擔負古寧頭、登步島的防衛重任，說出「海空友軍的密切協同，大力支援，實爲上述兩役迅速收功的重要因素」，肺腑之言，出於至誠。胡將軍又說：「在舟山的海空軍，其對登步之有力協助，殊不亞於金門」。其坦率表白的胸襟，氣度非凡。縱觀現代戰爭體系中，三軍的協同一致，密切支援，絕對不容稍有輕視與疏忽的。任何一個軍種出身的人，在戰略戰術思想裡，就應該秉持著三軍一家、一體的理念，無須有所軒輊。古寧頭、登步島的戰例，是國軍三軍協同作戰致勝的最佳的明證。

金門島上的光榮一戰

經國先生在其手著《危急存亡之秋》一書中，曾經提及金門登陸共軍之殲滅，爲年來第一次大勝利，此爲轉敗爲勝，反攻復國的「轉捩點」。筆者認爲金門在戰略上的價値，無限重要，若從歷史觀點而言，晚明鄭成功，清初施琅，率衆攻取臺灣，俱是從金門、廈門來做出發點的。換言之，臺灣之危，當先鞏固金廈。民國三十八年一月先總統蔣公下野，三軍徬徨無主，領導失去重心，共軍分兵由浙入閩，竄據福州，廈門未久陷落，金門防守益形重要，形成國軍與共軍勢在必爭的要地。爲著確保臺灣，必需保有金門，作爲反共復國的前進跳板，用作扼制共軍閩海南北交通的咽喉，且作他日進入大陸的捷徑。

共軍企圖奪取金門，指派其二十五、二十七、二十八、二十九、三十、三十一、三十二軍等七軍之衆，環伺金廈。浙省舟山群島則以其十九、二十、二十一、二十二、二十三、三十三及三十四軍等強大兵力，先已分據定海縣屬的梅山、大榭、桃花、六横諸島。浙閩共軍，俱爲中共第三野戰軍陳毅所轄。我福州綏靖公署代主任湯恩伯將軍，乃以第二十二兵團配屬的第八十軍二〇一師（欠六〇三團）及戰車第三團第一營（欠第二連）擔任金門防務。兵團司令李良榮另以第二十五軍守備金門，二〇一師及戰車營作爲兵團內機動部隊，控制在北太武山南麓，並督飭積極構築沿海岸野戰工事與副防禦設施。稍後第五軍（欠一六六師）歸還兵團建制，負責小金門防務。十月初旬、第十二兵團的十八軍（欠四十三師），由高魁元軍長率領迅抵金門，歸二十二兵團指揮。不久，駐臺灣的東南軍政長官陳誠明令第十二兵團受其指揮，將第六十七軍的劉廉一部船運定海；原本由汕頭增援定海的第十九軍，中途改駛金門登陸，此一行動是在預知金門情勢，有日甚一日的緊張徵兆所採行的。

共軍於十月二十四日十九時，開始進犯金門，集結在大嶝海面。二十五日二時十分，進至金門后沙、瀧口、古寧頭一帶，在密集砲火掩護下，陸續接近海岸，分在瀧口以西海岸、古寧頭東北海岸強行登陸。詎料風大浪急，船隻不易控制，靠岸前後不一，致使其建制異常混亂，登陸共軍各自爲戰，運用人海冒死直衝，終難在我綿密砲火中得逞，自是傷亡重大。

共軍攻襲金門，曾作一個月的準備，參戰單位計有：二十八軍司令部、八十二師司令部及二四四團、二四五團、二四六團，八十三師司令部及二四八團、二四九團、八十四師司令部及二五一團。二十九軍司令部、八十五師司令部及二五三團、二五四團、二五五團、八十七師司令部及二五九團。二十八軍山砲團、十兵團山砲團。動用的兵力，步兵約五個團，砲兵二個團又一個排（預備部隊并未列入）。一萬餘人組成的一個船團，只在一點登陸，而竟無統一的指揮官，其行動的狂妄驕滿，膽大包天。筆者曾與一個俘虜交談，據告有一部份原由江蘇地方部隊高郵團改編，在進攻金門前夕，首長告訴他們去接收金門的，不意登岸就是砲火連天，他和少數夥伴躲在艙內，倖免一死，終於變成俘虜。

我陸軍參戰單位，有：二十二兵團司令部、第十八軍司令部及十一師三十一團，一一八師全部。十九軍十四師（欠四〇團）十八師（欠二個團）。二〇一師（欠六〇三團），戰車第三團一營（欠第二連），四〇師一二〇團迫擊砲連，要塞第二總臺第二臺，砲兵第三團第七連，重迫擊砲連全部。使用步兵八個團，砲兵四個連，戰車二個連。

當時駐守金門的國軍番號雖多，除參戰部隊較爲完整，其他概係由大陸各地撤退來的殘破，編制人數既不足額，裝備武器也很零落，實在談不到有何等程度的戰力。作戰開始前，湯代主任電話李良榮兵團司令，囑將金門所控制的守軍統歸十八軍軍長高魁元指揮，負責島東到島西的湖南高地前線，律定各部隊齊一行動，遏阻敵軍狼奔豕突的尖銳攻勢。由汕頭船運途中的第十九軍部隊，適在激戰中陸續登陸參戰，歷經三日的拼鬥，終於擊敗共軍的攻擊，完成殲滅登陸金門海岸的共軍，贏取光榮勝利的任務。其間，第十二兵團司令胡璉，於古寧頭戰役的第二天上午十一時到達前線，曾與湯恩伯、李良榮、以及高魁元、劉雲瀚等高級將領，俱在一三二高地附近督戰，不無兼收將士奮勇博殺的鼓舞效果。是役，共軍傷亡七、六五九人（一說金門保衛戰，殲滅共軍二萬餘人），被俘七、三四一人，合計損耗兵力一五、〇〇〇人。我二〇一師、一一八師、十一師、十八師、十四師、戰車三團一營等傷亡僅及三分之一。國軍擄獲的武器，計有火炮九三門，鎗枝二、五六〇支。勝利的因素，在於一優勢兵力—海空軍的協同作戰。二卓越指揮。三旺盛士氣。共軍失敗，乃在：一判斷錯誤。二戰術錯誤。三輕敵心理。四船隻不敷應用。五潮汐風向不利。六指揮連絡不靈。七兵力輸運失當。八情報有欠正確。

登步島再挫頑敵

登步島是浙江省境杭州灣外的舟山群島中一島，屬定海縣轄，面積十八平方公里，長三公里，闊六公里，北距沈家門三、八浬。它控制花蓮洋的咽喉，是沈家門的屏障，形勢重要。共軍強渡長江舉兵南侵後，矛頭直趨浙閩。盤據穿山半島地區的七兵團二十一軍六十一師，是由第二縱隊第四師改編，素爲第三野戰軍戰力最強的突擊部隊，久隸陳毅麾下。當乘虛進佔梅山、六横、蝦峙等島後，十月十八日入晚，竄據桃花島，距離千呎的登步島頓受威脅。筆者憶及當時，曾經常不斷與飛行軍官同乘AT-6機，掛上炸彈，在淪陷諸島上空偵巡，每次發現共軍人馬船隻，立即低飛投彈或以機槍掃射，不免受到共軍高射砲火的反制，竟有一次，飛機座艙下邊被擊中一彈，雖未貫穿，而座機的左右環繞彈霧，有如花朵片片，彼時只知執行任務，毫無懼怯畏縮的感覺。

國軍爲著加強舟山的防務，由八十七軍二二一師師長吳淵明，在十月二十一日率部進駐登步、大螞蟻及朱家尖等島守備構工，增強定海本島與鄰近各島的防禦，以確保沈家門對外航道的安全與暢通，當亦有利於我海軍艦艇的機動協防，至具靈活運用的實際作用。

十一月三日十六時三十分，桃花島上共軍砲兵向我登步島全面射擊，掩護其船隻集結。斯時陰雨連綿，天候惡劣，空軍無法出動，駐軍山砲連、海軍艦砲不斷還擊，就在敵我砲火異常激烈中，共軍船隻五十餘艘，載兵千餘，利用夜暗與砲火掩護下，在登步島多處登陸，初被擊退，其後續兵力源源加強，守軍力薄傷亡重大，陣地被其突破，最後堅守據點，發揮死守待援的苦戰精神。四日一時許，島上駐軍扼守雞冠礁、陸家嶴，張網灣山一線的灘頭，戰到天明，恢復大山及砲臺山西端一帶陣地，從震撼危殆當中，守軍獲得立足與喘息的機會，稍稍穩定登步島的戰況。

爲著確保定海沈家門海上通道安全，在三日二十一時二十一分，六十七軍七十五師二二四團即往增援，并限四日拂曉前到達沈家門。四日清晨，另復增派初抵定海的六十七師師長何世統，親率二〇〇團、二〇一團（欠一九九團）再去加強實力。二二四團已於四日三時十五分，到達沈家門登船，九時三十分，在登步北岸雞冠礁登陸完畢，旋即會同守軍參加猛烈戰鬥，雙方爭奪流水岩、大山、砲臺山等陣地，攻守異常慘烈。六日七時許，終將全島殘敵全部繳械，只有一小部分漏網的逃回桃花島，不然的話，一樣的非死即作俘虜。

登步戰役在規模上，雖不若金門古寧頭所動用的兵力龐大，其戰況的激烈程度，國軍官兵英勇犧牲精神，殊無二致。綜合是役共軍傷亡三、七四〇人，（一說殲滅進犯共軍七千人）國軍傷九五四人，亡一、九一九人，失蹤五五人。俘獲共軍二七七人。

我軍優點，在於：一、戰術戰法運用得當。二、戰志堅強。三、海空軍支援作戰得力。四、步砲協同良好。五、部署適切，增援迅速。六、軍民打成一片，合作良好。共軍缺點是在：一、懷有輕敵觀念，以致鑄成大錯。二、未能把握戰機，擴張戰果。三、缺乏海空軍支援作戰。四、僅知銳意深入攻擊，不顧側翼安全。五、夜間叫囂嘈雜，易於暴露目標。六、船隻不足，增援困難。

三軍協同大顯神威

阻止敵人登陸作戰，最佳的手段，莫若使之胎死腹中，無可形成，此有賴於強大空軍先期轟炸，澈底摧毀其企圖。再則，迎擊於半渡，海空并舉，雙管齊下，使敵支離破碎，船團瓦解，減少敵軍登陸的銳氣。所以，制空與制海權的掌握，是爲致勝的先機。以金門古寧頭與定海登步島兩役爲例，我海軍先以艦砲轟擊金門對岸大磴共軍集結的船團，以及登步對岸的桃花。并且，攔擊發航後的共軍船團，協同兩島守備陸軍痛殲頑敵，助長勝利的到臨。於此，歲月匆匆，古寧頭與登步大捷已逾四十四載，空軍協同作戰與密切支援的過程，極少有人撰文敘述，縱有亦多片斷語焉不詳，不若陸海軍之連篇累牘。筆者深以保障臺海安全，國軍血淚斑斑，重振神威的兩次戰役，極具歷史意義，謹概括說明空軍協同作戰的經過，藉供治現代史者的一項參考。

空軍一貫地保持著忠勇軍風，在民國三十八年逐次移轉兵力於臺灣各大基地，兵員與武器裝備完整，戰志昂揚，戰力充沛，每有任務，無不圓滿達成的。

空中武力威鎮金門

先就金門古寧頭作戰而言，際當共軍準備攻擊的前期，空軍為摧毀金門外圍各島的砲兵陣地，曾於十月十六、十八、十九等三天，分別先由臺灣本島基地派遣機隊連續偵炸。首由第一大隊一中隊於十六日，派遣蚊式機六架，分批偵炸金廈外團共軍，斃敵六〇名，毀其砲兵陣地二處，工事一處，貨船一隻，大小木船四十二隻，傷十隻。第八大隊於十八日出動B-24八架，各掛五〇〇磅炸彈，轟炸大嶝島的共軍陣地，戰果良好。十九日第一大隊一中隊再出動蚊式機一架，偵炸廈門海岸共軍船隻，毀其二十餘艘。同日八大隊更出動B-24六架，轟炸金門外圍的蓮河、石井、圍頭等處共軍陣地，戰果輝煌。在共軍登陸金門古寧頭遭殲的二十五、二十六、二十七三天裡，空軍於二十五日二十三時許，正當大嶝島的共軍大砲，朝向金門古寧頭陣地射擊猛烈，企圖挽回共軍頹勢，支援登陸殘餘進犯灘頭的時候，嗣因空軍飛臨炸射，迫使共軍炮火停止射擊。而連日來的空軍大批飛機，攜帶重磅炸彈，飛臨金門上空支援作戰，并轟炸大嶝、小嶝、深江、蓮河、東園、蔡厝、汪厝、澳頭等處的共軍砲兵陣地，並破壞其後方交通及海上補給，阻絕其一切可能的後援，收效至為宏偉。且竟夜飛臨古寧頭上空投擲照明彈，以監視對岸共軍行動。計：二十五日出動飛機四六架次，斃傷共軍三二〇人，擊毀卡車兩輛，木船一三〇艘，房屋三五棟，工事四處。二十六日出動五〇架次，斃傷共軍一三八人，擊毀卡車一輛，木船九五艘，汽艇一艘，工事八處。二十七日出動三三架次，斃傷共軍六〇〇人，擊毀木船一〇九艘，工事五處。三日內計出動一二九架次各型飛機，共軍傷亡達一、一五八人，毀卡車三輛，木船三三四艘，汽艇一艘，房屋三五棟，工事一七處。空軍使用機種有B-24、P-51、P-47、C-47、F-10等，親自率隊參戰的大隊長，有一大隊陳衣凡。三大隊李礩，四大隊張光蘊、五大隊張唐天，八大隊張培義，二十大隊楊榮志，其他參與實際戰鬥的，恕未詳列。

空軍警衛部隊改編成為四十、四十五兩師，參與大磴島戰鬥與金東守備任務，師長是范麟、勞聲寰，隸屬第二十五軍，參加戰鬥序列。再次，空軍總司令周至柔將軍親臨戰地上空，明示三軍一體的協同精神，督導執行支援作戰的任務。

登步之敵受制空中

浙海舟山群島的防衛，定海是為核心，登步島與之唇齒相依。當時空軍在舟山群島的設施，有業已使用的定海機場，沙石鋪的跑道，曾加延長，有些飛機仍然不能降落，岱山機場尚在日夜趕工填土修築中。空軍在定海設有指揮所，老虎將軍王叔銘，經常駕著 B-25繪有老虎頭的座機，親自坐鎮指揮并參加作戰。毛瀛初、董明德交替的作較長時間的駐守。登步島戰役的當時指揮官賴遜岩，航校三期，印尼華僑，經常駕機偵巡，閒時就去野外狩獵，鎮守指揮部的時間，以夜晚最多，其人率先躬行，督導駐在定海機場的空軍機種不斷出動，偵炸共軍船隻，和業被佔據各島的陣地。

十一月二、三兩日。天雨能見度差，共軍就在三日十六時三十分，特以密集砲火猛轟登步，二十二時陸續在王家墺、蟶子港、后門一線鑽隙登陸。四日的五時二十分，雨停能見度稍稍轉佳，指揮官賴遜岩迫不及待的，親駕AT-6機飛臨登步偵察，眼見守軍二二一師轉進雞冠礁、陸家墺，情勢危急。流水岩與二一二公尺高度的砲台山兩個要點，只有零星戰鬥，共軍幾乎遍佈登步的全島。六時十分，來自臺灣基地前來助戰的P-51兩架飛臨上空，展開攻擊掩護地面部隊前進。時值天氣轉晴，空軍大批飛機不斷出動臨空，對已登陸的共軍及其船隻，與桃花島北岸的敵砲陣地，更番輪流轟炸。賴指揮官事後談及：竄據登步高地以及隱身在草叢中的共軍，為期殲滅務盡，動用C-47滿載拉開火索的手榴彈，在低空投放，並使用汽油漿彈，阻絕共軍瘋狂的擴張，大大有利地面友軍部隊的乘勢反擊；登步上空是經常保持著二―四架飛機的穿梭巡察，監視共軍後續部隊的增援，不斷掩護友軍攻擊作密切的支援。尤其，五日四時零五分，支援流水岩方面的攻擊，在反擊砲臺山、張網灣山等處的戰鬥持續上，島上共軍，無力抗拒空軍投擲延期性爆彈與汽油漿彈的威脅，殘餘於中午即已潰竄島上東南的一隅，期求苟延；空軍復予猛烈炸射，再次給予頑抗共軍的致命打擊。兩天以來，空軍出動各型飛機一一四架次，計F-51架次、B-25十九架次，F-26二〇架次，AT-6一三架次，PT-19六架次，C-47五架次，空中武力發揮的強勁威猛的力量，戰果益加豐碩。同一時日，并毀傷共軍木船一〇五艘，砲兵陣地四處，工事及陣地四十一處，配合陸、海軍阻斷共軍的增援，使用的炸彈，其赫阻力與殺傷力所及，共軍為之心驚膽寒，大挫其士氣。

六日晨間，空軍派機飛臨登步偵察，島上一片沉寂，地面林木焚後的濃煙漸漸淡化，判斷共軍業已完全降伏。歷經自三日十六時三十分開始，至六日七時止的登步戰役，國軍終獲勝利，那是繼金門古寧頭戰役殲敵後，又一輝煌的告捷。

回想當年旨在惕勵

金門古寧頭及定海登步島兩戰均捷，粉碎共軍陳兵十二個軍於浙江、福建沿海地區，窺伺舟山群島與金門附近各島的美夢，更打破共軍渡海攫取臺灣的狂妄企圖。彼時，國軍相與共軍正面接觸的兵力薄弱，而共軍連番得逞，囂張不可一世，幸有陳誠將軍奉任東南軍政長官，統攝江蘇、浙江、福建、臺灣、海南島五省地區的軍政，便於運用鐵腕，從事於臺灣及濱海諸島的經營，奠定復興基地的鞏固基礎。時值廣州既陷，其舊部十二兵團奉准撥歸東南軍政長官公署序列，接受其指揮調度，把握戰機，旋令胡璉率領所部分別增防舟山和金門。因此，在金門古寧頭戰役，十二兵團的十八軍、十九軍會合友軍戰勝共軍收獲輝煌戰果。定海登步島戰役，也由十二兵團的六十七軍增援守軍反擊，終於取得勝利。這在臺海戰役之初，當共軍擬定作戰計劃時，始終沒有料想到的因素。國軍拼血肉之軀，擊敗共軍海島作戰的瘋狂行動，確實付出相當重大的代價，海軍空軍的密切支援，協同陸軍作戰，曾經盡到應盡的責職。誠如胡漣在「泛論古寧頭之戰」一書裡說出：「事實俱在，功不可沒」的話，推崇海空軍協同作戰功能。憶讀先總統蔣公在「敵我雙方優勢之分析」的講話中，談及：「此次金門保衛戰的結果，對於來犯之匪萬餘人，予以徹底的殲滅，不使有一人脫逃漏網，這是我們剿匪以來最大的一次勝利。」當然，這一戰役，對敵我兩方，咸有深遠的影響，國軍接著復有定海登步島戰役的獲致勝利。綜計兩役，在空軍協同作戰方面，配合良好，就金門戰鬥而言，三日出動飛機一二九架次，登步戰鬥四天中，出動飛機一一四架次；國軍聯合制敵，軍民合作無間，方使共軍高張氣焰爲之低落，從此龜縮，不敢輕舉妄動。其後，民國四十七年的「八、二三」金門砲戰，在四十四天中，共軍砲擊四十七萬七千五百餘發，金門始終屹立不搖，反被國軍摧毀其陣地數十處，砲百餘門。空軍在砲戰期間，負有重大責任，戰志昂揚，以寡擊衆，在十二次空戰中，中共飛機遭到於戰鬥中擊落的紀錄，是三十二比一，在維護臺海安全上，建功至偉，也打破二次世界大戰的各國空戰紀錄。

時光易逝，我們以今視昔，假如沒有國軍誓死堅強的搏鬥，假如沒有精練的實力在握，假如沒有臺澎金馬廣大民衆齊心合力，那來的安定的後方，又那來的經濟繁榮，社會的穩定和富強康樂？從純軍事觀點衡量，國軍今日兵員精粹精練，武器裝備不斷更新，就無懼無畏敵人的威脅。中共的政權，既不能代表中國，仍為廣大人民所排斥，勢必要放棄迷信武力，與民更好，走向民主、自由、均富的大道。

值此海峽雙方仍在對峙中，我們不能完全無視中共武力犯臺的狂妄企圖。軍人固以戰鬥為主，絲毫不能放鬆輕敵觀念，準備隨時迎敵，精練戰技，乃是健全自我的唯一法門。國人更應強固團結，目標一致，時懷憂患意識，清除共產毒害，是國人努力以赴的最大目標。軍民本是一家人，無分彼此，無有畛域，一心為保衛臺灣，共建新中國而繼續奮鬥。

後記：筆者於民國二十九年，受任重慶掃蕩報總社記者，奉派魯蘇戰區採訪工作在敵後奔波，無稍怠忽。勝利後，由國防部軍事新聞通訊社，任為蘇北特派員，於戰地繼續採訪戡亂戰事新聞，對中共作為較具認識。民國三十八年，出任空軍新聞官，經常駐留定海，得交通便利，常往常來臺北、金門、定海之間。因此，深切體認，金門古寧頭戰役、定海登步島戰役，國軍奮戰獲得大捷絕非偶然，其關鍵乃在三軍協同、將士用命、民眾流汗流血，毀家紓難所贏得。世事多變，臺灣今日安如磐石，若以歷史眼光衡量，國軍兩役戰鬥中獲勝實具啓示作用。筆者依據既往所撰報導資料，再就國防部史政處編印《金門戰役》與《登步戰役》（均民國四十六年二月出版。）二書，引作參考，并目睹戰鬥的有關人、事、地、物、時，用資佐證，俾對殉難國軍官兵與民眾所受損害有所回顧。

（民國六十八年）

螺旋槳飛機抗拒「米格」

民國三十八年冬天，空軍飛機前往徐州上空投擲心戰傳單，遭到中共米格機襲擊，竟能安全飛返的一段小故事，特爲之記。

學期結束前，我教的中國近代史，民國部分第十章「復國建國之宏基」，內中講到金門砲戰。那是四十七年夏天，中共對金門島群猛烈火力偷襲，自八月迄十月上旬，連續發射四十七萬餘發。我國軍官兵奮勇還擊，總計四十日內，共軍陣地被國軍摧毀數十處，砲百餘門；艦艇及運補船隻被我海軍擊沉擊傷一百零七艘。海軍執行「鴻運計畫」，艦艇相抗，兩棲作戰，載運補給品搶灘登岸。空軍執行「中屏計畫」，空投補給品，而空中攔擊敵機，就中國近代史（三民版）所述：發動空戰十次，擊落十架，擊傷四架，金門防衛固若金湯。學生發問：

空軍如此英勇，戰果眞實性是否一如教科書所述？我空軍有無損失？

再問：共軍使用何種飛機？國軍先擁有噴射戰鬥機？還是共軍先有？希望就所知加以說明。

我說：在我拙著：「逍遙到處思鄉無」作品中，有一篇「八二三空軍大顯神威」，提到戰果是擊落「米格十七」三十二架，重創八架，擊傷四架，另有可能擊落三架；我國空軍損失輕微，僅僅損失飛機兩架。

我國空軍在於建軍要旨的貫徹，精神教育的著效，精選精鍊的收獲，力量集中的發揮，武器運用的適切，基於優越的條件，發揚傳統的美德；最後，我告訴學生空軍健兒以螺旋槳對抗噴射機的掌故。茲藉空軍勝利紀念日即將來臨，特將前人以鐵血、英勇、智慧，以劣勢抗拒優勢的一段史實，以禿筆披露，俾讓讀者堪資追憶。

記得民國三十八年冬天，晴空無雲，第二十大隊派出一架C-47機—那是一架沒有武裝的運輸機，由荀義德上尉擔任正駕駛，飛往早一年淪陷的徐州上空，任務是投擲傳單，號召共軍起義來歸。當時，我任職空軍總部政治部的新聞官，奉派訪問荀上尉（此後共事一個單位成爲好友）。他的這一次任務，從表面上看，平常率淡，實際是艱危備嘗。竟然遭遇到從未面臨的強敵襲擊，迫使他超低空飛越險境，回返新竹基地，意外蒐集到一項重要的情報資料。

事情是這樣的，荀上尉在徐州上空，眼看翼下黃土覆地，村舍寥落。載著一綑綑傳單，就在空投兵手裡推下機艙，散落有如秋葉飄零，頓使空寂的領空，有著絲絲的動感。正準備拉高機頭好回航，眼看一道白茫茫發著閃閃光亮的飛行器，從他座艙上空掠過，還附帶一點點煙霧騰起，很自然的直覺是敵人戰鬥機的偷襲，容不得他思量，容不得他猶豫，趕緊推下機頭，幾乎接近平地，顧不得飛行安全高度，他熟悉黃淮一帶地形是沖積平原，沒有高山阻隔，也無人爲障礙，飛啊飛，直到吳淞口出海恢復高度，安然脫險在基地跑道降落，完成一次不預期的死亡歷程，英雄無名的險遇，留下人生最堪追溯的紀錄。

經過判斷，這是中共俄援的噴射戰鬥機第一次與我空軍螺旋槳飛機遭遇；在中華民國空軍建軍史上加添一頁新的資料。我所寫的一篇報導，那眞算是第一手的，因不便即予公開，不知隔了多久，才在「中國的空軍」披露出來。

接著來的，共軍米格十五飛越江南，增防上海江灣機場，首由剛葆璞偵照證實，有十二架後掠翼的米格十五戰鬥機，排列在跑道頭的兩側黑白照片，我也取得一張。那時的臺北，方型雜誌非常流行，銷路還不錯，大概是大陸撤退來臺的人們思鄉心切，與前途苦悶有以致之。軍人待遇菲薄，空軍並不例外，我就利用公餘筆耕賺一點稿酬，來充裕一家五口的生計。可讀性的報導文稿刊出後，卻引來麻煩，經反情報人員訪談，好在忠貞無疑，洩密還不構成事實，只是公開時機稍早了一點，怕影響民心士氣。所幸我的作爲無它，只是想藉此提高憂患意識，事屬正當。

空軍一連串的嚇阻措施，來對付共軍新形勢，螺旋槳對抗噴射戰機的戰鬥技術的講求與演練，甚至從實戰中獲取血的經驗。換句話說，空軍是精鍊戰技，鬥志昂揚的軍種，具有無敵不摧的能耐。最大的反擊共軍米格行動，在王叔銘將軍坐鎮定海指揮下，一百架P-51野馬式戰鬥機，由張光蘊率領，發起拂曉攻擊上海。我空軍士氣如虹，本想一舉殲滅共軍米格十五戰鬥機群，縱橫上海的江灣上空索敵求一死戰，詎料共軍避戰逃竄，龜伏華北機場，硬是不敢應戰，如是者三。我B-24機更是不斷轟炸上海楊樹浦、京滬線上戚墅堰電廠，給予重創，（想不到這轟炸事件，中共在文化大革命期間，竟然牽累高級共幹潘漢年、王光美，指稱是我方的間諜。）運輸機經常飛往大陸投擲傳單和救濟物品，從此開始。而我戰鬥機，也曾在杭州灣上空與米格十五發生戰鬥的情事；大陸偵照經常沒有斷絕，俗稱的「黑貓中隊」的冒險犧牲執行任務，僅是例證而已。

四十多年前的往事，雖成明日黃花，老一輩空軍人員記憶猶新，空軍勤儉建軍的精神，是在艱苦的奮鬥，有我無敵的生活體驗裡磨練得來的。

戰鬥第一、勝利第一、是空軍的精神，一時一刻也鬆懈不得的。溫故知新，憶往事正是激勵自我的最佳南針，軍人充實自我學識、技能，忠心保國衛民的職責，自不能須臾輕忽，是當然，也是必然的！

（民國七十九年八月）

八年抗戰期間的江蘇苦難折磨

一、先說根由

二十世紀，對中國整體與中華民族來說，是一次最大的不幸。日本帝國主義者的崛起，選定蠶食最大的目標，就是中華民國；奉行馬克斯主義的蘇俄，也認定中華民國是侵略的對象。前者以製造傀儡、軍閥與政客作貓腳爪，來爲虎作倀；後者卻以反侵略糖衣，迷惑中國文人如陳獨秀、李大釗、張國燾一些理想主義者，移植不合中華文化，不能施行於中國的主義與制度，魚龍變化，偷天換日，禍患無窮。民國二十六年的「七七事變」，逼使中國確認犧牲已至最後關頭，地無分南北，人不分老幼，全民一體，實踐天賦自衛的權利，奮起搏鬥，以俄爲師的中國共產黨，曾經信誓旦旦要求集中國力，團結禦侮，並表示：㈠停止推翻國民政府的武裝暴動方針。㈡蘇維埃政府改名爲中華民國特區政府，「紅軍」改名國民革命軍，直接受南京中央政府與軍事委員會指揮。於是，流竄到陝北的「紅軍」殘餘，改編成爲「八路軍」（旋改稱十八集團軍）總兵額約二萬人，開赴晉北，受第二戰區司令長官閻錫山節制；另以林祖涵、張國燾分任「陝甘寧邊區政府」正副主席。湘、贛、閩、浙「紅軍」零碎萬人編成新四軍，在皖南地區進行游擊戰鬥，受第三戰區顧司令長官祝同節制，結束政府的安內政策，也就結束分裂與叛亂的大局。蔣委員長在民國二十六年九月二十三日談話：「共黨願爲實現三民主義而奮鬥，更足證明中國今日只有一個努力方向。」反顧共黨卻在二十六年八月二十五日所公佈的「救國十大綱領」，提出建立「民主共和國」、「選舉國防政府」、國防政府必須吸收各黨各派及人民團體革命份子的內容，企圖竊取政權的動機，已從字裡行間內暴露無遺。當局一本團結禦侮，『惟望其眞誠一致，實踐其宣言諸點』。而「兄弟鬩牆外禦其侮」的遠大理想落空，卻早已是隱藏於國共合作下形成後遺徵兆。

國民政府面臨暴敵當前，大義所在，民族與國家的存亡所繫，領導全國軍民，踏著先烈血跡赴湯蹈火相與暴敵—日本帝國主義者展開生死的拼鬥。

二、京滬大戰役的浴血拼鬥

北方戰火逐漸擴大，另一戰場的淞滬會戰（民國二十六年八月十三日至十一月十三日）在江蘇省境展開。

江蘇算是交通運輸便利的省區之一，尤以水運發達；東瀕黃海、東海、長江橫穿東西，運河縱貫南北，湖泊衆多，溪河似網，捨徐海地區及丘陵外，無不暢通航運。因此，地理上的三大區劃：蘇南、蘇中、蘇北；另外，全省有著三個島縣，一是東海中的嵊泗，長江中的崇明和揚中，幾乎是他省所無唯蘇獨具的一種地形。

位於長江左岸的蘇南與江右的蘇中，構成長江三角洲的魚米之鄉，人文薈萃。蘇南有著二十六個縣，院轄的上海市、南京市，分踞東西，均是鐵路交會點。河流湖泊交錯如織，港汊分岐密佈，以太湖為中心，東有陽澄湖、澄湖、西有滆湖、長蕩湖、石臼湖、固城湖、大小南漪湖等，內河有蘇州、東青、孟津、秦淮及黃浦江等。鐵路原有京滬、滬杭、淞滬、蘇嘉、江南，通達浙皖。公路有京杭國道，並且，縣縣相通形成路網。教育發達，商業繁盛，蠶桑稻米是為農業大宗。蘇中運河岸濱的揚州，淮陰，是歷史名城。瀕江南通、泰縣，水鄉興化、高郵，范公堤畔的東台，鹽城俱稱大邑。南江北淮，運東海西，幾無山丘可言，平原千里，稻麥產量至豐。洪澤湖、成子湖、邵伯湖、高郵湖、寶應湖、白馬湖、大縱湖、射陽湖、平望湖、湖蕩、河塘相互接連。通海河道，著名的有魯汀，蚌蜒、子嬰、通海運河、鬥北港河、新洋港河等，長寬深淺大小不一。蘇北以徐州為中心，是禹貢九州之一，轄有銅、沛、豐、蕭、碭、邳、宿、睢八縣，當南北要衝，自古即是兵家必爭之地，形勢重要；津浦、隴海兩路縱橫交會，更有台棗支線深入境內。駱馬湖、黃墩湖、白馬湖、微山湖、昭陽湖、沂河、不老河，黃河故道等，或涸或溢，淺多深少。東瀕連雲港，慣稱海屬，隴海終點，沭河長流，灌雲漣水有響水口，曾是抗日游擊根據地之一。抗戰名流有丁治磐、王公嶼等，鄰縣有著一級上將顧祝同等人。

江蘇地當衝要，抗日大戰首在淞滬。民國二十一年，政府基於淞滬作戰的「一二八」慘痛經驗，深信日寇野心絕難戢止，曾於二十四年冬，即行開始秘密構築外圍據點工事，以吳縣（蘇州）福山（鎮）一線是主陣地帶，沿杭州灣南岸鎮海至象山港海岸構工，同在江陰、鎮江、南京城郊的要塞工事積極加強，戰前大致完成。「七七」事變既起，日寇計劃同時攻取上海、南京，俾可瓦解我全面抗戰的決心。平津陷落，平綏鐵路業已展開攻防，乃在上海製造虹口機場事件，日本海軍陸戰隊向我上海保安隊攻擊，淞滬會戰於焉開始。國軍陸空協同反擊於虹口附近的日寇，戰果輝煌，雙方繼續增兵，軍事委員會劃江蘇南部及浙江爲第三戰區，蔣公中正兼任司令長官，國軍攻抵匯山碼頭，日寇援軍向寶山、羅店、瀏河之線南犯，在日海軍艦砲配合陸空攻擊，我雖反攻不已，抵抗日寇二十萬軍隊並附有野山砲三十餘門，戰車二百餘輛，飛機二百餘架的雄厚武力。吳淞、寶山失陷後，日寇總兵力增加在三十萬以上，迫使國軍向蘊藻濱南岸，陳行、廣福、施相公廟、瀏河之線轉移。國軍徹夜反擊，戰況慘烈，兩軍各有增援，激戰至再，大場、走馬塘陣地被敵突破，乃退守蘇州河南岸。日寇第十軍長柳川率領三個師團，乘我杭州灣守兵薄弱，師明代倭寇故技，在金山衛的金絲橋強行登陸，進犯松江；又一師團在長江白茆口登陸，越過蘇州河全力猛犯，上海、松江陷落，在三面夾擊下的國軍被迫全線西撤。由於敵機轟炸，連絡困難，日寇乘隙突進，致在匆迫中造成秩序混亂。青浦白鶴港之線放棄，敵寇續向我吳福線砲擊，並以一部渡崑城湖襲擊蘇州，一部攻進太倉、常熟、福山，迫使國軍復向澄錫線轉移。無錫失守，江陰要塞遭敵突破，國軍又分向浙皖贛邊區後撤，軍民雜沓，車馬塞途，承受追兵跟蹤與敵機的臨空掃射，其艱難危殆，誠是死生須臾，顯有人生茫然的一種錯覺，在士氣上稍有挫折，民心也就籠罩于恐怖之中。

國軍本著抗日自衛立場，保障領土主權完整，淞滬血戰三月，敵我精銳俱有較大且重的消耗。而事蹟感人最具歷史意義的，莫如八百壯士死守四行倉庫，孤軍撐持；楊惠敏女童軍夜渡蘇州河，奉獻巨幅國旗予謝晉元團長，高懸在四行倉庫的頂層，隨風招展，縱被敵砲轟擊絕不降落。張阿毛駕駛滿載軍火卡車，衝入黃浦江與押車日軍同歸於盡。松江在敵我混戰中，國軍六十七軍軍長吳克仁將軍死難，有說失蹤，經人證明確係陣亡，其所屬一〇七、一〇八師，此後頗具戰功，「強將手中無弱兵」又一明證。淞滬棄守，珍珠港事變未發生前，租界猶在；孤島成為我國進行文化宣傳戰與短兵相接的另一戰場，如火如荼，可歌可泣，（作者民國二十九年夏季，曾由浙東過滬，目擊耳聞，印象深刻。）民族正氣的發揚，耀如日月星辰。

南京保衛戰是隨著淞滬會戰接踵而至的。當時最高當局盱衡情勢，遷都重慶（武漢辦公），作長期抗戰準備；希望負責守護的唐生智堅持兩週，誰知唐的統率無能，指揮不當，終未盡到應盡的責職，腳先加油，狼狽過江先遁，有負託付，以致造成許多不該犧牲而竟犧牲的無數冤魂，同宗同學瑞麐即葬身江流。國軍致力防衛南京的部署，在城東七十五公里處，完成弧形的防禦線，起自鎮江，經丹陽、金壇、溧陽而至蘭谿。日寇兵分四路，水陸兼程。沿淅江邊境迂迴包圍蕪湖，攻佔廣德，川軍守將第二十一軍一四五師師長饒國華自戕殉職。宣城失守，江南鐵路頓失轉運效能。另沿著京杭國道、京滬鐵路，指向奪取南京的目標。同時，日本空軍不斷轟炸南京，迄十二月三日止高達一百一十一次，雖經阻擊，終未收到預期戰果；雖然，江陰要塞先期沉船杜塞航道，我海軍亦曾用魚雷快艇突襲，限於衆寡懸殊，一日即遭突破封鎖，陸軍轉向鎮江，敵軍逼近丹陽；溯江上駛的日艦在飛機掩護下，瞰制江面活動，國軍背水苦戰，誓死抵抗，七日清晨展開總攻，八日攻佔龍潭，十二日雨花臺和紫金山各要點先後失守，日寇突入中華門、光華門、中山門、旋在城內巷戰，在局勢無法挽回下，守軍群向挹江門後撤，惜門洞狹小壅塞，恐後爭先，更由於踐踏致死的屍體堆積難以通行。僥倖撤至下關的，拆取木料門板在江中浮游，凍餒而死的有之，陷入泥沼無可動彈的有之，潮起潮落任水漂浮者有之，黑壓壓人頭，在波濤中點點滿江，浦口彼岸在望，就是無法飛渡。萌明日機日艦肆虐，狂掃狂炸，活命得以脫出險境的該是寥寥無幾。十二月十三日日寇入城，燒殺淫掠，殘暴已極，雖經國際人士組成國際難民委員會，並在金陵女子大學內設置「婦女收容所」，有七千多的老少婦女避難；其間日寇妄顧人道，逾墻劫走，或用卡車載運，加以強暴再行殺害，八府塘的水赤屍滿。更有用軍刀殺人作爲競賽方式的，有砍殺一百五十個人頭，勝過一百的。另更殘酷的是：「犬噬之刑」，「釣魚之刑」，「烤豬之刑」，「活埋之刑」等等，極盡嗜殺能事。南京大屠殺，達兩個月的時間，屠殺我國老幼男女達三十萬衆；國軍守衛南京死傷人數二萬，一說傷亡五萬人。敵酋縱兵殺人、淫掠的寺壽夫中將等人，於抗戰勝利後，經我國法律審判處死，在雨花臺執行，人心大快。據同學馬年楨、夏鵬飛談及，陸軍官校教導總隊守紫金山，火攻迫退，冒死渡江，倖生繼續爲國服務三十年，惜馬君業經逝世。同事江定華，原國軍八十八師士官，滬戰後撤，在南京防守雨花臺，負創住院，幸遇班上的弟兄扶持，登上蔓船渡江。那時已任營長的紐先銘，被困南京時入寺爲僧，後得潛遁上海轉道歸隊，親眼看到日寇集體殺人的實事。還有一位軍官郭岐，數歷劫掠與屠殺慘劇，兩人均曾著書應世。還有許多外國人士所撰實錄與拍攝影片，都已證明南京大屠殺的暴行，暴露日寇的野蠻無恥的事實。

三、蘇南戰火燃起

江南慘痛，哀鴻遍野，大半城鎮俱在日寇鐵蹄下，民衆扶老攜幼向西逃亡。國軍部隊根據戰區長官部的作戰計劃，挺進江南，採取運動性的游擊戰，突擊與威脅京滬鐵路及京杭國道的敵人，牽制其兵力，期使我主戰場的作戰獲致勝利。當時是以蘇南溧陽爲中心，乃由冷欣（興化縣人，黃埔一期）任江蘇省政府江南行署主任，兼江南攻擊軍左路軍指揮官、挺進第二縱隊司令。二十八年一月一日在皖省屯溪附近梅林正式成立行署。原稱江蘇省江南辦事處，規模既小，只能承轉公文；各縣縣長或居上海租界，有的借駐宜興的張渚遙控。入境主宰縣政的偶而爲之，世有「流亡縣長」的新名辭從此出現。四月間冷氏旋蒞江蘇的高淳、溧陽縣境，開展行政工作，並廣設學校，教育青年，安置忠貞人士，搶救陷區學子，例如：江蘇臨時中學，江蘇學院（原名蘇皖聯立政治學院），俱是秉承顧司令長官祝同將軍的意旨，所做的百年大計之一。

兵燹巨變，閭舍成墟，經濟蕭條，人民破產。策動游擊戰在軍事稍獲進展之際，當時轄境完整者僅有溧陽，半完整的僅剩高淳、宜興，餘均陷入魔爪之中，分遭敵僞的竄擾蹂躪。汪精衛投敵抱笏登場，蘇省行政更是棘手難爲倍於往歲。冷氏首先整頓烏合之衆的杭嘉湖游擊部隊，並將收稅自肥、野性難馴的一些假名抗日的隊伍編併，運用極高智慧與巧妙手段，去除禍根，導入正規；庶幾減少「游擊爲名，搶劫是實」的抗戰雜碎，改善沸騰的民怨與批評。

冷氏運用他的老部隊五十二師，兼任六十三師師長（官兵多是湘籍），還有第二縱隊。打過江南戰場的第一仗，是在東壩、定埠、社渚一帶，位在高淳東，溧陽西的地區。（大小戰鬥不計其數）綜其蘇南主政四年，自民國二十八年一月，至三十一年十二月，前後受其指揮的部隊，計有：五十二師、六十三師、四十師、新編第七師、八十八軍新編二十一師、獨立三十三旅、忠義救國軍、江蘇保安第一縱隊、保安第九旅、新編第四軍第一、二兩支隊等約十個單位。其中兩支部隊於此不得不提的，其一：忠義救國軍創始於二十六年八月上海作戰，它由蘇浙行動委員會是江浙大老發起，基於民間義勇性質軔始的；實際受軍事委員會調查統計局局長戴笠的掌握；既是一種集政治、軍事、組織、情報、特務於一體的游擊隊，縱橫在江浙一帶，也是「軍統局領導的游擊武力」之一，中美合作的產物。（原名別動總隊、別動隊教導總團。）戴氏兼總指揮，初期僅有兩個支隊，復將國軍流散部隊收容整訓，擴編十個支隊及一個行動總隊。重要幹部大都是出身黃埔前期的畢業生，如：楊蔚、徐志道、湯毅生、郭履洲、周偉龍、阮清源、尙望、王春暉、管德容、文強、鮑步超、劉方雄等；這一支游擊部隊，敵人視爲心腹大患，屢加圍攻，俱能聚散自如，奮戰不已；主要活動的地區在蘇，浙、皖三省，對日寇、汪僞以及後來叛亂的「新四軍」，頗收剋敵成效。

另一支俗稱「新四軍」的，第一支隊（陳毅、粟裕）、第二支隊（先羅炳輝、後張鼎丞），名義上既已加入國軍戰鬥序列，該對敵僞作戰的，實則自成系統，敵前敵後自圖發展。所謂「新四軍」與八路軍（十八集團軍）俱係中共紅軍服從國民政府新編的。該軍是民國二十三年江西第五次圍剿以後的殘餘，散佈在贛、閩、浙、湘邊區山地，並未隨同「八路軍」作二萬五千里長奔到過陝北。「打土豪、分田地」的鬥爭方式，完全是強盜行徑，嘯聚山林，專幹打家劫舍、擄人勒贖勾當以肥自家。二十六年八月二十二日國民政府軍事委員會明令收編，授予新編第四軍名號，分以葉挺、項英為正副軍長，計轄四個支隊，兵額一萬人，受第三戰區顧祝同司令長官指揮，指定皖南、蘇南部份地區為作戰地境。葉挺、項英在皖南，陳毅、粟裕在蘇南，後竟潛往蘇中、蘇北，師法羅炳輝、張鼎丞在皖北洪澤湖一帶發展的模式如出一轍。冷欣規定的陳毅在金壇、丹陽以西，句容以東地區擔任作戰任務，進入的陳毅部隊，卻陽奉陰違，擅自行動，收繳地方團隊武器及民間自衛槍枝，建立中共黨政組織，公然課稅、派糧、征集壯丁，襲擊政府體制下的行政機構，謀殺政府行政人員，鎮江縣長莊梅芳、丹陽縣長印作民首先被害，就是一個顯例。（日寇殺害的，有徐輿、鄒振華等三十五人）又為打通過江路線，儘量向東向北自由開展，延伸到長江中的揚中。尤其惡毒無聊的，有時竟然化裝偽軍，誘導日寇攻擊國軍駐地，藉以從中漁利。時值大敵當前，世人固難洞悉其詭詐哄騙伎倆，國民政府亦深恐影響抗日大業，其隱忍包容的苦心，也非世人知其萬一而深具瞭解。一些身居高位的大員，輕鬆的說過「共產黨幾十萬條破槍是算不得什麼」的豪語，而深明究竟的人，內心無不在叫：大官們是在說的囈語、夢話！共軍變本加厲，執行中共中央指示：中日戰爭是中共發展的絕好機會，決策「七分發展」，遂行其「槍桿子裡出政權」的最高指導方針。（民國二十六（一九三七）年九月二十六日毛澤東對八路軍連長以上講話。）其次，擴展實力，爭奪領導權，見毛氏關於「抗戰中地方工作的原則指示」。根據民國二十九年五月四日毛文：「放手發展抗日力量，抵抗反共頑固派的進攻。」直接了當的指明：「在江蘇境內，應不顧顧祝同、冷欣、韓德勤等反共份子的批評、限制和壓迫，西起南京，東至海邊，南至杭州，北至徐州，盡可能迅速地，並有步驟、有計劃地，將一切可能控制區域控制在我們手中，獨立自主地擴大軍隊，建立政權。」而國民政府依然一味的「惟望其眞誠一致，實踐其宣言諸點」，這種呼籲，是充耳未聞，視如廢話一堆；法律軍紀與抗日禦侮的道德約束等項，恍似一陣輕煙；命令、提示一概不理，在蘇南的共軍陸續渡江北去，仍舊派遣代表要求經費、武器、彈藥、裝備的不斷補給。其逐一實現謀亂三個階段已很明顯；難怪冷欣將軍頻感頭痛，深覺陳毅之輩前恭後倨的眞是難纏。遺稿曾說：『在我所統轄這個小小地戰場內，正面是兇頑的日寇，側面是漢奸僞軍，而背後和敵我當中，又夾著這個匪軍，誠可謂抗戰中最複雜的處境』。沉痛斯言，感人肺腑。慣會使用「辯證」魔術與「鬥爭」手法的中共黨人，言而無信，僞而不誠是他們一貫哲學。就是顧墨三、韓楚箴等人面對詭詐伎倆，身受甚久，何嘗不加倍頭痛呢？

中共態度行爲益形惡化，假借向北行進爲名，擬先擊破皖南寧國縣境國軍三十二集團軍上官總部，再擊駐在溧陽縣屬山丫橋冷欣的第二游擊總指揮部，控制西起茅山、東至天目山，南依黃山的實行所謂「三山政策」，置「開赴黃河以北作戰」命令于不屑一顧，反而準備襲擊國軍後轉向蘇浙皖邊區流竄，再謀滲透京滬杭三角地帶大事發展。顧司令司長官於民國三十年一月五日，乘新四軍葉挺、項英向茂林三溪鄉附近攻擊國軍第九十師時，展開制裁，歷多日包圍奮戰，十三日結束，共軍傷亡約三四千人，被俘一萬三千餘人，軍長葉挺被國軍一〇八師六四四團團長李世鏡生擒，獲頒干城甲一獎章一座。而「新四軍」首要陳毅、早在蘇中鹽城，受任中共華東局軍事部部長，江北指揮部指揮官。而他曾經在泰興黃橋擊敗國軍八十九軍等部，致軍長李守維溺斃。（冷欣與他有親密友誼，且是黃埔一期同學）接踵發生在淮東曹甸戰役，所部曾受顧錫九的重整不及三個月的孤軍反擊重挫。蘇中先後兩役，國軍一挫一捷，差可抵銷；那是在皖南新四軍事件發生的直前。往往有人顛倒時序，誤為黃橋，曹甸的戰鬥，說是「新四軍事件」以後纔發生的事，那是大錯特錯的一件歷史性大事。

三十三年十二月二十五日，冷欣在陸軍總部工作，先任軍務處長，翌年調中將副參謀長。繼任行署主任的劉秉哲，（宿遷人、黃埔軍校三期畢業）曾任國軍五十二師師長。淅西、皖南作戰有功，後調第二兵團參謀長、二十八軍中將軍長，三十九年冬被害於蘇州東門外，年四十五歲。

四、蘇中創重禍深省府播遷

蘇南新四軍在茅山一帶活動的，是由陳毅統率的第一支隊。在二十七年底前，就由管文蔚（丹陽人）率一支小部隊渡過長江，在江都大橋與流落該地的方鈞武力結合活動，源源不斷擴張勢力，藉著各地潛伏的共黨份子死灰復燃；再經「新四軍戰地服務團」團長朱克靖，如同「社會賢達」一般，游說先駐睢寧後移泰縣的李明揚之間，實際拉線、溝通，期求得助。朱在北伐時，曾任國民革命軍第三軍黨代表，南昌「八一」暴動是禍首之一，失敗脫走，一度離開共黨成了「托派」，再到廣西教書，受到優遇；抗戰開始，中共集合「流亡弟兄」，他又重入共黨陣營，替新四軍做統戰策反工作。基於北伐時他與李明揚一道打倒軍閥的同志關係，攀龍附鳳，鼓其如簧之舌，以老油條的姿態，放蕩形骸的言行，口口聲聲說不是共產黨，也非其他黨籍，無黨無派。有時，還故意挑剔他所在的新四軍一點小毛病，讓李明揚親近他，相信他，也讓李的重要幕僚不致排斥他，懷疑他，著實在李的雙重官銜：魯蘇皖邊區游擊總指揮，長江下游挺進軍總司令的關係中，遊刃有餘。以李明揚在國民革命過程中的資歷，該有作爲，北伐時做過支隊長、一度幹過師長，江蘇省保安處長，抗戰開始任江蘇九區督察專員，加有二項重大職位—總指揮、總司令。惜在其表現上顢頇無能，罔顧大義，視粗野的李長江爲唯一心腹，任其投降做僞第一集團軍總司令，暗通款曲。配合日寇進攻興化省府，黨政軍民俱受損害；復再續擊移駐淮東的省府駐地，敵僞交攻，共軍襲擊，在多重險阻艱困中，迫使江蘇省政府流亡皖北，與二李的行徑均有關連。記得民國二十七年，李明揚就曾招撫收編地方土匪五千餘人送往泰縣，固然，銅睢邊境得告一時的安寧，泰高地方民衆卻大受擾害。由於李的迷糊而不善帶兵、練兵，更不知用兵的；根據勝利後朱克靖編撰的，敘述新四軍在蘇北發展經過小冊，說明：『共軍由蘇南發展直到蘇北，全靠李明揚的支援掩護，尤其是泰興黃橋之戰，八十九軍的挫敗，李的部隊與共軍的部隊，等於一致行動，方有此一幸運』。所以，軍中前輩視李是一「老賊」，偏重他的個人私怨，甘作共軍的內應，並替他們佈置大江南北的交通線，及後廁身和談代表而至淪落降爲附庸以迄老死，實在有損他的一生歷史與人格。其實李氏促使中共陳毅的坐大，禍延何止整個的江蘇？星星之火，竟成燎原，執筆於此良用喟嘆。

江蘇省政府在淞滬會戰方終，南京保衛戰正在進行，敵軍已越常州，分向鎮江、蕪湖，以奪取南京為目標的瘋狂進犯，難民顛沛流離的困苦窘況，目不忍睹。省府易長，由顧祝同代替陳果夫兼任主席，先駐揚州，指揮渡江轉進部隊，停留三日，將省府遷治淮陰，由民政廳長韓德勤代理主席職務。顧韓兩將軍均係蘇人，非少數人說的「小同鄉」。顧是漣水佃湖人，韓為泗陽洋河人；江蘇陸軍小學同學，韓高一期，同期畢業（四期），正值武昌起義後，兩人志同道合，獻身革命，且同為保定軍校同期畢業，民國十年後，追隨蔣公始終如一。但韓絕非終生只是顧氏的幕僚，惟惺惺相惜，從幼到老，情誼深摯，一本道義，相互扶持。韓於二十八年十月眞除江蘇省主席，兼江蘇保安司令（昔曾任江蘇保安處長），就其熟悉江蘇現況，了解江蘇情勢，將所屬國軍第八十九軍（省保安團與淞滬散失的國軍併編組成），以三十三師駐守淮陰以南運河沿線城鎮，疊與日寇僞軍交鋒，師長賈蘊山、黃埔一期，治軍嚴格，個性剛烈，在保安團長任內于淮屬肅靖土匪時，就曾與行政督察專員王德溥（遼寧省）協調欠融，改任楊蔚繼任（河南省、黃埔四期生）。抗戰血戰，敵衆我寡，硬拼死鬥，傷亡慘重。多少異鄉愛國青年與蘇省的智識份子，遠從武漢、西安，瑞金、潢川等地為殺敵欣然返歸，在所熱愛的土地上，流下最後一滴血的，比比皆是，其中也有女性。民衆在炮火與炸彈殺傷中，頗多為著爭取民族自由，而毫不顧及身家性命。淮北睢寧、宿遷由一一七師三五一旅旅長顧錫九率七〇一周道伯團（浙江諸暨、黃埔生）、七〇二紀毓智團（宿遷人、黃埔生）兩團，固守睢寧縣城，在大王集一戰，抗拒徐州之敵的裝甲車八輛，坦克車三輛的兵力，顧旅官兵忠勇善戰，誓死不退，終至肉搏，連長黃得勝暨排長俱相繼陣亡；由左手負傷的特務長水易佳，用他右手投擲手榴彈，督飭餘存的士兵繼續戰鬥，終於敵軍竄逃，傷亡百人，國軍繳獲步槍十餘支，水特務長越級晉升連長。彼時，駐泗縣（皖東委由江蘇代管）的三十三師一九七團團長馮公武部（阜寧人黃埔五期生），一九八團劉振黃團，相率來援，強敵阻截援兵，演成巷戰甚烈，在敵機轟炸與坦克炮火交相攻擊中，國軍官兵傷亡甚重，致縣城於黃昏時棄守。是役，官長陣亡十一人，士兵四百二十六人，負傷官長十二人，士兵一二六人。憶及顧錫九將軍生前常對水易佳的爲人忠烈，譽爲英雄好漢，是國軍一一七師的典型人物。按：水是貴州水縣人，彝族。曾受師範教育，志願從軍抗日，任特務長時，左右兩肩各背圖囊內裝錢鈔，一書「民脂民膏」，一書「血汗得來」，公私分明一至於此，沉穩勤懇，爲國爲民死於戰場。如今伏案執筆，猶仍懷念易君的忠勇愛國事蹟與其健壯的身影一如昨日。

其後，裡下河一帶城市鄉村，水網沼澤，均仍在國民政府所編組的保安團隊控制當中，通、如、啓、海廣大地區亦復如此。少數地區的點線，雖遭敵僞控制，但無法贏得民心，誠如一盤死子，日寇是無法靈活運用的。惜乎國軍控制地區凝聚黨政的合力不大，保安團隊紀綱不整，在共黨滲透僭入作威脅利誘、加之「武裝工作隊」的深入民間，運用地下黨展開活動；而地痞流氓，本是牛鬼蛇神，經共黨的大力捧吹，鬼竟然成人，大紅特紅，善良人士一入「黑榜」，暗澹無光，無法立足本鄉本土，致使共黨武裝新四軍惡勢日漸瀰漫坐大，口口聲聲宣稱：「國軍新四軍是抗日的部隊，誰反對抗日就是漢奸，誰反對新四軍就是漢奸」的論調。漢奸是人人得而誅之的，這是全民的共識，由此封住敵後人民的嘴吧，威脅一些明哲保身的人士，從此噤若寒蟬。共軍自從黃橋得手，滲透分化，擴展地區日廣；曹甸曾受挫敗，終獲得南進的八路軍源源支援，侵入運河東岸一帶，日張其勢後，新四軍表相紀律嚴明，有人誇讚是：「不住民房」，「不拉伕」，「不派船」，「公買公賣」，作爲幌子來哄騙無知鄉愚，尊稱地方父老是「開明士紳」、笑面迎人。舉行群衆大會時鼓勵發言，有以三頭主義的「磕頭」、「搖頭」，「殺頭」相詢，觸動政委的勃然大怒，追問此話何來？士紳遭受拘禁磨折，罰款購槍，贈糧贖罪，結果還得逃離故鄉，免遭殺害；其清算鬥爭一套方式，苛暴不仁的種種事實，絕非短文所可盡述的。

省府在強敵壓境下，還得掙扎生存。先由淮陰遷到興化，敵我于臨澤鎮血戰後，攻打興化，被迫遷駐東台。專賴後方派遣飛機，按月飛臨擲送薪餉，另則精選部隊潛越津浦鐵路步向阜陽接運彈藥，並常利用船隻組成交通大隊，僞裝石灰毛竹輸送，往來蘇中和溧陽之間領取械彈；官員出入自由地境，均須穿行敵僞或共軍區域，敵僞「大檢問所」的翻箱倒籠，給錢消災；共軍「民兵」盤查，非通行證莫渡，那時危殆震撼的生存過程，想來令人心悸，無不捏著一把冷汗的在過著敵後生活。

蘇省處在敵後，二十九年開始愈趨複雜多變，李明揚態度曖昧，其副總指揮官陳泰運獨善其身，汪精衛粉墨登場後，大肆拉攏不能稱心的游離份子，紅眼睛綠眉毛的三山五嶽的投機人士，興風作浪，弄得兼魯蘇戰區副總司令的韓德勤將軍所做的蘇省主席，在這樣一個錯綜複雜的局面下眞是難爲。東南臨江瀕海的通、如、海、啓的抗戰武力互相傾軋，當時有：上海浦東的一支忠義軍第四縱隊，渡江駐南通的呂泗，原屬流散的東北軍系，由黃埔四期張大同率領，和保二旅張翼火拼，互不相讓，經由省府調解，調到呂泗、海福，接替保五旅的防務；張大同在浦東土著大隊挾持下海，重回蘇南。剩餘的支隊長徐承德、李文元，閻增所部改編，成爲魯蘇戰區蘇北第二縱隊，由蘇省保安五旅旅長孫信符兼任司令。保安第十旅旅長張能忍與孫私交篤厚，駐地接近，汪逆曾派孫爲「和平建國軍第六路總司令」，張爲副總司令，並規定運送彈藥路線以及臂章符號樣式、旗語、燈語、號音等等。孫是黃埔三期生，漣水人，並未接受汪的勾搭上了賊船。（孫氏仍健在臺灣，張氏後爲部屬所戕）。其他部隊，尚有兩淮稅警總團，原在蘇中沿海緝查私鹽，司令丁國欽本草莽人物，無所作爲；棉墾公司自行組成的實業警察總隊，一度由顧錫九兼任指揮官，居思宜任政治部主任（中統幹部），防衛海濱墾區，指揮部駐在大中集。呂泗港駐軍的保二旅，旅長是桀傲不馴的張翼，依仗自己是日本士官畢業生，阜寧人，曾任中共「紅軍」的師長，反正來蘇任副師長，目空一切。保二旅本是兩團約三千人。張卻不遵命令，在啓、海、鹽、阜大事擴充，軍紀蕩然，擾民特甚。驕兵悍將，遭到韓氏扣押改編（獨臂英豪「吳獨膀子」壽泉接管，撐持勝利戰敗被殺）。另一旅長何克謙，如皋人，防地泰興黃橋，被新四軍侵佔自動後撤，軍紀廢弛，同遭扣押，均在黃橋事變後，於興化經軍法審判處以極刑；公務員中尙有一縣長也被判死，確實算是韓德勤任內大發的一次虎威。試讀韓氏對黃橋事變始末的自述：「我當時負責蘇省軍政大計，眼看新四軍勢力不斷的猖狂擴大，八月陷黃橋、九月佔姜堰，十月初對我所屬部隊展開包圍形勢，使我感到只有集中全力作孤注一擲，來殲滅黃橋匪軍，或可死中求生打開一條生路，否則在匪軍逐漸縮小包圍圈的情況下必無死所」。韓氏又說：

「當初我的計劃是想以第八十九軍李守維軍及獨立六旅翁達所屬擔任左路軍，並以李明揚所屬的三個支隊及蘇北游擊指揮官陳泰運的部隊擔任右路軍，但是由於李明揚與陳泰運兩人均與匪軍有所勾結，採取中立態度，使我的計劃難以實行。」韓氏原先如此的佈陣，頗似民國十四年革命政府東征的作戰佈署重演，只是時空不同、人物非是，結果迥異，不無浩嘆。韓氏又說：

「不得已之下，我只有令第八十九軍軍長李守維，率第三十三師、第一一七師及獨立六旅單獨行動，而改以獨六旅為右翼。」作戰開始，是民國二十九年十月一日直到六日戰敗結束。再看：

「我是自九月三十日下達攻擊命令，開始對盤踞黃橋的匪軍加以攻擊，初時我軍進展得十分順利，到十月四日，左翼一度攻入黃橋，右翼的獨六旅也進至黃橋以北樊莊、邵莊、張莊一線。只可惜功敗垂成，五日，匪軍後援源源而至，猛攻獨六旅，使該旅在彈藥不繼的情況下向後移動，同時左翼也被匪軍衝入，師長孫啓人被俘。最慘的是中路軍第一一七師第三四七旅也因彈藥用盡，被匪軍突入，軍部被衝散，軍長李守維及旅長翁達皆不幸殉職，一時間部隊頓失重心，撤退時陷於一片混亂，損失極重。」

從黃橋一役的戰鬥簡報中，韓氏勇於承認失敗並未隱諱。據有關人士透露，負實際指揮的是副總部參謀長郭心冬，計劃作為欠週，對共軍戰法與兵力運用粗疏大意，部隊輕敵燥進，毫無構工防守的準備，既沒有總豫備隊以資增援，更無糧彈的後勤充分供應，草草上陣，由竭而衰，難以抵禦共軍人海戰術的猛衝硬攻。不僅軍長在敗軍中抓著馬尾渡河溺斃，獨立六旅旅長掏鎗自盡身亡，軍參謀長犧牲，師長旅長被俘、受傷；團長陣亡多人，傷者多人，官兵損失，武器丟失想像可知。但是，第三四七旅旅長對軍部的安全維護，竟沒有一點責任？臨危竟任其軍長去自尋安全處所而不全力保衛，同袍同學之情，置之不顧，親愛精誠云乎哉？事隔五十多年的往事，仍是要人心懷悲愴的。

陳毅、粟裕以戰勝態勢，又再攻陷姜堰和東臺，省府只好退守興化。南下的八路軍彭明治部，也於十六日攻陷阜寧，繼抵鹽城，使韓氏所屬部隊處於新四軍及八路軍的兩面夾擊包圍圈中；須知，這僅是國軍在抗戰期間艱險孤立在敵後的一例而已。

未及三月，日寇偽軍又猛攻興化西側，一一七師在子嬰河邊仲家寨、時堡防地應戰；共軍更集中十五個團兵力，猛攻曹甸與其附近據點，十二月一日至十六日的防守戰中，終將來敵擊潰，恢復軍的番號，顧錫九軍長與三十三師姜雲清師長等，俱有功於是役，蔣公特曾親電嘉勉。

紛亂正可考驗人心，最顯著的，高郵保安團團長何林春（湖北人）、獨立團團長吳曾育（江蘇人）率部投偽，脫離抗戰陣營，甘心認賊作父，加入漢奸行列；其他各地的保安團隊，也有類似叛離的事件發生。

日偽藉掃蕩為名，燒殺搶掠，擴大災害；年初，敵機轟炸金吾莊八十九軍軍部，白副參謀長等數十人殉難。接著最離奇的，李明揚指使殺死他的秘書長盧印泉，據說：洩露李的捏造戰報邀功事跡。

還有，三民主義青年團直屬蘇北區團書記唐旅成，曾經擅組抗日青年總隊的武裝，遭到解散改編，而唐本人和他的隨身勤務兵，在沙溝附近航行途中，遭到便衣人員攔截槍殺致死。是項慘案何人主使與被殺原因，由於黃橋事變，就此始終成謎。中央再派劉穆菲由渝返蘇履新，重整組織。這些風起雲湧，不該有的事，俱發生在民國二十九年間的江蘇省境。駐在興化的省府，於三十年四月在敵偽圍攻中北移，此後重點侷限於鹽、阜、淮、寶的邊境，所謂淮東地區，仍是弦歌未輟。軍校蘇幹班，省訓練團照常教育訓練，形成一個蘇中敵後二年的小康局面，三十二年二月，卻發生激烈的大變動。日寇十七師團、獨立十二旅團與貫穿偽軍採取包圍反復掃蕩戰法，雙方傷亡均重，八十九軍一一七、三十三師，五十一軍的一一二師部隊，運動於淮、泗、漣、宿、睢間，日日夜夜分遭日偽與共軍襲擊，苦戰月餘，奉令由皖入豫，另有任務。韓主席率領副總部、保安三縱隊王光夏、獨立六旅李仲寰忘身奮戰，援軍不及，於三十三年春，在睢寧大李集駐地，與共軍數度交鋒，傷亡官兵二千餘人，王司令與其兩團官兵成仁殆盡，李死、獨六旅只剩蘇祖武團，邊走邊戰，由黃炎率往銅山縣境，以至勝利，重有新的考驗來臨。韓德勤主席越過津浦路會合省府廳處人員，先到太和再至阜陽辦公。寄食鄰省，辦學校、練部隊，遙控泰東、灌雲與徐屬軍民，歷經憂患，堅持抗戰。三十四年一月，奉調第三戰區副司令長官離職，由王懋功將軍續任主席。

五、蘇北拼鬥處處血淚斑斑

民國二十七年三月七日起，經八晝夜鏖戰的臺兒莊國軍大捷；位在魯蘇邊陲，緊靠蘇北邳縣，日寇坂垣、磯谷兩精銳師團主力三萬人被殲，蔣委員長電勗全國軍民：「聞勝勿驕，聞敗勿綏，奮鬥到底」。國軍第二十軍軍長譚道源在徐屬邳縣運河鎮（又名大榆樹，設有師範學校）殉國，岔河鎮敵我激戰，國軍團長莫肇衡、董文英、嚴家訓戰死。隴海路東端的連雲港碼頭，被我方自動破壞；五月初，日寇又進攻魯西的荷澤、魚臺、金鄉失守，黃口吃緊，南北會攻包圍徐州。政府為期貫澈既定抗戰方針，艱苦努力，奮鬥到底，期望達成最後的勝利，國軍張自忠、孫連仲、湯恩伯、王仲廉等部，血戰支持，反復肉搏，盡到守土抗敵的責任；一一三師王銘章閉城死守，終在滕縣陣亡；徐州國軍安全突圍轉進，留下來的長期抗戰的重任，賦予蘇北地方軍民自力奮起，中央殷切希望的，無負歷史、無負國家、無負全民的重責大任，一肩承擔。

徐州自古即是四戰之地，兵家所必爭，兩路縱橫駛行，益見位置重要。（勝利後始將銅山縣屬第一區劃成省轄市），地當黃淮平原，由豐、沛、蕭、碭、邳、宿、睢、銅八縣交錯左右。位居華東，東瀕黃海，有連雲、東海、贛榆、灌雲、沭湯等縣市，是為海屬；南綰江淮，有淮、淮、漣、泗諸縣暨裡下河廣大水網地區一脈相連；該一地區在地理形勢與民情風俗上，自與蘇南、蘇中稍有差異，人稱蘇北。重心徐州，西控豫皖，北扼齊魯，子房、雲龍、臥牛、九里四山環峙，京杭運河與黃河故道縈迴，民性剛毅曠達，質樸不文，具誠信強悍風格。雄才輩出，漢帝劉邦，楚王項羽，固為一時之雄。民國的徐樹錚、王懋功、王仲廉、王敬久、賈韞山、方先覺，名聞全國。抗戰既起，碭山宋化純、邳縣周漫萍、睢寧黃相忱、銅山耿繼文、楊昉，宿遷訾鐵漢、魯同軒等，貢獻良多，非僅以其名位而稱道。八年抗戰，四年戡亂，堅持中心信仰，刻苦奮戰的精神與作爲，將永留青史；其不屈不撓，有敵無我的奮鬥，徐屬人士中，何止萬千？歷程艱辛，苦難倍嘗。根據文獻資料與友好談論所及，深感蘇北人士發揚民族正氣事蹟，諸如九區行政督察專員董漢槎、副司令董鐸，後由馮子固繼任專員，黃體潤任司令，領導有方，民衆樂於配合，團結一致，抗戰反共，在表現與成就上，卓著賢能、壯烈，堪資表率。

六、永不屈服的頑強戰鬥

(一)在銅山：

銅山耿繼勛陸軍官校軍訓班畢業，他的抗戰功業，不因他在徐蚌會戰跟隨轉移的國軍全部犧牲而無聞。渾號「耿聾子」一門忠義，以頭顱鮮血與日僞共軍持久周旋，保有蘇北一片乾淨土地，建功至偉。協助國軍與鄰近各縣，甚至魯、皖、豫省，毫無軫域，於危亡中求生存，從戰鬥中謀發展，總計十年之間，與敵僞作戰一百九十三次，傷斃敵僞二千餘名；與共軍作戰一百二十四次，敵死三千人以上。最著名的戰鬥有：馬坡圩、林霍橋、腰裡王莊、千里井、唐寨、李丹樓、草樓等役。耿的子弟兵壯烈成仁者二千多人。享有「徐屬長城」，「蘇北一人」的聲譽，對耿氏來說，絕非虛譽。行政院院長陳誠，頒發臺四十人〇五一五號褒揚令，長昭壯烈耿氏捍衛鄉邦的勛功。銅山徐州一體，能夠生存發展於敵後衝要，確屬可貴難能；就其抗敵重大措施，不妨略述：

一、挖路成溝，溝溝相通，成路溝網，阻止日寇機械化部隊的活動。這種深入地下的人工路網，分有區道、鄉道、村道；按著地形和作戰的需要，單溝便於行軍，雙溝利於作戰。在平原作戰，利用地形構工的最佳傑作，莫過於此。

二、建親民村，成抗戰基地，並視爲預卜的佳城—「去此一步，即無死所」。最初在接近豐縣、沛縣、碭山的邊區建築容納四團官兵堅強據點，一個指揮部，儲存糧秣軍需。臨黃鎮、勝利砦、陸莊等據點群，都築有堅強堡壘，利用銅山縣境西北黃河故道，只距徐州市區五十華里；復在外圍三座樓、敬安鎮、陳樓、許莊、草樓、丹樓等處，構工分兵拱衛，後馬家築有堡壘、邳、睢、靈璧等縣黨政軍幹部，移此辦公。抗戰期間，雖經共軍數十次的大軍侵犯，均予嚴重打擊，始終未讓共軍一兵一卒突入銅山縣境，發展其叛亂勢力的滋長，尤非易事。

耿氏並獲頒軍事委員會榮譽獎狀一紙，華冑獎章一座，銓敘部令頒：武職陸軍少將，文職簡任八級，是鐵血衛國的一生殊榮。

㈡在邳縣：

邳縣在抗戰期間，縣長更調達十一人次，歷任兩任縣長的王化雲，不幸終遭共軍殺害。戰史所載的臺兒莊大戰，於距縣城四十五里處展開，當其時地，砲聲震天，硝煙瀰漫，屍體遍野，血肉橫飛，加之，敵機轟炸，機槍橫掃，城內及城北，彈坑累累，西北各鄉民舍財物，全部燬壞。大戰過後，遺棄械彈很多，地方武力各自爲政，終被僞裝抗日的共軍東進支隊梁興祚所乘，中央派遣的電臺工作人員李廣厚等二人竟遭殺害，棄屍沂水河邊。縣保安團隊處在前抗日寇，後受共軍偷襲下，縣城四次得失；他如：宮湖鎮的抗日戰鬥，檢查遺屍符號，係屬日軍「海鳥部隊」。共軍魯南軍區司令員張光中（沛縣人），曾集臨沂、郯城、嶧縣與邳北的部隊三萬人，進犯山東保安旅與邳屬部隊，辛縣長玉堂選拔奮勇隊四〇〇人，各帶短槍及手榴彈，並配有輕機槍，繞道背後向其指揮部猛撲而令其倉皇撤走，邳縣軍民傷亡五十餘人，共軍損失十倍之衆。出其不意，攻其無備，偷襲獲致勝利，給予破壞抗戰的共軍當頭一棒，也是邳縣人士厭惡中共的具體表現之一。

古邳是在縣南，黃墩湖西，鄰近睢寧，曾有一次夜襲猛攻，共軍紛紛鼠竄，邳縣行署主任魏復彝、劉德彰先後殉職；縣治是在隴海路北，台棗支線的東北、沂河之濱。城北洪福山，有廣州起義的黃花崗七十二烈士之一的徐國泰墓地，並有紀念中學一所與省立運河鄉師齊名。碾莊曾爲舉槍自戕的軍團司令黃伯韜將軍死所，黃將軍治軍嚴明，從不擾民，抗戰勝利後，國共兩方的軍事行動，愈演愈烈，黃伯韜將軍，於民國三十七年，由運河撤至碾莊，沿隴海鐵路佈防，共軍十個縱隊，跟蹤血戰十日；此地距徐州不足百里，始終未得友軍的一兵一卒救援，黃將軍所部彈盡援絕，官兵傷亡殆盡，隨著部屬步上黃泉之路。邳縣居民自告奮勇，舁送黃將軍的遺體護移南京，他的靈魂永遠留在邳縣的藍空，永遠活在蘇北人的心底深處。彼時負責指揮的劉峙已歸道山，被俘的副手杜聿明釋出在美，也已垂垂老矣；其功過得失早被世人遺忘淨盡。爲國而捐軀的黃伯韜將軍將長留青史，永垂不朽。

(三)在睢寧：

睢寧軍民於二十七年秋，開始與日寇對抗，歷經八載。二十九年春開始，新四軍在韋國清率領下，自洪澤湖北來，向地方團隊挑釁，圍攻魯蘇皖邊區縱隊劉耀庭部，三十年七月二十五日，經魯南下的八路軍南進與東進兩支隊計五個團，勢力擴大加強，專以襲擊與日寇激戰後疲憊尚待整理的地方團隊，田河、王集戰鬥是典型的例證，致地方疊受損害。他有武莊、陳樓、單莊、胡巷、高樓等地，均如出一轍，以致大部鄉土被共軍強奪竊據，地方團隊苦撐維護的少數據點，不久悉皆爲其摧毀，反共軍民犧牲慘重無與倫比，惟仍不屈不撓，前仆後起，逞其蘇北的強悍民風。

在抗日戰爭中，有足述者，睢地軍民破壞日寇交通動脈的隴海鐵路，襲擊海鄭公路日寇輸運計達四十餘次，境內戰鬥百餘次，所獲戰果是斃傷敵軍無計。他如：鐵軌、枕木、汽車、戰馬、物資、俘虜，皆是屢有所獲。不僅抗禦日寇進行游擊戰鬥，且疊作陣地戰，頑強戰鬥英勇堅決；而對共軍的叛亂行徑，絲毫也不稍予退讓，以牙還牙，求得在敵後的掙扎苦鬥，活得下來。

愛國志士紛起從軍報國的，有：陳鶴卿、陳彬三、武夢岭、趙鍾矩、王超波、武維伍、朱照然、許振藩、胥善珮、王雲文、王東民、李樹民、李秀嶺、李在雲、姚志遠、徐懷遷、朱澈、葛仁德、葛瀛洲、陳文令、陳香山、胡祥五、尤粹亭、徐震亞、蔣春靄、周介人、劉毅生、王愛春、李雪如、朱占標等，滿腔熱血、奮勇殺敵反共，戰死者多，存留者少，均有著一段無愧無怍的光榮史實，堪資錄記。較著的，如：支隊長王騰霄、周新甫、縱隊司令沙克龍，游擊司令高雲飛等。戰時英雄，睢地豪傑，保衛河山，抵禦外侮，功在地方，忠愛國家。而壯烈犧牲的縣長朱伯鴻、曾任睢寧教育局長，民國三十二年間，支撐危局迄至三十四年五月間他撤戰死，全縣始入魔掌，總統曾明令褒揚，入祀忠烈祠。

睢寧在抗戰時的傳奇人物中，值得一記的黃相忱，他幼年外出從軍，閩省兩度出任縣長，抗戰返鄉，任自衛總隊長，負責城防，維持秩序，後調淮安、江寧縣長，來臺服務社會，頗著表現。二十七年，睢寧失陷，土匪遍起爲害地方，政府採用招撫方式，派黃相忱爲招撫委員，授給全權；在睢、宿、泗三縣邊境竄擾的，內中有富家紈袴子弟夏鑠武，流爲江湖人物，成爲匪類擁戴的首腦。歷時四月始全部就範，將劉厚業等三十餘股二千餘衆，編成一個特務團，夏任團長，開往淮南，最後惜竟投入汪逆的懷抱。當時固減輕三縣邊境人民的痛苦，卻反增加蘇中各縣的社會不寧。統馭無策，紀律蕩然，江都、高郵人民尤有深痛。黃相忱的傳奇傑作，是他始料未及的，該項招安工作，反成爲他抗戰期間的個人唯一餽事。

(四)在宿遷：

改變地形，深入地下挖溝，也是宿遷縣境抗日的一項奇特措施。挖路成溝，西與睢寧，東與泗陽，沭陽銜接；以縣城作中心，向外成輻射狀；尤以西向徐州，東向東海，各達五道。西面，北自南岸支河口，西經楊集、蔡集、耿車、三棵樹、再向埠子集、洋河、歸仁集；另向泗陽、沭陽亦掘成弧形壕溝多道。雖然，勞累民力，卻利於防衛警戒，成爲地處平原，在無險可守的作戰期間卻是一項特別工程。

二十七年五月，日機一至七架不等，首先轟炸城廂，婦孺老弱遭殃，時國軍三十三師一九八團長邑人劉振黃團長、連同九區保安副司令董鐸率弟董鼎銘縱隊千餘人駐防城廂，日寇北川聯隊，附有飛機、坦克、自睢寧東犯，戰鬥開始，砲火猛向城內盲射，董副司令腰部負傷，一九八團一營官兵，予以迎頭痛擊，雙方傷亡均重，復向縣保安團隊進犯，縣長魯同軒、大隊長司兆金負傷，特務長蘇鐸中、傳令兵朱自友陣亡。稅警第三團、師工兵營、五十七軍一個旅又兼程來援，由三十三師賈韞山師長指揮接戰，稅警團長胡文成少將，一九八團上校團長劉振黃、中校團附吳紹文成仁，官兵死傷千餘人，渡河溺斃者亦衆。於轉進時，保安分隊長趙志遠殉職。此後，在歸仁集、蔡圩、羅圩、窰灣、牛灘、新店、仰化集、趙莊等地，先後抗拒敵偽侵擾，伏屍累累，發現敵兵富家勉、黑島三郎與偽特務機關長邵令偉等人名姓，並獲槍彈無數，我死亡九人。國軍五十七軍一一二師兩路迎戰來犯日寇，郭營長部屬張連長在密集砲火下赤膊指揮作戰陣亡，全營官兵僅營長一人得脫，餘皆壯烈殉國。於此，情勢失利中，日軍大力進犯，迫使省府由淮陰東移興化，運河一線被敵貫通，沿線的淮陰、淮安、寶應、高郵等縣城，相繼失守，時在民國二十八年的農曆年初，是國軍與日寇在蘇北敵後最慘烈的一次大搏鬥。

共軍乘機蠱惑滋擾，宿遷保安旅團在五華頂、亂王、篩子一帶，經多次纏鬥，損失至大，營長仝玉成、連長徐步益在悅來集與共軍作戰陣亡。二十九年九月初，共軍黃克誠、羅炳輝、張愛萍、鍾輝等部，糾合淮、海、魯南一帶土共，散佈於淮陰、漣水、泗陽、沭陽一帶，中秋翌日，新四軍第三師遠道奔襲，結合淮泗土共，與宿遷保八旅十五團三營王斗山部在翰林莊外圍發生激戰，二營致遭衝散，五營且戰且走，向北撤退。僅駐水莊圩黃永生營憑險據守，竟日激戰並支援翰林莊戰鬥，因援軍不濟突圍於砲火熾烈中；貴州省人魯副旅長德昇帶領縣府，縣黨部、旅部非戰鬥人員東衝，中彈陣亡，死難的尚有王誠志、蔡崇禮、張文元、魯毓藻等多人，共軍遭擊斃三十餘人。縣保安旅後隨一一二師霍守義師長所部，移防淮安東鄉涇口鎮，（位於鳳谷村、車橋、曹甸間）千餘官兵改編爲江蘇省保安第八團，魯同軒專任團長，旋又編爲國軍八十九軍三十三師一九三團，團長由王宗翰接充，魯調阜寧縣長，團指梁問源，係於三十二年大轉進時戰死。

宿遷縣長李如風，三十年三月由徐州東進，在徐油坊駐地，遭遇洪澤湖共軍劉震遠程突襲，不幸中伏殉職，所部傷亡殆盡。另縣獨立大隊長李汝烈，率部三十五人，預伏駱莊襲敵，日寇小隊長及士兵二十餘人猝不及備悉被擊斃，惟李受制於日寇援兵頑抗，重傷自焚，隨同犧牲有數十人，皆力戰陣亡。他如劉子聲支隊長，被共軍俘獲，備受凌辱拷打，不屈成仁。類此英烈壯舉，殺敵反共者衆；其中被日寇慘殺的，有：徐毅城、于大哲、于大中，俱爲地方縉紳，徐氏七十餘高齡，終未得免，日寇殘暴甚於豺狼。鄉人戰死他地的，有中將師長孫明瑾、中將軍長劉秉哲、縱隊司令馬男、團長蘇祖武等一四三人；另戰死於宿北臨陵、南潤、宿南歸仁、北橋等地，慷慨赴義者動逾百千，名籍難考。慘烈超群的，如：鄉自衛隊長戚毓英，被共軍虜獲，以繩索繫其兩脛，用牛拖曳，約行五十華里，血肉模糊，復遭槍殺。其暴其酷，相與遭遇雷同手段者，誠不勝枚舉。

(五)在豐縣：

臺兒莊大捷後，日寇繞道濟寧，直撲芒碭，包圍徐州，豐縣首當其衝，燒殺劫掠，廬舍成墟。董玉玨縣長和他的主任秘書黃體潤等，號召同胞，組軍抗戰，於是，組訓民衆，構築據點，挖路成溝，充實軍備。初用避實擊虛戰術，積小勝爲大勝，並爭取僞軍反正，化阻力爲助力，日寇雖佔點線，廣土衆民依舊傾向我中華民國政府，效忠國家，悍敵龜縮，汪僞斂跡。並保障魯省與大後方的交通，掩護國軍輸運彈藥，籌糧療傷，克盡後勤責職。詎料中共在二十七年抄，即由蘇魯豫支隊長彭明治，政委吳法憲所部數千人，竄據蘇魯邊境，陰謀擴張，始則僞裝抗日姿態，煽惑人心而隱蔽其惡質，得以擴充武力，再則併吞地方自衛力量，破壞體系，劫殺我基層黨政人員，僭立政權；在民國二十九年六月十四日，秉承毛澤東指示，向豐縣數處地方武裝夜襲，戰鬥激烈，雙方傷亡均重。自我膨漲大力發展，造成同室操戈，無異遲滯敵僞敗亡的命運，用心險毒，造成中華民族大難。統計十一年中，相與日僞、共軍作戰三百餘次，殉難黨政軍幹部，有中國國民黨豐縣黨部書記長兼參議會議長彭世亨、三民主義青年團幹部謝光第、謝光前、縣府秘書蔣顯琮、科長彭繼亨、地方行政幹部李坤若、彭元仁、許汝嗣、李旭辰、李星浦、孫鵬飛、蔣廷燧、穆伯仁、程守祥。武裝幹部劉萬俊、關玉平、包承宗、司增謙、丁基亮、孫立坤、劉萬仞等，愛國民衆殉難的竟達三千餘人。

豐縣民性忠厚、純樸、篤實、崇尚氣節、不畏強暴，平時安分耕讀，戰時冒險犯難，小康之家多有槍枝自衛，富戶村落多築圍寨保護，因之，抗戰初起的豐縣游擊部隊槍彈，十之八九均出於農民自帶奉獻，民國卅年後，方向阜陽領取。當時，組織突擊隊、狙擊手、爆破隊，並自造械彈，發揮制敵效用頗鉅。歷年戰役，如民國二十七年，有：二度收復縣城、陳莊、渠樓、後孫樓、米陳莊、王大莊、郜廟、王堂、崔莊諸役。二十八年便集、李寨、楊樓、陳三座樓、侯圍子、小劉橋、趙集、石樓、蔣單樓、趙莊集、王屯、戴套樓、趙莊集、隋新莊、食城、葦子坑；二十九年趙河涯、黑樓、胡樓、孔店、大劉集等役，均與敵僞交戰，互有傷亡。及之，二十九年六月初，共軍彭雄所部約五千餘人，盤據豐、單邊境，對地方武力攻擊，戰鬥分在孫莊、劉老莊、劉元集、趙廟、王雙樓、王小莊、劉大莊、王老家等地發生。同時，敵僞部隊也對豐縣游擊部隊不斷攻擊，如：金劉寨、丁廟、季莊、蔣單樓、張王集等處，經地方民衆自衛阻擊，截獲食糧、衣物並生擒與擊斃敵僞官兵，每次均不落空。三十至三十四年期間，與敵戰鬥計八十九次，斃敵俘敵，殺僞擄僞，疊有斬獲；且多次策動僞方步兵，騎兵集體來歸，加入抗戰陣營；其中並獲日逃兵毛內英雄一名，日本士官學校見習生，神戶人，厭戰出走。另：日軍小隊長田島及敵兵二名、僞中隊長侯廣生，俱觸地雷爆炸斃命。共軍襲擊地方武裝遭還擊敗逃的，有著三十三次；最著的，共軍楊勇率騎兵和步兵，疊經戰鬥，死傷甚衆。勝利後衝突益烈，幾至無日不戰，主要的是共軍在圖謀從槍桿子中奪取政權。豐縣烈士中經留有傳略的，董漢槎等五十六人，大都是由馮子固、黃體潤、董玉珏諸君，親見身歷其忠勇壯烈史實，分別撰述的，尤足珍貴，確是抗日反共的一段眞實的紀錄。

(六)在沛縣：

沛縣有嚴密的中國國民黨的組織，更由縣長馮子固兼任三民主義青年團的主任，於陷敵之初，一本強化組織，嚴明紀律，抗日、除奸，地方武裝首先建立第五戰區游擊總指揮部直屬第一支隊、保安團隊與警察隊，二十八年擴大第八縱隊五個支隊，官兵計八千五百餘人，保安團與警察隊擴編成旅計五千餘人。二十九年，由第八縱隊擴編成魯蘇戰區第二游擊區第一分區指揮部，兵力達二萬三千餘名，包括領運一、二大隊，負責遠去阜陽領取彈藥、輪運輪休，兵工三個大隊，設廠分任機槍、擲彈筒、手榴彈的製造；特務大隊負責爆破任務。在十一個年頭作戰中，戰役四百數十次，（與共軍作戰百餘次）重大的不下三十餘次。如：二十七年五月，堵擊南犯日軍與保衛縣城作戰，傷亡慘重；此後五年間，孔莊五段、小屯、師後樓多次戰火，純與敵寇作戰，雙方犧牲重大。迨至二十八年夏，共軍殘害民衆，破壞行政，阻撓抗戰，反對政府的陰謀益形暴露，因此，沛縣地方先由防共被迫採行反共路線。回顧共軍在沛縣藉其「青聯」、「農聯」等組織的掩護，擴黨建軍，地委郝某亦常在沛境指揮活動，三年間，共軍非法入境滲透分化，摩擦、衝突，愈演愈烈，終於演成兵戎相見，血戰於豐西、滕西、大蔡家。後四年中，「共軍」的「八路」與「新四軍」兵力雄厚，視徐州的一支孤軍爲眼中釘，必先拔之而後快，合攻沛、豐、碭、銅及魯省滕西地區，戰火蔓延三百里，時逾九十天，顏村、王莊保衛戰，徐屬地方武力部分守軍集體成仁，千里井擊潰共軍騎兵團；昭陽湖西岸的殲滅戰，夏鎭的爭奪戰與張集的殲滅戰，每一戰鬥殺傷慘重，遠甚於往昔。以致沛縣人民遭受敵僞與共軍的雙重夾擊下，慘痛犧牲，尤逾於他地。惜乎五十年前的傳播事業不盡發達，即有重慶掃蕩報特派記者深入敵後採訪，無如全球戰火正熾，在嚴格新聞檢查制度下，漏網新聞並不多見。國共分立，鬩門殺戮，其時手足相殘的悲劇，輿論極少作公正的批評，而新華社往往以其特有的宣傳伎倆，發佈新聞，淆亂世人視聽。

抗戰勝利後，沛縣地方武力縮編，保安旅編爲一個團，八縱隊併入沛縣保安團，九縱隊併入魯省魚台縣保安團，其餘官兵全部遣散，中共則反其道而行，藉機無限的擴張武力。馮天固氏以其親身經歷，曾透露他的感言：「領導袍澤，喋血奮戰，十年如一日，陣亡官兵三千八百餘人（登記姓名者四百六十三名）。河山變色，死者未盡撫卹之責，生者無力使得安身之所，流徙異鄉者，不可數計。」愷悌之懷，只能化作血淚。烈士留傳的，只有胡子良、吳品山、王錦銘、馮氏子弟十烈、張開嶽、申憲武等不及百人。客籍人士有冀、綏、黔、魯、湘各省子弟，愛國捐軀於沛縣的，計約八千餘人，所有死難者由馮子固氏在楊官屯地方闢有墓田入葬，如今存廢莫卜。

(七)在蕭縣：

蕭縣是徐州西方門戶，山地及河川約佔全縣十分之二；東部多山，岡陵起伏，河流較大的有岱河、洪河、減河、毛河、奎河、倒流河、大沙河、利民溝諸水，南流輾轉入淮。西北有黃河故道，明萬曆以至清咸豐年間，濁流洶湧流經該地，猶存故跡。岱湖廣數十里，水深浪高。津浦、隴海兩鐵路，行經縣境；復有國道海鄭公路，縣鄉道路，縱橫貫通。抗戰期間，民國二十九、三十年前後，日寇盤據縣城及黃口、楊樓、曹村等車站，並於重要集鎭設置據點，敵騎燒殺劫掠，極盡殘酷，全民陷於水火，施政至多威脅。城廂房舍火焚十者有九，牛眠一保近二百戶，集體被殺，逃脫不及三十人，婦女或姦或殺，甚至先姦後殺，殘暴尤甚。十年滄桑，縣長屢有更動，王雪琴抗敵殉城，劉瑞岐揭起反共旗幟，朱大同戰敗被俘，黃體潤全境得復，李公達力挽狂瀾，彭笑千棄職潛逃。其作爲俱與個人忠誠道德有關，然亦得窺其處境艱險困頓。

當民國二十七年，徐州國軍轉進，沿途抛棄槍械不下萬枝，加之，民間原有自衛槍械，經過組訓的民衆，編爲常備總隊，實行對日游擊戰爭；劉瑞岐號召同志，掌握武力，先任營長一職，並看透中共的種種詭計，對敵、僞、共軍展開兩面作戰，且與銅山耿繼勛部呼應互助。中國國民黨蕭縣書記王子石，驅逐悉聽共酋彭雪楓意旨之代理縣長許西連後，促使具有英豪、才智一身的劉瑞岐，躍升團長，三十一年秋出任縣長，兼蘇魯豫皖邊區游擊第三及第四十兩縱隊指揮官，縣政復現曙光，是爲蕭縣抗戰鼎盛時期。中共一本既定政策，大力發展組織，步步擴充武力，以遂其奪佔蘇南、蘇中，而統有蘇北的計劃行動。不意，共軍縱隊司令耿蘊齋、支隊長吳信容涉入托派不容中共，率部受編湯恩伯麾下，任蘇魯豫皖邊區游擊第一縱隊，有利於劉瑞岐縣長的開拓局面。及之，新四軍在三十三年自洪澤湖傾巢西犯，幾乎席捲全境，幸劉指揮官瑞岐及中國國民黨書記長路治久，同心協力，支撐艱危，重整武力，收拾人心，勝利後由黃體潤，接長縣篆，智德卓絕，文武兼備，縣治由臨黃鎮遷至黃口。

十年戰鬥，所歷艱險困阻，難以盡述。相與日寇僞軍英勇決勝的，如：突擊縣城及郭樓、羅里、大汪樓、吳蔣莊、縱新莊、趙魏莊、張集、小劉莊、黃口寨、杜老樓、謝樓、劉場、大徐莊等戰役。利用夜襲或拂曉接觸，蕭縣武裝常常出沒於四通的路溝，或藉青紗帳的隱蔽，兼得民衆的熱愛，如魚得水，攻防皆便。加之，豐、沛、蕭、銅四縣聯防，收互助互援功效。憶於民國三十年夏，共軍侵擾日盛，被迫遏阻，生擒共軍首要蕭新亭並俘其部屬多人，獲機關槍與步槍多枝，開反共戰鬥得勝的契機。陸續有小朱莊、蕭莊、迎風口等地大小戰事發生；其中，小朱莊一役尤爲慘烈。三十三年秋，共軍彭明治率部自津浦路東側西犯，企圖一舉消滅蕭縣武力，進而奪取永城、夏邑、即可控制豫皖三省邊區；動用萬餘兵力，採用以大吃小的手段，圍點阻援，輪番攻擊，縱隊司令王傳綬所部奮力還擊，白刃相接，反復衝殺，積屍纍纍。共軍並用全力猛攻戰法，劉瑞岐親率援軍受阻於瓦子口一帶。難得前進。兩日兩夜的激戰，小朱莊防地終被突破，王司令傳綬、大隊長郝祥雲、副大隊長縱精孝，隊長張長蘊等陣亡，官兵傷亡四百人，共軍傷亡倍之。三十三年十一月再戰於迎風口，混戰竟日，縱隊司令部官兵損傷過半，挺進軍總司令部副總司令賈韞山將軍，適時蒞臨宣慰，在戰情逆轉下，倉卒突圍，僅以身免；而劉瑞岐指揮官，幾欲拔槍自戕，幸經隨從簇擁上馬，循路溝曲折得脫。兩面受敵，是蘇北敵後撐持危局常有現象；統軍領政的長官，往往在激烈戰鬥中必須親臨，見危授命，表現凜然的正氣，總在堅持到底絕不稍屈的精神鼓舞，乃期有成。

蕭縣在抗戰期間，也曾發生一些傳奇性的殺敵故事，特爲略述：有袁金鈴、張慶白、孟昭才等十餘人，平時游手好閒，浪跡鄉里。日寇入侵，在縣境楊樓、黃廟、曲里舖等地地設置據點，袁等抱國家興亡，匹夫有責觀念，分別在黑夜潛入敵營，以快捷隱秘行動，擊殺日軍，奪取槍械，飄然逸去，弄得敵寇惶惶不寧。黃廟突擊，袁金鈴襲殺門衛時，爲其他敵兵發覺圍捕，糾成一團，張慶白急援，以短槍射擊，袁即疾呼：「下面是我！下面是我！」以免誤傷。慓悍沉穩，迅撤保全。每當攻襲時，俱是短褲赤膊，僅攜大刀短槍，匍匐接敵，他說：「鐵刺著身，僅僅皮破血流，沒有掣衣受阻的顧慮」，英雄肝膽，乾淨俐落。獨有孟昭才專喜隻身行動，先後狙殺日軍十餘人，獲槍十八枝，疊奉獎勵；每次均幸全身潛退。此項行動，十足彰顯民族正氣，大節昭然，惟亦足以鼓勵敵後人心抗爭精神。

(八)在碭山：

碭山全境一片平原，隴海鐵路橫斷爲二；地方游擊活動賴以抗戰的，厥爲黃河故道與城南由夏邑入境的減水河，沙磧土埂，相與敵人現代化部隊週旋。愛國家、愛鄉土的碭山血性男女，不因地勢平衍，稍有徬徨懼畏而退縮，一致奮起，整修各村圩寨用作工事，疏浚人工及自然河道，開挖公路、河堤形成通道，使溝與溝接，壕與壕通，形成無不通達的全縣地下路網。自此，碭山無山而有溝，形成平垠有利游擊的角逐爭雄場所；尤便於魯蘇、豫皖南北通道，也是駐魯國軍前往後方領運彈藥必經的途徑。

縣城陷落，統率無主，地方愛國志士，俱感亡國慘痛，復國熱情，群相奮起糾合，攜槍組軍殺敵，城北龐瑤璧、朱瞎子等；城南朱峻山、殷茂廣等，擁有人槍多則近千，少亦數百，惟缺乏領導中心，步調不一，份子亦良莠不齊，行多不軌，終不爲鄉民信賴支持。加之，鄰省不肖之徒，侵入趁火打劫，始則強征勒派，搜掠民財，繼之，公然綁架勒贖，自封團長、司令，無法無天。幸有富家譚氏四兄弟晝夜奔馳與聯絡，民間武力得能崛起；邑人竇雪岩率潢川受訓學生軍團返鄉，接任縣長領導抗戰，竇氏三任縣長，著有政聲，且曾任中國國民黨碭山常委，學問道德，鄉里欽敬。當其開始結合民力，救國救民，經過會議方式決定，改變區制、人選，成立自衛組織，擬訂組軍及編練計劃，宣導提供自衛槍枝等項，首先摧毀周寨敵僞機構，由縣警衛隊長孫星材，利用親戚關係，在不及防備情況下，擊斃附僞的周大開，號召僞區公所全部武裝加入抗戰行列。再次伏擊僞區長唐步瀛，縛歸受審，科以死刑。附近各村民槍，在唐成祖領率下編成一個大隊，參加抗日。進而團結民心，嚴整紀律，本基督傳教精神，各級領導人員特重生活言行，不避艱險，無視生死，同吃同住，無一例外。民國二十八年冬，雪地深夜行軍，積雪沒脛，堅冰在鬚，毫不畏縮，大家載歌載舞，恰似一群白髮銀鬚老人，誰也沒有道過一個苦字；竇縣長曾在一隻襪統裡，捉到四十八隻「老母豬」，所以，蝨子也稱「抗戰蟲」，後生小子是無法想像這種怪事的。碭南剷除葛屯、劉莊僞的基層行政機構，收編反正僞軍，肅清地方土匪，使抗戰力量增強，地方武裝部隊隨之擴大；並嚴懲毒犯，剷除煙苗，槍斃保安中隊長陳宗桂等人，以作染吸烟毒的一種警誡。

在行政措施上，諸如：政造地形、建立情報網、封鎖供敵物資、設立幹部訓練班隊等項。另特組織政治工作大隊，宣揚國策、闡釋法令、協助推行政令，以及社會調查事項，隊員俱係愛國智識青年，工作認眞，收效甚大。所不幸的，副大隊長趙毓政女士，兩次被擄，不稍屈服，民國三十一年三月二十六日，竟遭日寇慘殺在黃口車站附近土坑中，可是，日寇暴行固未遏阻蘇北男女赤膽忠心的愛國保鄉的熱忱，反而促其鬥志益堅。

碭山抗敵戰役舉要。有：劉暗樓一役，縣常備隊精銳卅餘人，迎擊日寇步騎三百餘，敵雖配屬坦克車、汽車，仍斃日寇二十餘，俘有戰馬一匹，全隊從容由青紗帳的掩蔽下安全脫離。另有：胡屯一役，小號兵年纔十四，當砦門遭到敵砲轟開，彼即爬至門邊掩上，如是兩次，最後索性推一石蟀堵門，方使砦內守軍不受威脅。誠是：「初出的犢兒不怕虎」，小兵立大功的實例。他如：高砦、西劉莊、小王莊、呂堤口、孫集、劉堤口、戚套等戰鬥，其中有守軍轉進時，緣冰爭渡，溺斃二〇〇人的慘烈事蹟。一官一兵據屋卻敵，連續擊斃日寇三名，終遭毒氣殘害成仁。援救中央軍統人員，伏擊日寇傷斃十餘，生擒伍長一人，獲槍三支。譚慶瑤團長率部與日寇激烈戰鬥初停，共軍掩擊於後，竟以身殉；三弟慶琳、四弟慶琰，堂侄錫崢相繼殉國，一門忠烈，縣人特勒石表彰其義行。蔣嘉賓部駐防碭、單邊境蔡堂一帶，日寇圍攻，蔣集結兵力，血戰一晝夜，終以敵人砲火猛烈，死傷深重，是爲碭山於抗戰期間，列入與胡屯、高寨三大戰役之一，值得一記。

七、既往傷痛盼以仁解仇

八年對日抗戰，是犧牲已到最後關頭的民族存亡的一搏。初則採取自衛，節節抵抗，艱辛過程，年邁國人尚能記憶猶新，恍如昨日。及之，珍珠港事變，我國公開宣戰，情勢正望由否轉泰，詎料共同抗日的中共不顧約束，同根相煎，愈演愈烈。政府以爭取抗日戰爭勝利視爲無上鵠的，詎料南轅北轍，致使敵後政權行使，時時處於驚濤惡浪之茫茫大海中，有賴處於敵後的軍民，苦撐惡鬥，保鄉衛土，絕不屈服，全江蘇的軍民，始終把持著民族正氣，維護中華民國尊嚴，雖蘇南、蘇中、蘇北同陷於水火，而青天白日滿地紅國旗昂然在省境大江南北照常飄揚，鬥志所趨，凜烈千古。時至今日，已逾五十寒暑，往事不堪回首，只望中共秉持同根一念，去惡存善，走向民主，走向自由，兩岸俱在幸福生活中，開創光明，是中國人最大的願望，同樣是中國人一致奮鬥的目標。

民國八十二年二月改寫

「二、二八」十二日記

本篇係民國三十六年所記，卻於民國八十一年二月刊在傳記文學第六十卷第二期內。其中隔著四十五載的長久歲月，也是筆者在寫作生活中，能在臺灣找出僅有的最早一篇，在個人而言，頗有回味的價值。

附註於民國八十二年二月

二月二十七日

私煙充斥，影響到本省專賣制度，因為專賣收入每月補助省庫收入的百分之五十強。所以對於查禁外來香煙，列入專賣局本年度的中心工作。

本日專賣局據密報，有帆船一艘，滿載私煙，在淡水登陸，當即著查緝人員葉德根、盛鐵夫、鍾延洲、趙子健、劉超群、傅學通等六人，會同警員四人，合乘卡車一輛，前往查緝，結果該批私煙已起卸完畢，撲空而返。晚七時許途經臺北延平北路（舊名太平町），見大批煙販正在分配私煙，乃下車查緝，依法予以沒收，時有女煙販林江邁一名，拒絕沒收，與查緝人員糾纏不清，頭部被擊微傷，少數待機尋釁之流氓，隨即煽動圍觀之群眾，群向查緝人員緊逼，喊打追趕，查緝人員分頭逃逸，中傅學通一名迫於自衛，乃開槍一響，詎料誤中市民陳文溪，當場斃命，經憲警莅場將肇事者帶入憲兵隊，本可依據法律手續辦理。但失去理性的群衆一面將查緝人員乘的卡車焚燬，一面竟衝警察局，復又湧至憲兵隊，要求當場交出兇手槍決，此事超越憲警的權力所及，雖再三委婉勸解，無如群衆堅持不散，怒吼叫囂，澈夜未休。這就是「二．二八」事件的引火線。

二月二十八日

緝煙事件所引起的紛擾，並不因政府方面採取合法的處理，就能滿足被人煽動的群衆要求。晨起龍山寺、延平路一帶，流氓敲鑼打鼓，結隊成群，從演說吶喊，進至暴力横施，首先搗毀延平路警察派出所，毫無阻擋的再襲專賣局臺北分局，家具什物被毀一空，煙酒火柴，均遭焚燒，當場毆斃該局職員二人，重傷數人，憲警縱有維持治安的職責，但格於上峰息事寧人的意旨，雖槍枝被奪，人被毆傷，也都極力忍受。而非法的暴徒，並沒有考慮政府寬大的措施，反而在貼標語，喊口號，打與毀，燒與搶的盲目舉動下，又復往襲專賣總局和鐵路警察署，群衆感情已經失去了控制，看到汽車即加以焚燬，見外省人則施以兇毆。商店閉市，行人裹足。

午後，暴徒先「佔領」廣播電臺，旋更圍住行政長官公署，因搶奪衛兵槍枝，致遭開槍阻止，軍民均略有死傷，退去的群衆，遂專以機關的宿舍，和外省人商店作爲搗毀搶掠的對象，而外省人更爲攻擊的目標。其横暴殘虐的情況，尤甚於昔日敵寇。損害的慘重，一時無法估計。

同時，民衆方面向當局提出五項要求：一、要求當衆槍決肇禍兇手，二、要求專賣局負擔死者之治喪費並發給撫卹金，三、保證今後不再發生此種類似之不幸事件，四、要求專賣局長親向民衆代表談話並當面道歉，五、要求當局立將專賣局主管官免職。

長官公署及警備總部方面亦即宣佈妥善處置的要點：㈠對於緝私肇禍之人決予法辦，並嚴令以後不得再有類此事件發生。㈡少數暴徒因此事而發生越軌行動，致危及治安，總司令已實行臨時戒嚴，藉以保護秩序，一俟平復，此項戒嚴令即可撤銷。

臺北市區雖已宣佈臨時戒嚴，聚衆集合，暴動擾亂治安的，依然沒有因爲戒嚴而告斂跡。

臺北市參議會議決下列條件向陳長官建議：一、立即解除戒嚴令；二、對兇手依法嚴辦；三、撫卹死傷者；四、由該會及本市省參議員、參政員、國大代表組織本案調查委員會，辦理本案；五、公務員在市內取締專賣品時，不准帶槍；六、因此案被捕之市民應即開釋。陳長官表示除第一條允許俟秩序恢復後解除，第六條亦允將被捕無辜市民當即釋放，其他條件全部接受。

三月一日

國大代表謝娥小姐向省民廣播，勸導民衆應冷靜和有理智，不要殘害外省人，但是到處醞釀著打風和搶風，並沒有循著政治解決的軌跡前進。所有的人心均在緊張和惶恐的氣氛當中，惴惴不安。

交通斷絕，學校停課，工廠罷工，商店閉門，冷落猶如颱風吹襲後之剎那，各報亦因感受威脅，未能出版，僅印行號外。另外紛擾的情狀，卻在沒有軍警的地方，愈演愈烈，基隆、新竹等地，也續有暴動發生。

臺北市參議會邀請國大代表、省參議員、參政員所組織之緝煙血案調查委員會，上午十時在中山堂召開成立大會，決議派代表黃朝琴、周延壽、王添燈、林忠等往公署謁見陳長官請求：㈠立即解除戒嚴令，㈡被捕之市民應即開釋，㈢下令不准軍警開槍，㈣官民共同組織處理委員會，㈤請求陳長官對民衆廣播。當由陳長官對第一條，面允於四時以前，召集各機關處理解除戒嚴令，第二條，由各被捕市民之父兄里鄰長聯名保證釋放，第三、四、五條允予照辦。

民衆向政府的要求，政府儘量寬大接受，而沒有節制和另具用心的盲目群衆，卻一味逞其兇蠻，午後三時尙進襲鐵路管理委員會，而又發生槍擊情事。

陳長官下午五時向全省民衆廣播，態度非常公正，首先表明：查緝私煙誤傷人命的人，已經交法院嚴格訊辦，傷者治療慰問，死者優厚撫卹；並說，自今晚十二時起，解除戒嚴，惟希望必須維持地方秩序和社會的安寧，集會遊行暫時停止，罷工罷課罷市毆人及其他妨礙公安的舉動不准發生；參加暴動而被逮捕的人，釋放時，鄰里長須負責具保；由參議員推派代表與政府合組委員會，來處理此次暴動事情；末後，更希望臺胞要信賴政府，與政府合作，自動自發的維持治安，嚴守秩序，恢復二十七日以前的情形。

警備總部晚八時發表公報：臺北區自三月一日午後十二時起解除戒嚴。但集會遊行乃暫禁止。並由該部處長蘇紹文致函臺北市參議會，說明當局已決定撥付臺幣二十萬元與死者家屬，傷者五萬元，希轉知具領。

以上這一連串事實，正足表示當局的寬大和愛護民衆之至意，可是，暴民們攻擊的對象，已不僅是外省籍人，就連說公道話的本省人謝娥小姐的房屋及其開辦的康樂醫院，亦全被搗，幸她本人得訊逃避，方免於難。所有報社若不偏袒暴民講話，也就受到嚴重的威脅，廣播電臺也整天廣播不負責任的煽惑暴動的言論。

三月二日

戒嚴解除後之街道上，幾全部是臂纏白布之暴民，槍聲已不復聞，但一切停頓如故，臺北市上表面似較平靜，中山堂中之所謂「二・二八事件處理委員會」衆英雄們，爭辯頗烈，各有主張。搶掠及硬借情事，到處均有發生。波及中南部各地之毆打外省人的野蠻舉動，演來如火如荼。

新竹市上，晨間到處發生毆打燒毀事件，午後猛衝市長官舍，經憲警鳴槍制止，各傷數人，外省人均棄家隻身逃入警局請求保護。

臺中方面：八時開市民大會後遊行，表現於行動的，「接管」警察局，劫持前縣長劉存忠及其眷屬，美其名曰「留置」，所有外省人集中於教化會館，就連經商的外省人及其眷屬，被刀刺和棍打的也難避免。航空委員會的第三飛機製造廠也被「代管」，「對該廠外省人則全部集中於日軍三十六部隊舊址，由民衆保護」云。除憲兵隊以外，各機關均由「民衆代管」。

彰化市也組織了「善後處理委員會」，治安由消防隊維持，對於市長王一麐辱罵備至，警局督察長因避暴民的鋒芒離開，終被追獲「提回押在拘留所」，其他外省人的厄運，當可想知。

主張寬大處理的陳長官，復在本日下午三時作第二次的廣播，他說：「爲了安定人心，迅速恢復秩序，作更寬大的措施，特再宣佈幾點處置辦法：㈠凡是參加此次事件之人民，政府念其由於衝動，缺乏理智，准予從寬，一律不加追究。㈡因參與此次事件已被憲警拘捕之人民，准予釋放，均送集憲兵團部，由其父兄或家族領回，不必由鄰里長保釋，以免手續麻煩。㈢此次傷亡的人，不論公教人員與人民，不分本省人與外省人，傷者給以治療，死者優予撫卹。㈣此次事件如何善後，特設一處理委員會，這個委員會，除政府人員及參政員、參議員等外，並參加各界人民代表，俾可容納多數人民的意見。從這裡很足顯示陳長官愛護臺灣，愛護臺灣同胞的熱忱，和政府寬大的態度了。

三月三日

政府希望人民和衷合作，達到精神團結的目的，所以採取寬大和讓步，只要能在政治要求的範圍以內。

本日街頭稍趨平靜，中山堂的群衆意見，卻更複雜而多變化。經「二二•二八事件處理委員會」決議的事項有著十點，如：一、恢復地方秩序推定大中學生及部分市民出動維持秩序。二、推選代表蔣渭川、黃蘇炎、趙清華等晉見陳長官，切實解除武裝戒嚴。三對此次案件應將眞相擴大宣傳，俾國內外明瞭眞相，並推林宗賢、林詩黨、呂柏雄、駱水源爲委員，託美國新聞處善爲辦理等等。四往公署要求撤退市上巡邏軍隊及哨兵，經柯參謀長等接見討論結果如次：一、著令戰鬥軍隊自三日晚六時以前全體集中營房。二、成立憲警民維持治安聯合辦事處，並組織民衆地方服務隊，自三日晚六時以後負責維持治安的責任。三、交通亦於六時全部恢復，民衆要保護交通員工。四、米糧問題，交出軍糧供給。五、軍隊撤回後，各地軍隊如有開槍不法行爲，由警備總部負責嚴辦。六、民衆倘有發生打人燒物之事，由代表負完全責任，將擾亂者法辦。

但是一般政治野心家的慾望是無底的深壑，午後復又有新的決定，如通電蔣主席，電文非常偏袒一方；組織治安維持會，下設忠義服務隊，組織非常龐大；還有六時以後軍隊開槍由柯參謀長負責，民衆滋事，則由治安維持會人員負責的規定。

在這樣擾攘紛歧的局面下，交通未能恢復，米糧日漸上漲，使一般善良人民叫苦不迭。而嘉義市方面的暴民，正在猛烈向飛機場的守軍進攻，非常慘烈，外省人的財物全被掠奪，男女老幼則被捆綁送進了「集中營」。

臺南方面雖有毆打的事件，但未擴大，所有外省人，自發的集中於國民道場。其他各地的零星事件，也隨時隨地發生。

三月四日

陰雨連朝，街面冷清依然。中山堂終日開會未絕，本日上午十時，由「二‧二八事件處理委員會」委員杜聰明、張晴川等，赴警備總部面晤柯參謀長，詢問各地情形，並請求其下令禁止士兵無故外出，如因公事外出時，亦應禁止攜帶武器。

「二‧二八事件處理委員會」，商討組織大綱草案，抹煞調查眞相及處理撫卹等應做的事項，卻「以團結全省人民，改革政治及處理二‧二八事件爲宗旨」。並設各地分會，達不到宗旨決不結束，委員會又有「常務委員會」，更設有「主席團」。在「常務委員會」置「處理局」及「政務局」，「處理局」設總務、治安、調查、交通、糧食、財務各組，「政務局」設計劃、交涉兩組，「主席團」另設有秘書室。這種龐大的組織，尤以「政務局」的計劃組，任務爲「研究現制度之缺陷並計劃如何改革臺灣省之政治經濟」，交涉組的任務，爲「對長官公署及中央政府交涉改革臺灣省政治經濟之方案及對國內各方面聯絡宣傳」。更是顯示「處理委員會」的委員們的野心和動向了。

臺灣旅滬同鄉所組織的團體，亦曾上書蔣主席要求澈查眞相，監察院聞悉臺北人民發生紛擾，並有死傷情勢，頗爲嚴重，即電令閩臺區監察使楊亮功即日前來查辦。

上午十時許學生代表及民衆代表謁見陳長官，提出意見三點，陳長官說明，對失業者政府一定設法救濟。地方行政意見，願加採納並希望與民衆握手。

警備總部柯參謀長表示對於問題解決的意見，只要不離開國家民族的立場，什麼都可以解決。「處理委員會」報告稱，電力公司全由本省人負責工作。臺中一切機關，業已「接管」完竣。政府所期望的與暴民們的行動，已經形成了南北極，而「處理委員會」的表現，只是說明盲動的另一現象。

三月五日

秩序的恢復，已有顯著的進步。臺北新竹間火車經已暢通，市區秩序已全面恢復，商店、戲院、菜市、米市一律照常營業。至基隆、淡水、新莊及市內公共汽車均已通行。

「處理委員會」下午二時，分別召開小組會議討論推進工作事項，議案中比較重要的，有派代表四人赴中央陳情等，五時開會議決向公署提出改革本省政治方案，內容聞計八項。

「臺灣省自治青年同盟」成立大會，在上午十時假中山堂舉行，並由蔣時欽宣讀綱領：一、建設高度自治、完成新中國的模範省。二、迅速實施省長及縣市長民選，確立建國的基礎。三、發揮臺胞優秀守法精神，爲促進民主政治的先鋒。四、把握國內及世界新文化，貢獻民族及人類。五、擴大生產，振興實業，安定經濟，富裕民生。六、刷新民心，宣揚正氣，策進社會向上。

陳長官對本省及外省受傷同胞至深軫念，特派民政處周處長、謝副處長、游市長及衛生局經局長，前往洪外科醫院、共濟醫院、臺北醫院、市立第二外科醫院，及大學附屬醫院等處慰問。

表現於民間的，依然是浮囂盲動，表現於政府的，只是寬厚。

三月六日

意見分歧的中山堂會議，委員們都爭得面紅耳赤，暴徒依然有搶奪士兵槍枝的情事發生，而善良的老百姓又苦於生活的不易維持。

陳長官下午八時半更作第三次的廣播，說明對於本省政治問題，已經決定二項原則：一、調整人事：建議中央將長官公署改爲省政府，各廳處長和委員，儘量任用本省人士。二、縣市長民選：七月一日開始實施民選縣市長，在未民選以前，各縣市長如發現不稱職時，可由各該縣市參議會推舉三人候選，圈定一人充任。

從以上二點看來，民衆所希望的目標都可達到願望，很足說明陳長官的忠國愛民的精神。但是，這種辦法仍不能滿足野心勃勃者的慾望？

三月七日

陳長官以二・二八善後事宜，各方代表紛紛來見，建議辦法莫衷一是，特函二・二八事件處理委員會，今後各方意見希均先交處理委員會討論，擬定綜合的意見後，由該會選定代表數人，開列名單向公署建議。這種表示，也可以指出處理委員的各有意見，與步調的不能一致。

本日下午六時二十分，由臺灣省二・二八事件處理委員會宣傳組長王添燈，在廣播電臺播講，向中外闡明事件眞相，並條述處理大綱。就原因、經過、處理三項敍述，而其中「目前處理」與「根本處理」，共計四十二條。超越政治要求以外，荒唐無稽之至，如：政府在各地之武裝部隊，應自動下令暫時解除武裝。在政治問題未根本解決前，政府之一切施策（不論軍事、政治）須先與處理委員會接洽，本省陸海空軍應儘量採用本省人，警備司令部應撤銷，以免軍權濫用。行政長官公署應改爲省政府制度，但未得中央核准以前，暫由二・二八事件處理委員會之政務局負責改組，本省人之戰犯及漢奸嫌疑被拘禁者，要求無條件即時釋放等，很是顯示其叛國的行爲，亦是說明淺薄無知。陳長官當然無法接受這些超出政治要求的要求。

三月八日

省黨部李主任委員翼中飛京後，聞臺監察使楊亮功由閩乘海平艦抵達基隆，當有憲兵隨行保護，車行汐止附近，竟遭暴徒襲擊，隨員負傷，楊氏幸告無恙。

警務處長胡福相因病辭職，改派本省人王民寧充任，並向全省同胞廣播三點：一、發揮過去守法精神，勿再作侮辱國軍，或搶奪軍械，盜竊行爲。二、自九日起各地警察人員，站在各自崗位，恢復正常秩序。三、全體人民協助警察，維持治安。

這種人事動態，是對於臺胞和臺省有著莫大的裨益，但少數奸匪暴徒卻深恐事態緩和，無機可乘，乃於暗夜狂風暴雨裡，發動更大的叛亂，結隊持械攻擊軍事機關，搶劫軍火庫，由夜十時許，全市機槍聲響不絕，稍定之人心，復又墮入恐怖狀態，澈夜槍聲與雨聲合奏。

三月九日

警備司令部宣佈本日上午六時起第二度戒嚴，全市在戒嚴狀態中。

「處理委員會」又否認所提的四十二條，出爾反爾，笑話之極。暴徒有被逮捕。

整編二十一師在基隆登陸。

警備總部所發的戒嚴佈告，說明係爲弭平叛亂，清除亂黨，以保障人民安寧，維護國家法紀，並切實執行左列各點：㈠學校照常上課，工廠照常開工，商店照常開店；㈡交通及通信機關暫時由軍事管制；㈢禁止集會遊行；㈣禁止攜帶槍械，有槍械者應即向就近戒嚴司令部申請登記，否則一經查出按匪徒論罪；㈤所有劫奪軍警或倉庫之槍械，限剋日繳回原處，否則嚴予究辦；㈥凡我同胞對不法匪徒，希一體協助政府緝查，並予重賞。

混沌的時局，也因再度戒嚴獲得澄清，也可以說，是臺灣不幸中的大幸。否則必會被共黨分子導入危險的道途。

三月十日

蔣主席於中樞紀念週，對於臺灣不幸事件，有所指示，俾全臺省同胞，能得早日安居樂業，以完成新臺灣之建設。

閩臺區監察使楊亮功，本日發表談話，以爲目前最迫切之事，莫如發揮同胞愛之精神，不分彼此，迅速恢復社會秩序，安定人民生活。

陳長官上午十時亦向臺灣同胞廣播，其要旨在說明宣佈戒嚴，完全爲了保護人民，對付絕少數的亂黨叛徒，至於守法同胞，決不稍加傷害，並敘述事件始末，只要在合法的範圍內，政府完全答應。但從三月一日解嚴以後，臺北搶奪軍械，搜劫財物，以至於襲擊機關倉庫的事，仍然不斷發生，且公然發表叛國言論。各縣市亦發生劫奪槍械，拘捕公務員，包圍行政機關等事情。民衆希望解決的是緝私傷人問題，是改善政治問題，絕少數亂黨叛徒，用挑撥離間欺騙恐嚇的方法，以實行其叛亂的陰謀。並表示國軍移駐臺灣，完全爲保護全省人民，末後希望實行維持治安的六點措施。

行政長官公署明令撤銷「處理委員會」，因爲該會有著種種越軌行動，竟曾發表含有叛逆性的處理大綱。警備總部也發表公報，取消非法團體，禁止集會遊行。

到達基隆的國軍，也就分向各縣市進駐，恢復原有的秩序，在十二天紊亂的情勢之下，重又得到了光明。

同時關於改善行政意見，陳長官也特別規定，屬於全省的，由省參議會提出，屬於各縣市的，由各縣市參議會提出，人民有意見，可提出於省縣市參議會，但亦可以書面直接向長官公署建議，各縣市選定的縣市長，公署仍將候選圈定，處處看得出政府的與民更始的精神了。

註：記憶所及，二、二八事變後，奉派擔任宣慰小組副組長，公畢返回台北，曾另撰長稿寄香港《新聞天地》發表此一不幸事件的來龍去脈，並附有多張荒誕不經，既反對中華民國，又反對政府的種種標語的照片，附刊文中，惜遍尋無著；即在臺灣與上海等地，迻刊筆者撰述有關文字，亦俱消失無踪。

陸、國外與大陸的遊蹤

南海諸國風情畫

馬尼拉灣寂靜

時隔十載，我又一腳踏上菲律賓的土地，世事不知又曾經有過多少變化。

南海諸國之一的菲律賓，由七千一百多個大小島嶼組成。它是一五二一年葡萄牙航海家麥哲倫等發現取名的，一五六五年就成爲西班牙殖民地。也曾被美國統治，更在一九四一年太平洋戰爭中被日本佔領。四個世紀的滄桑，雖然擁有三十萬平方公里的土地面積，而五千七百萬人口中，種族是以馬來人種和華裔人士佔著多數，還有西班牙和美國混血人種。由於種族複雜，方言有八十多種，地理上分割四大部分，而我所到的僅僅是呂宋島馬尼拉灣的馬尼拉，華人稱之爲岷里拉，簡稱岷市。

我在岷市逗留四天，住宿三夜。寓處面臨海灣，汪洋浩瀚，平野無垠。椰林逞翠，一片寧靜。

菲律賓歷史上民族英雄，尊爲「菲律賓國父」的黎剎（Rizal）紀念碑和銅像，我曾面向致敬。這位享年三十五歲的菲國英雄，就爲反抗西班牙殖民統治而被槍決於如今碑像設立的所在，那是一八九六年十二月三十日。

走進聖地牙哥城堡，一五九〇年西班牙總督聖地牙哥所建，佔地廣闊，香花芳草，堡壘處處，只是已近凋零，厚達十米的城牆，依然屹立，可是，早經失去它的雄風。我曾經坐上馬車，躑躅於當年西班牙統治者步過的路道，使我在想，帝國主義者的弱肉強食的侵略威勢漸遠，而等待拯救的世人，依舊渴望和平舒暢的喘息。

聖奧古斯丁教堂、馬尼拉大教堂，我只是匆匆一瞥，眼看它當年建築雄偉、華麗，它又何嘗不象徵在一五七一年初建時的統治者一股豪氣，遺留著掌握人民的權威。如今，歷經天災人禍後所表現出的衰舊、殘破，有著老態龍鍾的身影。但是從歷史觀點和宗教意義上去看，這二座教堂仍然值得憑弔，任人發洩一點思古的幽情。

菲律賓文化村，有人稱它縮影村。唯一可看的是些不同民族的典型房屋，還有人工開闢的湖沼，濱岸垂柳依依，微風吹動水面漣漪，逗引我陳年的一些故鄉之思。

唐人街的路道狹隘，而在十九世紀末一名華人王彬的銅像豎立於此，他曾經以物資支援革命黨人被捕。華人飄洋過海，是在驚濤駭浪中離國遠適異邦，無奧援，無背景，只恃勤儉刻苦立足他鄉，靠貿易生存。雖然，有人閒言華僑義山猶如富家別墅，是「城中之城」，若從碑記與聯對細細品評，中國人的愼終追遠與崇天法祖的精神，何嘗非是國人一種優美的傳統，流傳外邦也很相宜。

耶加達與峇里島

一行宿耶加達的海濱旅館，潮起潮落，帆影點點、覺得身心異常舒暢。晨間、夜晚散步海灘。靜聆拍岸的浪鳴，頗似一闋具有節奏的樂章。這北面近海的地方，是耶加達最早發展地區，大海茫茫，它形成戰略上極爲重要的航道。

印尼是世界上面積最大的群島之國，雅加達就位於爪哇的西北，明代三寶太監曾經在該國留有多處遺蹟，華人超過三百萬，佔有全國人口的百分之二。

雅加達市容相當齊整，有欣欣向榮趨勢。獨立紀念碑的駿馬躍空，以及碑頂純金塑造的火炬，還有五馬並馳，男女青年遙遙揮手塑像，都具有雕塑之美，引起我們大家的注目。

迷你印尼公園在市的東南，展示印尼各省最具傳統特色的代表性建築，更有一間形似蝸牛的電影院，那眞是它的特色，至於吊車空中鳥瞰，搭乘蒸汽火車環遊，也就不致認爲罕見稀有了。

東去峇里島，還是乘著飛機去的，宿在丹巴刹海濱旅館，類似我國鵝鑾鼻海濱，椰樹成林，綠意盎然，也近於夏威夷的威基基的灘邊景色。我們盡一天半的暢遊，跑遍田野村鎮。島上居民信奉印度教，古典的雕刻藝術發達，深具建築特色的大小廟宇約有二萬座，乃有「廟島」之稱，它與印尼其他島嶼居民信奉回教的有所不同。古老神祀祭典特多，跳舞作爲一種主要活動，猴舞、獅舞的男女狂熱氣氛，再加怪異服飾、鑼鼓喧天、成爲該島觀光資源的一項大的收入。島西海邊的海神廟，退潮的時候，攀石上行，面積雖小，有塔有亭，膜拜者非常衆多，據告正是他們歡渡元宵，成群結隊，頂著祭品步行而來。旁邊也有兩處磯石突入海中，海潮洶湧，澎湃不已，年久浸蝕，沖成一洞，形成是一座天然的通梁，竟然有人冒著風浪，躍上踞坐觀看印度洋的怒吼狂濤。

伯陀湖邊有一座死去的火山，湖有溫泉，碧水青山，白雲冉冉，景色壯麗，堪可駐足眺遠。

峇里島的往昔舊夢，已經渺無遺痕，什麼上空女郎的倩影永不再見，使得爲愛好藝術而來的尋夢者，多少有一點失望。想要自己來尋回一點蛛絲飛絮，於是、人的本性從拘謹中透露些微的浪漫情調。尤其、具有多情濫情的人們，有著愉悅，有著煩惱，隨著跟蹤而至。其中風姿卓約，溫婉大方的女性，常常遭到少數行爲異常、服飾古怪的特殊動物所糾纏。「情爲何物」的根源無可詮釋，盲目的追求佳人的良機又不甘坐失。是受著原具神秘的峇里島風光感染，抑或在長途旅遊的寂寞時空中，欲投入一劑歡娛？但是，卻帶給人們閒聊取樂的可貴資料，成了此行的小段插曲。

金龍之一　新加坡

河口魚尾獅像，是象徵新加坡的標誌，嘴裡噴水煞是奇觀。主島再加五十小島組成的城邦國家，只有六一八平方公里面積。有的地勢起伏，有的平坦丘陵，還有海拔僅僅一七五公尺的武吉知馬山。在一八一九年使之實行自由貿易，一九六五年獨立成國，如今華人約佔百分七十六。漢字市招到處得見，華語普遍，只可惜的是採用簡體字，我們讀起報來，很多不能領悟。

從樟宜國際機場進入市中心，有巴士、的士、地下鐵路。空中飛往馬來西亞及泰國曼谷等地，日日俱有。我們由菲律賓去印尼雅加達，曾經由此轉機。鐵路貫通西馬的各主要城市，直達泰國。巴士前往馬來西亞柔佛、馬六甲、關丹、吉隆坡、北海等地，相當便捷。

富有中國傳統色彩的牛車水，由多條橫街小巷構成，現正計劃維修和局部改建中，一向滿足世人好奇心理的變性人，現今都已遷往泰國，所謂「人妖」已不復見。而建於一八四〇年的中國古老廟宇的天福宮，主祀天后娘娘的媽祖，畫樑雕柱，香火鼎盛，華人中心信仰，在海外依然堅持。

翡翠山路的中式房屋，是早期華人富有的住宅，有著土生華人的文化。亞拉街有宏偉的蘇丹回教寺，附近阿拉伯人和回教徒生活其中，自然充滿回教色彩。而林立著的摩天高樓，一九七四年建成的裕華園、虎豹別墅、裕廊山上的飛禽公園、胡姬花圃內的卓錦蘭萬代蘭國花，無論新舊，都能代表著華人在海外留下智慧結晶與流有血汗的點滴。

晚晴園是我們此行必得瞻仰的所在。中山先生銅像，蔡公時先烈立像，還有很多很多爲創建民國，北伐、抗日的人和事的林林總總史料和照片。默然參觀，興起很多感慨，只可惜佈置和展示，缺乏有條理的陳列，人、時、地、物、事尙缺輔助說明，對華人來說，未免稍覺遺憾。

隔海的聖淘沙島，是入夜旅遊勝地，音樂噴泉表演，吸引千萬的觀衆渡海前來觀賞。輕柔繁重的著名樂調，婆娑相舞的擎天水柱，曲折迴旋，裊裊婀娜，加之、燈光明滅燦爛，塵慮頓忘像是置身於仙境之中。何況、微風透涼，偎坐聆看，幾乎不希望曲終人散，可是，好景是往往難再的。

二天一夜的新加坡之旅，緊湊可觀。明日又天涯，將飛吉隆坡。我始終有著一種感覺，認爲新加坡的街道，屋舍，縱然現代的夾雜著傳統的建築，而其整潔是在其他地區不易完全做到。即是林園、坡道，也都花木扶疏，鮮綠蒼翠，說不出的幽靜美麗，使人毫無侷促的感受，自然而然的，情懷舒暢，留下良好的印象。

高原海陬共明月

馬來半島的馬來亞吉隆坡，是馬來西亞的首部，它和新加坡類似的高高低低地勢所形成。我們從吉隆坡前往雲頂高原，海拔一七〇〇公尺，酒店宏偉，設有夜總會，有人專來豪賭，而我們只是來看一場外國男女舞蹈和特技的「秀」。晨起趕著下山，雲海蒼茫，充滿秋意。山間有一「篷萊仙境」的中國寺廟，本就供奉清水祖師的，爲著賭徒避諱，別出心裁改換今名。

棕梠樹、橡膠林，綿延不絕，是爲馬來農作一大特色，還有開挖錫礦遺存的沙土坑洞，伴以華人埋骨之所的累累墳場，馬國五〇〇多萬華人，在經濟上居於優勢，所經市鎮滿眼俱是華文招牌，男女老少會說華語，甚至、福德正神的土地公，幾乎也是華人家庭中膜拜的神祇。

到霹靂州的紅土坎海岸，馬國的海軍基地。乘船到邦咯島，山勢不高，林木蔥翠，沙細水清，海波盪漾，我們在島上住宿兩夜，滿眼椰林棕梠，枝葉隨風搖曳，那麼輕柔可愛，又那麼婀娜多姿，南國濃郁氣氛表露無遺。坐看海上航船帆影，近岸有人弄潮嬉水，散佈山邊水濱的漁人茅舍，這些風光描繪著翠玉灣眞是令人難以忘懷的海天一色，陽光浮雲兼備的好地方。穿越島上叢林小徑，盡頭邦克小鎭，華人商肆頗多，有著海鮮供人品嚐。

中秋當日回到吉隆坡，接受華人藝文團體歡宴座談，見到很多老友。參觀具有深刻印象的，國家回教寺在兩條河流交會處，尖塔高聳，有著莊嚴肅穆的景象。國家英雄紀念碑，七位武裝軍人青銅鑄像，表現愛國、救死扶傷與制伏敵人的深刻意義，碑內藏有世界大戰和獨立戰爭中犧牲的烈士骨灰。國家博物館藏有自然、歷史、藝術和民俗有關物品，多多少少具有中華傳統文化的色彩，若是珍惜歷史，那是無庸否定與排斥的。

吉隆坡的月圓之夜，我的日記是這樣寫的：

客地中秋，皓月臨空，觸動遊子的情懷，增添無限遐思。有人結伴夜遊，有人憑欄遠想。獨自徘徊在吉隆坡中華大會堂前，後側正是大慈大悲觀音廟。仰望長空，浮雲飄動中的明月或隱或顯，令人引發很多聯想與追憶。直至雨絲灑落，稍感涼意，方始匆匆走進今夜的宿處。時値午夜已過，無眠靜聆著，那些興盡返回的腳步，逐漸在地板上踏著沉著的跫音。萌明是無奈的，街邊看昏黃燈光的街景，濛濛沉沉，化解心中幾許悒鬱的情結。

曼谷與博達雅

數年前，在我決心告假要去日本一行的時候，結果要我經香港到曼谷和清邁逗留二週，公務爲先，迄今仍有餘憾的往事偶爾回味。

此行由吉隆坡梳邦機場飛往曼谷的廊曼機場時，中途在宋卡府附近合艾機場突然落地，這是泰國空軍基地之一，還得辦理入境的手續和例行檢查，好像是美國的關島。所幸沒有換機，不然，在心中總覺得它是一個小的麻煩。

曼谷是舊遊之地，見到軍中同僚，也與鄰莊小友相晤。市區道路壅塞，車種太多，比它「賽臺北」並不為過。曼谷時間較諸臺北延後一小時，印尼雅加達也是如此。反而峇里島、新加坡則與臺北時間相同。

東南亞各國華人衆多，泰國自不例外，在總人口五、二〇〇萬中，約佔百分之八。華僑多半來自廣東汕頭、福建和海南。九成人口信奉佛教。那些金壁輝煌，塔尖高聳，神像怪異，雕刻細緻的佛寺建築，到處得見，終身為僧與短期出家的和尚，著黃色架裟滿街遊走時，女性不得碰觸。人們見面合十為禮幾成習俗，深受印度小乘教影響，尤其古典舞的金黃華麗服飾，感染著濃厚的宗教色彩。女性舞者的輕盈擺動舞步，表現得柔美多姿。隨衆在曼谷、博達雅看過三場舞蹈，兩者是夜晚，舞者俱是變性人為之。一是白日那是純粹的古典舞，間有中國的舞蹈節目，華語發聲，都夠水準，絕沒有滲雜一絲色情味道，觀者如堵。可是、夜場當變性人舞畢群集室外，爭與共影的我們一行人中，也有擇美相擁相抱的，做出不堪入眼的低級動作，尤其令人不快。

匯集泰國特有建築、繪畫、雕刻和裝飾藝術精華的大王宮，佈局錯落，高低適中。主要建築有節基宮、律實宮、阿瑪林宮和玉佛寺。玉佛歷經歷史滄桑，受過多層劫難，今日視同泰國三大國寶，泰王三季均親臨爲之更換架裟，可見重視的程度。殿內陳列有我國古青銅鼓二隻，清光緒朝彩繪花瓶一對。室外、石雕的文武神像依舊，只是「百忍堂」的故事石雕久覓未見，就似原有乾隆年間的花瓶等中國文物一般，或已藏入庫中。

一遊湄南河，惜未去吞武里的泰王鄭昭廟，那有國人爲拯救泰國危亡而被擁載爲王的一段偉大史實。湄南河浩浩蕩蕩，乘著快艇向著下游破浪急駛，我何嘗沒有往昔船經楊子江的苦憶？過泰國海軍基地轉入支流看水上市場。在我來說，傍水而居的生活情調，正如：小橋、流水，人家的幼年習見鄉宅。面河居住的人家，蚊蚋潮濕，水源藏污，雖有三五舴艋舟子的出售水果食物，總覺已經遠離昔年水清悠遊的自然景觀。現今的水上生活，只聊供世界遊客來滿足一點新奇而已。

博達雅位於暹羅灣的左側，世界知名的度假勝地，它距曼谷東南的一四七公里，有「東方夏威夷」之稱，實際相距甚遠，就因爲它是「東方」的。海灘邊的椰林，成群的西方泳裝少女，再有多種形式的摩托船隻，加上白沙碧海，構成博達雅的一番盛況。海上由珊瑚構成的蘭島，鮮綠一片，著實誘人。玩的有空中降落傘，滑浪風帆，水上電單車，破浪急駛的快艇，交織藍天碧海上的熱鬧非凡。艇停海中，坐臥任便，消閒自在，樂寓其中。近海灘邊，一襲泳褲，戲水自娛，私語絮談，陷入超脫忘我的境界，總覺是人生不可多得的良緣，瞬即又將消逝得無影無踪的。

夜色燦爛的香港

一度曾經被拒入境香港的「中國人」，這次是到達香港前獲准的，我對香港爲它抱屈，也爲它慶幸，眞是心理上的一個不小的矛盾感覺。

少見平地而多現丘陵，是香港地理特色。啓德國際機場跑道又狹隘，林立高樓佔著有限空間，水域巨輪與帆影幢幢，蝸居的衆民猶如蟻居其間。濱海的所謂香港，包括香港島、九龍半島、新界、離島，面積一千零六十五平方公里，住有五百四十萬的人口，華人佔有百分九十七，大部籍貫廣東。多數是逃脫中共政治制度被迫南來，完全受著代表英國女王的港督爲首的香港政府所統治，地小人稠，寸土寸金，獲有「東方之珠」的美名，聞名世界的自由港，經濟異常繁榮，成爲亞洲四小龍之一，絕非偶然。雖說、有著一九九七年大限的隱憂，爭取民主自由的奮鬥方興未已。眼看香港島北岸狹長地帶和九龍半島的繁華，以及九龍香港間穿越海底隧道第五條的開放，正足證明港人的突破一切艱難的信心。

古時盛產莞香，乃有香港之名，原屬廣東省寶安縣的小島，一八四二年中英雅片戰爭失敗，在所訂南京條約中割讓，一八六〇年中英北京續約割讓九龍司海岸。一八九八年，英國租借界限街以北至深圳河一帶及其鄰近島嶼，稱爲新界，爲期九十九年，來到香港，我更不會忘懷這一段悲痛的歷史。

入夜坐車越海，在雨中一遊太平山。由於曾是東海海盜大本營，去之乃告太平，又稱扯旗山。我們在「好望角」的方亭展望，迷人夜景如畫似錦，有人將香港夜景列爲世界四大之一。夜涼似水，冷雨飄零，絲毫沒有減弱我們的興趣。在天星碼頭，欣賞海上餐廳發出群星般的各色燈光，有「珍寶」、「海角皇宮」，活躍在黑夜裡，呈現出無限的奪目晶輝，色彩燦然，使得香港的夜色益加眩人。沿途瀏覽著高高低低的輝煌燈火，使我沉醉其間，飄然忘我，儘情享受夜遊的一番歡暢。

白日逛逛彌敦道、灣仔、銅鑼灣、旺角，更去領略海洋公園的佳境。門前海馬標幟作爲攝影背景，蒞此無不留有久遠紀念。峻嶺青山，運用與佈置點綴，都各具匠心。參觀的來自各地，魚貫換乘纜車，冉冉前進上昇，遠山似黛，藍海平靜無波，景色秀麗自與燦爛夜景有所不同。海族館與海豚表演，還有高空跳水，値得一看。回程沿著電動扶梯分段下降，據說：這是世界上從未超越的長度。側有水上樂園，一些刺激有趣的遊樂設備，最宜青年，我只冷眼旁觀這個亞洲第一的水上遊樂中心。下山臨海有一寺院，也是以觀光爲主的建築。

後記

七十八年九月，中國文藝協會組團訪問南海諸國，行程遍菲、印、新、馬、泰、港，換乘各國航機有二十次起落，歷時三週。成員包括文藝作者、畫家、音樂家、戲劇家、集老人、壯漢、青年，計男女二十八人，推宋膺先生爲團長，和煦愉悅，不虛此行。其間亦多笑料趣聞，難以罄筆。謹就看在眼裡，記在心頭，濡墨簡述，用資留痕。

記美加之旅的親情

享有無限寧靜

鄰近加拿大南方，在美國東北部地區的密西根州，是我兒永中一家僑居的所在。我們夫婦和華女攜帶雅宇兩孫，去度過近月的異邦假日，暫時避開炎熱與繁囂的臺北，有著一段寧靜生活，享受天倫的樂趣。

密州首城底特律，靠著密西根湖的東南方，美國最大的汽車製造中心。最先向這一地區移民的英國，那是十七世紀初期，但對亞洲移民岐視很大，直至一九六七年新移民法施行，擺脫人爲障礙，獲致平等的地位。吾兒住家地方康冬（CANTON），華裔稱它「廣東」，心靈上似有依依念舊的情懷。這裡一片廣漠的原野，空氣乾而且爽，莽莽林樹，遍種玉米高莖植物。社區型態，既非「集村型」那麼「房屋櫛比」，也非「鬱村型」的一般孤零散落。住宅結構，看不到「四合院」、「三合院」，勉強說它類似中國的「一條龍」，「轆轤把」的具有東方意識。在西方建築的審美與環境的適應，隨著時代有所不同的。住宅的間距很寬，彼此均無半點干擾，若是佔地百坪的話，前後綠地就有三分之二，中間建屋大致三層，地下的一層，外觀是看不見的。道路平坦，另闢步道，人車兩便，現出平靜、遼闊、安詳的景象，令人喜慰的，美國鄉村地廣人稀，交通便捷，車駛如流，基本生活家家富足。我在想：半個世紀的臺灣寄寓，生命史上刻劃著一段珍貴紀錄，閱歷頗夥，體會至深，如今卻留有「壅」與「壓」的感受。去美探親前，曾有大陸之行近月，湘、蘇、浙、滬、杭的重臨，徒增傷悲，有感它是一段無根也無家的悵惘之旅，僅留著「窮」與「困」的印象，並不過甚其辭。來到美國本土東北部，家人相聚，喜悅融融。中兒夫婦十年胼手胝足的刻苦自勵，贏得托跡異邦而稍獲溫飽，原非亞洲人萬里投荒的想像所及的。媳婦的賢慧，兒子的堅強，孫男的乖巧玲琍，促使他們勤儉奮鬥，普獲人緣，從無到有，開闢成一塊燦爛似錦的小小天地來。如今，合力經營的川園餐廳，色、香、味膾炙人口，他如接待、供應、清潔、衛生、座位等，應乎需要，做到賓至如歸的標準，成爲當地三家中國餐廳的翹楚；無怪西方顧客趨之若鶩，引發他們喜愛中國菜的熱潮；菜蔬選購、主廚功夫、行政管理，俱是息息相互關聯著的，中國菜在美國能大行其道，全靠經營之道講求得來的。

兒子們的新居，綠草如茵，花開繽紛，呈現出來的外貌，端莊具有精緻的美感，內部切合使用，起居舒適，一塵不染，佈置裝飾俱是媳婦巧手蘭心一點一滴完成的；素材本諸「中國的」存心，雅而不俗，淡而不濃。尤其她的「佛堂」，有呂佛庭的法書，趙松泉的國畫，相與觀音大士的莊嚴法相，滿室慈愛并陳，格外有益於個我忙碌生活中的靜修與省思，晨昏沉潛在心經，大悲咒的默誦中。

在這樣的歲月裡，我們享受著寧靜、悠遊、無拘無束的時光。相聚雖屬爲時短暫，總覺是樂在天倫。縱或有人這麼說：「美國是老年人的墳場，青壯們的戰場，小孩子們的遊樂場，貓狗們的天堂」。其實，成盛衰毀，自古已然，美國是否就是天堂，這是一種心理的感覺，自認絕非老年的墳場，關鍵就在於你的觀念。我的一生，似飛蓬、又如浮萍，隨遇能安，綜觀環宇，享有寧靜黃昏的時日，豈非一己之福？

飛瀑實浩瀚

一水阻隔便是加拿大，相距三十分鐘的車程。美國是以底特律市依托爲北疆要城，對岸便是加拿大國的溫莎市，相互溝通有著水底隧道和高架吊橋，彼此俱有移民局人員佩鎗負責查驗來往行人的護照。坐著我家大小八口的旅行車，一路沿著兩傍的田野向東北行駛，玉米搖曳著粒狀長穗，落花生伏在地表綻著黃色小花，較比耀眼的，只有喬麥的雪白花朵，點綴在滿目深綠的大地上，一片錦繡。六個多小時的馳騁，選在一座圓形結構的孤零零休息站，停留三十分鐘，這時的氣溫攝氏二十二度，稍有寒意，只好加穿一件毛衫，臺北仍是三十八度的高溫，正逢酷暑。廣闊的田野，檜樅松柏，還有白楊、楓樹，構成平疇黑黝黝的森林，縱橫形成加國大地上的自然屏障，在我看來，顯得地曠人稀。遠處偶爾看到個別的農家，紅瓦屋頂和圓型或方型的穀倉，來破除滿眼蒼翠的單調和孤寂。美加邊境地帶，九時方纔黑透，向晚抵達尼加拉瓜的瀑布區，稍停眼看飛瀑怒濤，巨流狂吼渲洩不已，造物的神奇，令人領略到它的偉壯。

瀑區市街隨著起伏地勢興建、鐵公路縱橫，人車往還仍不失寧靜。一早去看瀑布的全貌，很遠就已經聽到水聲。觀瀑地帶，由北向南有著一大片綠蔭，寬闊草地上巨柯參天，間有百花點綴；右側丘陵屏障，茂密林木，形成一道綠墻；左有石壘鐵欄，遊人蟻集，其下怒濤奔騰，永不停止。橢圓形的雙層汽船，載著欲來窮根究底的遊客，掙扎於急流中，體會飛瀑滾滾長逝的趣味。華女年輕，提早先到碼頭購票，排隊，穿著雨衣，乘船逐波，獨自寧受瀑雨冷露的飄落，嘗受洪流搏鬥的驚險，親身接納尼加拉瓜瀑布的考驗，留下一段深遠美好的印象。

觀瀑最佳的位置，莫如在加拿大邊境的我們立腳所在，眞是「前程遠大，後步寬宏」的景觀。這兒，有著高架的狀如長虹大橋，通入美境的紐約；岡巒、湖泊就在其側。飛瀑在美國境的，俗稱小瀑，從對岸看來，只是一種比較，自晨至夕，終年狀如珠簾，傾瀉不已，美妙絕倫，世不多覯。加境的大瀑，那洶湧奔騰而來的源頭，卻在地殼斷層的廣大面積裡，由上而下，無分日夜的傾注，翻滾鼎沸，從未休止。隆隆聲響似雷，反彈的水氣，不斷化成雨霧直達雲霄，雖是大晴天，也似落著毛毛細雨。美加邊境的動人心魄巨瀑，萬萬想不明白的，繞指柔和的弱水，竟成鋼鐵般無可阻擋的雄偉力量，世物變化的奇異，千古莫測，吸引著遠在萬里的人們，都爲欣賞巨瀑而來，坐享人生又一境界。

遊多倫多市

既入加拿大的國境，多倫多市列入我們此行的目標，位置偏於加國南方，氣候良好，水陸交通稱便，工商業發達，湖泊平原，魚糧之鄉，是華人聚居的中心之一。

當我們在尼加拉瓜瀑布區內，一家古典西餐廳進餐休息後，便又驅車沿著湖濱高速公路，朝向西北再向北行，大湖環抱，形成半島；先在安大略湖的岸邊稍停，參觀小人國的景物。這是一處老少咸宜的所在。尤以二、三個孫男女們，更是雀躍得大喊「萬歲」。由仿羅馬神殿古老殘缺的石柱構成大門，內部平衍闢有小湖，規模不若我們龍潭的小人國，但參觀的中西男女老幼，依然絡繹不絕。歐洲的、亞洲的古今雄偉的建築物，一一呈現眼前。非洲埃及金字塔，獅首人身像，以及南美雅瑪文化的石刻也在其間。東方的中國萬里長城、故宮，還有一面五腥旗，看來這旗眞是多餘。日本鎌倉大銅佛，巍然兀立在湖濱。令人留有印象的：如荷蘭的風車和一條五桅木船，俱在小湖畔，使這小小的水塘，發揮吸引觀衆的注目作用。另外，有一條環繞全區的袖珍鐵路，車小軌狹，行駛起來，倒是有板有眼，汽笛嗚嗚叫鳴，轟隆有聲；終站就是起站，設有一個隨拍隨製圓牌的攝影攤位，來爲遊客們服務，收費不昂；能說國英語的青年華人，有他一套生意經，一些兒童顧客，趨之若鶩，總得留一個此行的紀念品。當然，國外謀生，並不是一件輕鬆愉快的事，捨技能、語言、適應環境外，儀態、體能也很重要。

薄暮抵達多倫多郊區湖濱旅館。窗外波光斂灩，帆影穿梭。碧水盈盈，一望無際，遠看落日，金光燦爛；油然想到故鄉白茫茫的珠湖的夕照，堤畔遠眺，恍如此時，不無勾起我一些感喟的回憶。

翌日，住進靠近中國城的多倫多市內假日飯店。街道齊整，男女服飾俱有紳士淑女的模樣。跟著位於火車站附近高聳尖塔作爲焦點，繞行附近通衢，算是一種眞正的「觀光」。市東有一座大型遊樂場，據說是世界博覽會的舊址，西班牙館的房屋仍在，內中表演著西班牙的歌舞。室外的高空跳水，丑角有成人還有孩子們，在那狹窄的跳板上，做出種種欲跳不跳的滑稽又驚人的動作，實是逗趣。加國軍事部門，爲著普及國民的軍事教育，甚至有展示國力的作用，特闢一區陳列著坦克炮車、運兵裝甲車、直昇飛機、加農炮、吉普車，旁有武裝士兵監護，康康、雅雅、小宇三孫，得到監護士兵的許可，坐在吉普車上留影，各擺姿態，風光一番。武器區外架設大型篷帳，懸列很多加國軍隊的歷史鏡頭照片，好讓遊客增進一點加國軍事認識。更到海洋博物館看水族，看捕漁船。湖邊停有一艘編號G六三的巡洋艦，年華老去已早退休，雄姿壯武還不失當年的威風。我們登臨其上，看到官兵操作炮彈在進行戰鬥，還有救傷卹死血淋淋事跡的蠟像，就今日來說，都已經成了過去。

顧名思義的遊樂場，遊則取樂。所以，花樣雜陳，動態百出，要使孩子們玩得精疲力竭，掏空腰包。場中什麼雲霄飛車，鬼屋驚魂，打靶子，投籃球等等，設備充塞爭相羅致遊客，以科技、色彩、機動，來顯示其險奇詭譎，掌握孩子和一般成年男女的喜愛刺激的心理。

市西林木深處，有著一座自然博物館，從原有的山岡開闢建築的。踏著電動扶梯一層層上行，一間間的瀏覽，聲光景物，無不非幻即眞。如：太空之旅、地層開挖銀礦、海港貿易、畜牧農耕，啓示世人的適應自然、征服自然，完成利用自然的遠程理想。跨出門階，佔地頗大的水池，水柱噴射如百花齊放；那萬泉飛騰的景象，耀人眼目，煞是壯觀。停車場的面積，大過館舍，停滿各式車輛，交通秩序維持良好。多倫多市，在公衆出入之所，俱有停車場地，沿街兩側停放車輛的，眞是絕無僅有的例外，回顧國內的停車現象，成了衆人詬病所在，但是又將如何處理？責怪市政當局，抑或罪怪擁有私車的個人？

夜宴在雲霄

兩日連開十二小時的車，飛奔逐北，又復南返，都是中兒獨力爲之，蘭媳輔佐看圖指路；加拿大之行，非常愉快美滿，孫輩們頻呼他年還要再來。

返國前夕，中兒夫婦爲表達孝心，特地又在底特律市世界最高旅館的七十二層頂樓旋轉餐廳設宴。孫男孫女有繫領帶，有著長裙，我們也就衣著整齊。七時半啓行，八時就已入座，天還沒有黑。周圍都是玻璃，近觀遠眺，一眼無際，底特律（DETROIT）溫莎（WINDSOY）就在腳底。兩市之間的清碧水流，做爲兩國的分界線，俯視河面平靜，如鏡似砥。偶有汽艇急駛，激起點點浪花，好似朵朵白蘭的綻放；岸邊的綠地、樹木，清晰入眼，只是堤濱的老少釣客，已經少見蹤影。兩市建物，櫛比鱗次，道路縱橫，錦繡繁華，隨著樓層的旋轉，忽東忽西，南北互移，猶如飛機低空鳥瞰，美景盡收。孫兒女們，不耐正襟危坐的等待進餐，好動的苦於拘束，一得到允許，迅即走近落地大玻璃窗邊，去看眼下的市容，各個欣喜快慰異常，全神貫注，目不暇接；站的位置實際在動，景物絲豪沒有移轉，讓他們小小心靈裡感到賞心悅目，勝過饗宴的珍饈和盛饌。首先，棒球場那邊的燈光大放光明，我們路過的時候，已經知道今晚有著棒球大賽。接著溫莎水底隧道上方的霓虹燈光明閃耀，一盞盞的街燈，也就爭奇鬥艷似的相繼發光，一片星辰，一片燦爛，代替被黑暗吞噬的街景，展現五彩繽紛的亮麗。這時，小孫兒女們，於飽覽異邦風情後，安靜下來與我們共進餐點，大家歡聚在此，共度燭光晚晏，沖淡家人又將分離的微微離愁。

我們啜飲著葡萄美酒，切割厚重可口的牛排，質量皆佳，味美留香。就在飛歸途中，大夥還在讚美臨袂的一餐。聯想到康孫淚眼汪汪的，帶動雅、宇兩孫低聲飲泣的苦澀告別的剎那。

（民國七十九年九月）

紫金山前拜孫陵

「中國國民黨葬總理孫先生於此」的豐碑，擘窩大字，燦爛依然，挺峙在中山陵裡神道碑亭正中。半個世紀的睽違，我終於又能清清楚楚地看到，我又能親手撫摸著；這不是幻想，這不是夢境，畢竟我又來到南京，不過我是懷著淒苦的心情來瞻仰的。

從北平遊故宮，登長城，遊頤和園，探神宗定陵，來到江流滔滔，柳綠桃紅的江南。春色初濃，芳茵遍野，明孝陵的翁仲石刻默默肅立，靈谷寺塔穿越林梢升在空際，而我整個心靈，卻寄託於中山先生陵寢的偉壯矗立、安然無恙之中。

隨著萬千前來謁陵的大衆，懷著虔誠的心情，步經題著「博愛」兩字高三十六尺的石坊，逐級登臨。兩側和山嶺全爲松柏青翠掩蓋，使氣宇軒昂、儼然肅穆的中山先生長眠之所，呈現著一片幽靜、雅致。

路邊攤販大多是「國營」的，而「個體戶」爲數也不算少。售賣的有名勝古蹟明信片、南京市地圖、雨花臺彩石、飲料等，竟然還有　國父遺像，而青天白日徽章鑰匙鍊也在公開供應。

輾轉移厝　終葬紫金

中山先生是民國十三年為求全國統一，不顧北方局勢動盪，冒險北上，時在十一月十三日。由於軍閥難合理想，加以旅途勞頓，肝癌發作，終在十四年三月十二日與世長辭。遺體由北京東城鐵獅子胡同行輴入殮，靈櫬暫行安放於中央公園社稷壇，四月二日移厝西直門外香山東麓碧雲寺，十八年六月一日舉行奉安大典，葬在南京，成就了歷史上的「靈棲碧雲寺，長臥紫金山」的不朽奉厝。

本名鍾山，一名蔣山的紫金山，墓地定在茅山南坡。緣在民國元年四月一日，中山先生解除第一任臨時大總統職務後，偕隨員行獵於明孝陵一帶，當就地休息，綜覽該地氣勢雄偉，而山名紫金，巧與先世所居粵省東江紫金縣名相若，嘗笑謂：「待我他日辭世後，願向國民乞一坏土，以安置軀殼」，彌留時猶殷殷囑葬紫金山以了心願。

中國國民黨中央執行委員會任孔祥熙、宋子文、林煥廷、汪兆銘、張人傑、林森、葉楚傖、陳去病、于右任等十二人組葬事籌備處於上海，籌備程序：一、決定墓地，二、測量墓地，三、交涉、圈撥墓地，四、徵求陵墓圖案……。在徵求設計案公開登報一百二十天中，海內外應徵者四十餘件，經評審以呂彥宜的警鐘形陵園圖案第一名膺選，獲獎金二千五百元。呂氏山東東平人，生於天津，幼年僑居法國，回國後，考入清華學校，嘗實地考察、描繪、整理故宮建築圖案；民國二年入美國康乃爾大學建築系攻讀五年，畢業後在美國著名建築師墨菲的指導下工作。十年返國，任職上海「中南建築公司」，後設

「彥記建築事務所」。民國十四年十月初，葬事籌備處正式任呂氏爲建築師，計畫建築詳圖、監工、驗料、驗工等項，十二月由「姚新記營造廠」取得工程合約。十五年一月十五日陵園興工，同月（由呂氏設計的廣州中山紀念堂圖樣再度在二十八份中外建築師設計傑作中掄元）葬事籌備處由上海遷往南京，進行駐山確實監督、磋商與分期竣工辦法。十六年四月，國民政府定都南京，十七年十一月由主席蔣中正令以次年三月十二日總理逝世四週年紀念爲靈櫬奉安之期。而建築師呂彥直因癌症於三月十八日在上海去世，年三十六歲，由李錦沛繼承其工作，負完全責任。六月一日舉行奉安大典，十一日呂彥直（一八九四—一九二九）獲國民政府明令褒揚，並給營葬費二千元，以示優遇。

名師設計　振聾啓聵

筆者隨衆徘徊在縱橫山間兩華里，建築占有二千餘畝，合計六千餘畝的陵園區域中，仰望陵墓外型恍似警鐘，在給予世人暮鼓晨鐘的深遠寓意裡，具有振聾發聵的作用。墓與陵門是三個拱門建築，懸有「天下爲公」匾額。墓與祭堂相連一體，墓式穹窿，祭堂就在墓前，石階空地，足容五萬人站立。堅實爲主的古制樣式，完全融會中國傳統與西方建築精神，匠心別具，新格特創，莊嚴儉樸，實有古典之美。藍色的琉璃瓦覆蓋每一座屋頂，與天空渾爲一體，構成融合大地的氣氛，極其自然。而民族、民權、民生三方耀眼大字，本諸民有、民治、民享的理想分刻於門楣。奠基石刻清晰依然，鑲嵌在祭堂牆跟的一角，記載著中華民國十五年一月十五日陵園工程正式興工。墓室緊靠祭堂，高三十三尺的圓形墓室，直徑五十四尺，橫額「浩氣常存」。內門刻著「孫中山先生之墓」七字，頂飾中國國民黨黨徽，地面全是白色大理石。直徑十三尺的長方墓壙，圍著欄杆，墓穴安置總理仰臥石像，祭堂高十五尺，凝目平視的總理全身石雕座像的神態稍有不同，推係一法國雕刻名家的手筆。如今位置臺北市的國父紀念館、國立歷史博物館內的國父銅像，俱本諸此一源流的頭像所雕塑的。

從墓道入口至墓室距離七〇〇公尺，計有三九二級石階，墓室海拔是一五八公尺。行行停停，五十年前景象，幕幕重現，恍如眼前。隨坡升高，牌坊、墓道、陵門、碑亭、平臺、祭堂、墓室，一切依舊，堂中四壁浮雕著中山先生革命事蹟，以及《建國大綱》的遺著——留給每一位親臨祭拜者永久的懷念。

遺志未竟　無盡追思

江南草長，群鶯亂飛的春日，在內子和次女的陪伴下，重蒞中山陵園羅拜在先生的靈前。偉大的導師，他老人家雙手交叉胸前的大理石像，渺目仰望青天白日十二道毫芒。靜靜無聲，在淡淡光影裡，筆者心裡激動，噙著淚水向我終生崇敬的聖哲致敬。墓外，藍天白雲，掩映著遍山滿野的翠綠，萬千專程前來瞻仰的人們，相信誰都不會忘懷這位創建中華民國的曠世政治家、思想家。惋惜的是，後繼者仍未竟其遺志，又該如何的奮起、努力！

中山先生長眠的紫金山巔，前臨開闊平原，背靠巍峨青峰，蒼松翠柏，漫山蒼碧，佈局嚴整，氣象雄偉，偉人長眠此地，當留給後人無盡的追思。

（民國八十年十一月）

蘇杭常入夢懷中

十里洋場

年久歲月的阻隔，意想不到又重臨江南，像是匆匆的過客，如夢似的霎時留駐，感受著「客路青山外，行舟綠水前，潮平兩岸闊，風正一帆懸」的飄浮、飄浮。

我們夜航上海，是由長沙直飛，止於虹橋機場，燈火零零落落，車輛廖寥無幾。友好的迎接中，就在這樣冷冷清清的環境裡駛入市區。雖然，住大飯店，坐日產新車，花的卻是「外匯券」，而服務機構全是所謂「國營」，早非私人所可插足，也非一般人所能享受。

記得從少年開始，上海到過不知有多少次。最顯著的，抗戰期間，我由重慶到達上海，冒著艱險潛入敵後。對日抗戰勝利臺灣光復，我即到臺灣一遊，再從臺灣返回江蘇，曾在上海逗留。駐軍南通期間，經常也以上海做為一個往還的據點，直至民國三十八年五月，才又由杭州經上海再到臺灣。上海原本是十里洋場，繁華似錦，一別四十年的今天，我又接觸到它的全貌，卻是料想不到的人心消沉，光景猶遜於當年，雖已遠離清算鬥爭的恐怖與惡劣，但是俗稱的「十年浩劫」造成衰退痕跡仍然難以抹去，在共產主義一切國營的體制下，人民生活水準只有落後。

上海的林立巨廈蒙上一層灰暗陰影，早就失去了光彩，就連那些來去頻繁的無軌電車，破舊殘缺與不揚貌相，無法滿足千萬市民行的需求。街邊的老人糾察隊，有男有女，都是已經退休的人員所組成，臂纏紅袖套，代表這些老朽的權威。他們負責交通整頓、衛生環境、治安維護，除去找一些走路違規的人們罰款，也無什麼效果可談，但是這些人在路邊放置椅子或一張小凳、一杯濃茶、一枝香煙，悠哉悠哉的監視行人，每日淨得工資人民幣三元，使這些退休人員變成廢物利用的統制工具。據說：中國大陸北方城市的「小腳偵緝隊」，也就是肩負如此的任務。

在上海只有整整一天的停留時間。先參觀上海博物館，樓房是就舊有建物來使用的，夠不上現代一個博物館收藏與展覽的條件，燈光過暗，設備簡陋，陳列的中國青銅器，本是中華民族祖先的文化遺產，頗值一觀的祀器，有：商晚期的「四羊首瓿」、「戉箙卣」、「亞冥方罍」，西周早期的「曲折雷紋卣」、「甲簋」、晚期「仲義父鐳」、西周恭王「師遽」、孝王的「大克鼎」、「齊侯匜」，春秋晚期的「鳥獸龍紋壺」、「犧尊」。戰國早期的「匽氏壺」、「羽翼紋壺」、「鑲嵌雲紋敦」，造形別緻，紋飾大方，中華民族瑰寶，世界之光的古代青銅器，來自四方的發掘出土，也有說是部分「捐贈」的，可惜說明過簡、字體細小，在陰暗照明中，參觀的人都無法細加欣賞和作較詳的了解。

外灘是昔年上海賈服聯翩、繁榮富庶的所在，因爲這一地帶臨近黃浦江，廣廈千萬，冠蓋雲集。

我們重臨目睹，外貌依稀如昨，而內裡卻早空空蕩蕩，擠滿猶如大雜院的一些人家。江上風吹，夾帶一陣陣油氣腐味，岸邊石堤高築，船隻寥寥可數，無復往日的市舶水面穿梭，只有無數閒人，望著污濁的流水泛著滾滾浪花。中共近在浦東開發自由貿易區，在經濟措施的種種束縛下，是否能夠如願？尚待觀察。

蘇州林園

記得唐代張繼一首詩的後兩句：「姑蘇城外寒山寺，夜半鐘聲到客船。」直接印象的那時蘇州，佛教盛行，河流四通。因此，在長江下游的太湖之濱，存留著這一歷史文化古城。不僅，江南農村是水網地區，也是美術和工藝發達的所在，從寺廟裡的雕樑、畫棟、大殿、廊、閣、亭、院，見其端倪。

去蘇州只有一天往返行程；鎮江、南京、揚州俱未考慮一溫舊夢。我們僱用小巴士由上海出發，傍著京滬鐵路向西行駛，鐵道一側的行列齊整的綠樹，如屏似的增添很多美感。碧流微波，間有木船來來去去，農家正在耕耘，青苗滿野，忙著種植。臨水垂柳，任風款擺，顯出江南的仲夏景色。

到達蘇州已是午時，原先熟悉的拱橋、林園、寺廟、石道，清靜宜人的地方，已經有著很大變化，有威尼斯稱的曲折有致河流，失去清澈澄碧，石條街道改成沙石鋪路，拱橋日稀，林園寥落，寺院凋零。往日最繁華的玄妙觀附近，想覓一家較爲雅潔的餐廳，雖是樓座，而光線不足，只有電扇吹風，吹來有一點悶熱難當。

北寺塔，南宋紹興年間重建，現在仍是蘇州一帶最高的古塔，計有九層，吳越錢氏改造題名報恩寺，塔勢巍峨，成爲地標。四十年前登臨已不能直達塔頂，火焚跡近殘缺。如今別來無恙，人事早非，而這北寺塔的層層飛簷捲脊，偉壯萬分，還空留著餘憾的苦憶，這也是我當年寄跡蘇州的唯一去思。由怪奇大石堆成假山的獅子林、浮生六記記敘中的滄浪亭、六如居士唐寅築室種桃的桃花塢、強調就是大觀園的拙政園，近乎半個世紀的滄桑，久別未能再臨，在想舊地是否如故，還是滿目瘡痍？

西園和留園的重履，是順道而去，要用「外匯券」購票參觀，因爲我雖蘇人現是「臺胞」啊！我未找到從前鯉魚滿塘的放生池，卻看到偏殿的羅漢堂，擠擠軋軋的裝金五百羅漢，瞋目慈眉、低首默想等表情容貌變化不一而足，這些群相又何嘗不似今日社會人們的嘴臉？若非保留修繕，那裡還有這些法相供人發思古幽情，追念過去的一些情景？

虎丘在閶門外的西北，有路通達。山嶺、古寺、林木、高塔，還有一條河流、一個小鎮。遊人不絕的湧來，勝似往年盛期的人潮。我們停好車子，隨衆前進，這群男男女女，有「離休」人員，也有工廠「模範」職工，來自北方的、武漢的、蘇北的、湘桂的，均是遊覽名勝而來。

道路、山石、斜塔、寺廟，俱是經過一番重修整理，就連街景也已經翻新，只是清溪失去蹤影，污濁不忍停留。小街兩邊全是商店，有草帽、念珠、香燭、紙炮，還有汗衫、圖片，甚至蘇繡、青田石刻的美術工藝品，分成國營和個體經營。國營的服務人員，寧可少賣，態度冷峻，懶得多拿一件貨物，多講一句話，要買就買，不買拉倒，落伍的公家賣物方式，冷卻遊客很多購物的興趣。

沿路登山，林木扶疏，有亭有碑，供人憑弔。例如「試劍石」、「劍池」，另有梅花樓、小吳軒、可中亭、虎丘塔等建築，散居山間。唯一堪資觀賞的虎丘塔，雄踞嶺左，沒有既往那種塔身傾斜的感覺，蔓延的藤蔓已給清刈爽明，已無龍鍾老態的畢現，但是遊客不能拾級攀登，一償俯視阡陌河川、綠柳田舍的夙願，只有在夕陽近暮的時辰，看看古塔的身影，聊慰久別的滿腔懷念。

西湖荷香

杭州四郊青山蜿蜒，山外有山，風光秀美，加之城邊西湖益增嫵媚。此來重遊湖山，看它是否別來無恙？俗稱「上有天堂，下有蘇杭」，蘇州既已去遊，杭州也就決定作兩日之行，乘坐火車軟席前往，宿湖濱五星級旅館。

在驕陽夏日的過午抵達，旋乘冷氣巴士，先繞路邊道路瀏覽湖光山色，再坐小船盪漾水上。山色似黛，綠樹森森，波興漣漪，風送荷香，賞景悅目，是一難得的機緣。

岳墳適在蘇堤盡頭，杭人對蘇東坡的民生治蹟，雖後於白居易二百七十年任太守，兩位皆以謫宦來到杭州，卻是歷史留名。一以湖邊建有白堤，且建段橋與錦帶橋，使得孤山與杭城相連；蘇氏所築蘇堤，有六座石橋，溝通湖面內外，並使北山與南屏相通。因此，白蘇二公祠，就是用以紀念這兩位詩人太守的。岳飛之死是千古莫須有的冤獄，岳廟與岳墳迎面牌坊橫刻著「碧血丹心」四字。目前廟貌莊嚴肅穆，岳飛塑像頗具神威，其女銀屏墓即在屋後右側。岳墳初看依然舊時風貌，刻在牆上的「

盡忠報國」與「還我河山」，猶歷歷在目，而秦檜夫婦與萬俟卨、張俊四奸的鐵鑄跪像，依然丟人現眼，任人唾罵。岳鄂王暨子岳雲豐碑兀立，我虔誠的鞠躬爲禮，油然想起：民國三十八年春，我與我妻、我女、我子在此行禮留影，永難忘懷那段情景。

由於宋人有詩：「山外青山樓外樓，西湖歌舞幾時休，薰風吹得遊人醉，只把杭州當汴洲。」乃有樓外樓餐館著名中外。醋溜魚，又名宋嫂魚，非常負有盛名。現址非崇樓疊閣，只是湖濱一座古典建築的平房，「樓外樓」的三個金色大字卻非常耀眼。畫竹名家陳芷汀曾題一聯：「樓外攬西施，風情最愛花雕酒；墳前拜蘇小，妒意難忘醋溜魚。」寫景寫實，不愧詩書畫三絕，受著世人的欽敬。到風景絕佳的裡西湖孤山西冷橋畔走走，峰影水光，楊柳桃樹，加之芙蓉遍植，紅綠相間。北齊的錢塘蘇小墳早無蹤影，僅僅空餘一亭。

附近的鑑湖女俠墓，爲創建中華民國烈士秋瑾埋骨處也就破壞無遺。憶她在殉國前五日，致徐小淑絕命詞有言：「不須三尺孤墳，中國已無乾淨土」句，想不到秋俠在其就義後先遷葬忠骸於湖南，終於又移西湖。大陸動亂，既毀其碣墓，骸骨也失去下落。當我們遊覽杭城時，希望詣墓憑弔，竟被推三阻四，不得如願，經人偷偷的說明，墓已不存。翌日報紙赫然有著一則消息，指明秋墓被破壞的前夕，遺骨經由守墓人藏於山間，業經發現；至於可否復墓葬骨，就是沒有隻字提及。而秋祠也多次曾以他人的改頭換面聊備一格，現時更不必談論。正好借用秋女俠的話：「雖死猶生，犧牲盡我責任」，女俠心胸坦蕩，何用顧及死後諸事。但站在歷史觀點，中共的草率狹隘，未免不成大器，令人悲憤。

湖上多市廟，南朝四百八十寺，抗戰前後的靈隱、龍井、虎跑、雲棲、理安等大廟的古木濃蔭，庭院深廣。西湖之行，只到靈隱、龍井，仍饒趣味，創建東晉咸和元年（三二六）的靈隱寺又名雲林，是杭州最大叢林寺院，現經整修，面貌煥然一新，存有天王殿、大雄寶殿、東西迴廊和西廂房、聯燈閣、大悲閣。靈隱山門的照壁書有「咫尺西天」的黑字，引人注目；另外，大批婦女茶農兜售茶葉，是往年沒有見過的「商戰」。寺內四寶：香樟木雕的南無釋迦牟尼佛像，南無韋馱天尊菩薩、彌勒佛像，還有一座九層石鐘塔，俱係北宋遺物，所幸沒被毀滅，但是經由「鬥爭」而獲倖存的剩餘文物，算得上杭城碩果僅存的先民血汗所留的文化遺產。

南山的龍井，完全掩蔽在茂林修竹之中，以清泓澄澈，味甘且洌的龍井泉水烹茶，青碧撩人，芬芳撲鼻。我所參觀規模極小的龍井寺，掬水盥洗，清涼自在，復在農家飲茶，主婦是「生產大隊」的負責人，能說善道，禮遇有加。實際龍井茶量不豐，鄰近的獅子峰與胡公廟所產統以名之，色香味出於自然，新茶初茁，佳水瀹之，誠不虛此一行程。

小船遊湖，山水環抱，北山瘦尖的保俶塔，昔曾全家居其左側；南有六和塔，底寬而闊，各異其型，兩相遙遙輝映，益增西湖風華。堤分裡湖外湖，小瀛洲、三潭印月、曲院風荷、湖心亭、阮公墩，大小不一，均係濬湖掘土堆積形成，構有小築，在垂柳蔭濃中，爲湖光增色。而芙蓉遍植，綠葉紅花，間有白蕚。荷香氤氳，隨風傳送，在空曠湖面上，享受清風、荷香，任輕舟搖盪，自得其樂。內心卻不是味道，「景隨心異」的此說，是歷經不爽的。

附註：民國三十八年，上海易手，我和妻子兒女隱居於裡西湖山間，么妹帶同次女來接返滬轉往臺灣，曾多次遊湖並在岳墳留影紀念。往事歷歷。在重遊杭城時，頗多感觸；尤以，么妹早赴天國，遺憾卻永遠留在心頭。

（民國八十年七月）

香港・廣州・深圳・羅湖橋

經香港

從中華民國的臺北啓程，若是要去大陸各地，必先經過香港。有的人認爲多此一舉，何不早日開放直航，省時、省事、省錢。也有人贊成經香港轉機，可在香港稍事停留，購物觀光，一舉數得，何樂不爲？

我總覺得這是仁智互見的。目前旅遊者，尙未能自作主張，做到各自取捨的地步。實在的，香港市面繁榮，購物方便，吃住有奢有儉；尤以吃食在香港，色香味俱佳，各式各樣，任聽君便。玩的方面，逛逛擁擠而並不髒亂的街景，人多，車多，貨物多，讓你色迷眼眩，美不勝數。淺水灣的清晨漫步，看大海從薄霧中醒來，陽光初昇，帆影幢幢，微波碎浪，清新可喜。黃昏觀潮，巨濤襲岸，從遠處洶湧緊迫，終於聲吼水騰，週而復始，散盡大自然的滿腹怨氣，即便弄得每一愛潮者的衣履皆濕，並不爲忤。多神的廟宇，多樣的菩薩神祇，散佈在山隈海濱，裝飾得那麼富麗堂皇，但卻失去宗教的肅穆莊嚴，給人們灌注著功利，聯想敬神便是賺錢進財的一種直接了當的捷徑。

香港的海洋公園，是經過精心設計來營造的；到香港的人，皆應「到此一遊」。山頂山下相距二百公尺，孛道纜車相連，建有海洋館、海濤館、海洋劇場。海洋魚類游弋在海草和礁石間，色彩繽紛的珊瑚綴綴其間，恍似寄身海洋世界；海濤館建有人工海洋、岩岸、沙灘，還有揚起來一公尺高的海浪，不斷撲打對面的岩石，驚濤駭浪，幾疑其眞。海洋劇場，內有海豚、海獅在導演指揮和音樂伴奏下，表演各項節目，如跳高、鑽圈、頂球、跳水等，非常動人有趣。還有超越的藝人，露一手高空跳水等花式，更是驚心憾魄。

過廣州

乘開往廣州的直達火車，由九龍登車，廣州車站下車，車體狹小，所幸沒有站立的旅客，壅塞著走道。沿途很多小站；山坡間的田野、工廠和民居，原存的破敗景象，依然在目。廣州之行，已有三度，市景一片人車爭道，路面正不斷拆屋修築中。

宮殿式建築的中山紀念堂。越秀山南麓，林木森森，週圍雜花遍植，同是設計中山陵工程師呂彥直的傑作，落成於民國二十年十月，佔地六萬平方公尺。正面作重檐歇山頂，上部呈八角亭式，紅柱黃牆，蓋著寶藍色的琉璃瓦，莊嚴肅穆；堂內分上下兩層，有四、七二九個席位，四周裝飾著彩繪圖案，金碧輝煌，富有民族的風格，是我們此行最先參拜的地方。國父銅像矗立空際，其秉持民族、民權、民生的三民主義精神，天下爲公的襟懷，令人崇仰。

經慘烈失敗，蘊藏著勝利曙光的，辛亥三月二十九日，同盟會發動的第十次廣州起義，一晝夜的血戰，百餘人的英勇犧牲，叢葬於黃花崗；方形鐘頂碑亭，樹「七十二烈士之墓」石碑。（後又查列姓名十四人，計八十六人）墓門是一座横排三個拱門的高大牌坊，有中山先生題鐫的「浩氣長存」鎏金大字，墓道寬闊，花木、碑石林立兩旁。陵墓以麻石砌成方形墓基，石上刻有捐獻的中國國民黨海外機構的名稱，頂上挺立一高舉火炬的自由神像。冒險奔走得以殮葬的同志潘達微，不慕名利，性好藝術，死後附葬墓側，先烈多人亦葬於附近。千秋萬世，供國人的憑弔。

五羊山的登臨，六榕寺的參觀，誠是發思古的幽情，內中滲雜一些神話傳說，助長一點遊興。在越秀山崗頂，有高十一公尺的五羊石像，掩映於花木扶疏當中，傳說周夷王時，五仙騎著口啣谷穗的五羊降臨廣州（古名楚庭），穀穗贈給州人，並祝永無飢荒，仙去羊化成石。至於殘留的佛教古寺，藏有佛骨自梁初建，北宋元符二年（一〇九九）蘇軾蒞此揮筆「六榕」，明代始將淨慧寺改稱六榕寺，如今，還有四株蒼榕交蔭院中，又有「補榕亭」，來充實寺內榕蔭園，吸引遊客。

百年歷史的陳家祠堂，又稱陳氏書院，現稱「廣東民間工藝館」，實際爲官據有的工藝陳列與展覽場所。三進五間，九堂六院，面積一萬多平方公尺，佈局嚴整，氣勢雄偉，裝飾精巧，富麗堂皇，可見陳氏先人的用心良苦。它不僅體現中國古典建築的傳統精華所在，又富有地方工藝裝飾的特點表現無遺。木雕、石雕、磚雕、泥塑、石灣陶塑、鐵鑄工藝等畢現，而門牆嵌的篆體題字，內容不會人人能識能懂，書法的遒美，已不多見。陳列著一方舉世無雙特大的「潔石」端硯，說是天下第一，當之無愧；瓷、陶、金、玉、豐富多彩，椰殼雕刻，頗見精妙。現或展覽個人的工藝作品，如：陶瓷藝術能夠發揮個性，別出心裁，若是有所創新的話，在目前的大陸陶藝家們，還須努力，要來再作一番奮鬥。

夜宿珠江邊的沙面白天鵝大飯店，補償香港到廣州一段的悶熱，檢查行李時空間狹小的擠軋，還有提著大件行李過關的吃力。雖然，沙面過去的歷史，依然未能淡忘，稱之是島，有橋溝通，已經讓人渾然無知。南臨珠江，水闊江深，應是人人皆知的「白鵝潭」所在，滔滔洪流，輪船帆影。獨坐一隅，看天、看雲、看水、看船，動靜有致，享受著滿腔的幽閒自在，深覺廣州之行，在心靈上此次最多收獲。飯店甬道雜陳著很多宗教藝術品，其中一口古的銅鐘，陽刻「寒山寺」三個正楷大字，惜無時間仔細瞭解鑄造的年月與地點。假如眞是來自蘇州寒山寺的話，一提寒山寺，便會使我想起唐代張繼的詩，自然又想到夜半鐘聲是和尙撞的鐘，更會聯想到民國三十八年，隨軍駐防寺鄰張園主持訓導工作的種種。過去的，有的成做歷史，有的早就化成灰燼烏有。蘇州這個城市，是我一世祖的本籍所在，也是我在兵荒馬亂那個年代，隨伴軍旅生活的客居，多多少少，尙剩餘一些陳跡往事值得回憶。

宿深圳

從陝西咸陽機場搭機回返臺灣，只到廣州，讓我們有一覽深圳的機會。我想，外出多見見世面，也是很好的旅遊，倒不一定每一個地方都選擇眼看風景、名勝、文物、史蹟。

深圳是近年大陸開放建設起來的新都市之一，目前仍是一個特別區。我們雖開廣州機場乘坐巴士，已是向晚接近黃昏，蒼茫的暮色，由淺而深地撲向我們；進入特區，街燈放光，有的路邊亮麗如晝，有的仍然黑漆一團，行行重行行，高層建築滿眼俱是，但在昏黃照明的街邊，卻見到很多蓬髮和儀容不整的，飽含憂鬱的青年們，踟躕徘徊在想什麼，在看什麼，我總覺得他們臉上蒙罩著一層無告的暗影。特區不是人人自由進出的，我們依然在被驗證後又過一關，似被許可進入另一個國度。十時過後，始被帶來一家餐廳，從外表來看貌相堂皇，就餐就非常的不合想像，大概是大廚和服務人員早該是打烊休息的時候，但又不得不恭候我們這批約定的貴客。因此，心裡好像吃的是嗟來之食。

海濱飯店醒來，已非清晨，路上卡車奔馳，喇叭聲響不停，看看對岸正是香港，隱約見其面目，兩者只是一道海水的相阻，深圳所處的位置，是靠珠江的東岸，隔江珠海。這一大片正在開發中的中國大陸土地，它與香港水天相接，得到很大的方便。

鄰近有一「小人國」，人工建造，佔地很廣。它以林木山水取勝。入門的石刻，便是「錦繡中華」四個陰刻紅底大字，想用赤色中國來引誘前來的旅客。景色比例的縮小，不礙眼前的天下萬物，例如雲南的石林，廣西象鼻山、安徽黃山奇景，西藏布達拉宮、貴州黃菓樹瀑布、杭州西湖的煙柳波影等，俱堪入目。

跨羅湖橋

現時的羅湖，有河分界，一是英國屬地香港，一是中國的廣東，其實俱是寶安縣境。我們所坐巴士由深圳啓行，到羅湖接受國境檢查，所幸午後二時開始，我們捷足先登列入第一位，行李委託當地勞工搬運，場所雖小並不侷促，按序接受驗證，順利過關。一條河，一座鐵橋，英界又是照例下車、排隊、接受查驗，旅客有著一種說不出的心理輕鬆。我們向九龍前去，道路整潔，樹木油綠向榮，屋舍高聳，車輛漸多，丘陵傍處沿著海灣，景色秀美，好像在感受上有著差異。

香港的繁華，又在向著我們招手，那粗獷的寂靜大地，已經置諸腦後。一夜綺麗的夢境醒來，預計今晚，該是我們回家吃晚飯的時候。

（民國八十二年十月）

柒、故人新知皆存念

方孝儒的滴血石

明洪武三十一年太祖死，以太孫允炆繼立，是爲惠帝，不僅造致叔侄反目，爲爭奪統治權力大動干戈，反而禍延大儒方孝儒，遭受千古未曾有過的夷十族的刑戮，冤死許多不該死的人命。

方是浙江寧海人，字希直，又字希古；學者尊稱正學先生。由於是洪武的漢中教授，皇太孫即位年號建文，委命方爲侍講學士。駐守邊塞的太祖四子燕王棣，認爲太孫惠帝是他晚輩，自已勇敢善戰且爲太祖所喜的親子，心懷不平；可是，燕王在群藩中最具權威，當以惠帝爲中心的朝廷所忌，那是必然的。在兵戎相見同室操戈三年，南征渡江，宮中火起，惠帝不知所終。燕王朱棣獲得勝利自立爲帝，是爲成祖，在位二十二年（惠帝僅有四年），年號永樂。在即位之初，偏偏召令方孝儒起草登基詔書，而方堅拒擲筆於地，根據明儒學案史料摘錄有說：「死即死耳，詔不可草。」清褚「獲堅瓠集」記述孝儒書一「簒」字，並說「萬世後脫不得此字」。朱氏家務事，本來孫子做皇帝與兒子來做皇帝，俱是一姓一家的特權，外人又將如何？方一秉忠忱，不理成祖勸慰，罵不絕口，終被磔殺，夷九族之外，復加師友一族，正應「即夷十族又何妨」的孝儒一句答話。於此，符合成祖對異己「手段殘酷，殺戮冤濫」歷史評論。

抗戰前，筆者就讀江蘇省立南京中學時，假日曾去明故宮遺址參觀古物保存所內所藏文物，該地荒蕪一片，想當年明初在城東填築燕雀湖與建宮室，分內外二重，外名皇城，內名宮城，有護城河環繞四周，宮城內外大致與北京現存明故宮佈局相仿，惜在清咸豐年間太平軍之亂，均毀於戰火，我所見到的，五龍橋依稀存在，壙地建有小型飛機場，另古物保存所建築物，只是鳳毛麟角孤守一隅，其中一塊長方的大理石，印著斑斑朱色，置於玻璃櫥中，卡片說明是「方孝儒血滴石」，引動好奇注視，久久不忍去；據所內執事先生告以方不遵成祖命草詔，咒罵叛逆不已，竟被割舌，血滴石中，留存此一階下石作爲歷史佐證。抗戰勝利，船經嘉興鄉間運河中，曾見岸旁有廟，門外石獅有燒烤遺跡，據寺僧談及：明代嘉靖年間，倭寇入侵，搜索婦女囚於寺室供其姦淫，有一老僧不忍見其惡行，乘倭日間外出劫掠，縱放所囚婦女逃生，入晚倭歸，縛僧於獅石火焚，迄今屍油浸入的痕跡依然入目，顯明看到兩臂抱石，身貼其間的形象，倭寇的殘暴，濫殺無辜國人的罪證，猶如方孝儒血滴石一樣動人心魄，特一併提及親目所睹的史實。

如今，血滴石已經無影無蹤（我去南京博物院參觀詢及證實），方墓尚在城南雨花臺，予人懷古之思。

（民國八十二年十月）

記縱橫越南的常勝客軍

以七星黑旗作標幟的「黑旗軍」，清同治年間進入越南北部，助越平定「白苗之亂」，倚爲越北長城。中法戰爭，又以劣勢擊敗法軍於河內，威名大震。清廷鑑於劉之威名，調其鎮守臺灣南部，然而「馬關條約」將臺灣割讓予日本，全臺軍民不服，劉遂慷慨自任，領導官兵義勇、孤軍奮鬥，守土保民。終因彈盡援絕，棄守回粵。這一段可歌可泣的抗日守土事蹟，由今日國立歷史博物館珍藏之福軍文獻中得知當日之孤困絕望，劉永福暨全臺軍民護土衛疆之心，愈益增其慷慨悲壯的情操。

越北長城

以七星黑旗做標幟的「黑旗軍」，曾是天地會黨廣東人劉永福自成的一軍，清同治（一八六二—一八七四）年間進入越南北部，助越平定「白苗之亂」，駐軍得勝，倚爲越南北部長城。當光緒九年（一八八三），法國海軍中將孤拔（A.P.Gourbet）率軍增援抵達海防，企圖擊走中國駐越官軍并掃蕩「黑旗軍」，詎料劉以劣勢擊敗法軍於河內，斬法將安鄴，後又擊斃其海軍上校李維業，威名大震。陸續再與法軍戰於懷德、丹鳳等處，不利，退山西一帶，復與孤拔激戰兩晝夜，終以彈藥不濟退守興化。雖然黑旗軍不能當大敵，復棄興化北走，北圻要地盡歸法軍所掌握；其勇可嘉，其禦侮精神可佩。

這一支本太平軍殘餘的劉永福軍，居越北拓疆七百餘里，以數千人迭敗法軍；因由於吏部主事唐景崧，自請赴越南招降受撫，賞提督銜；雲南巡撫唐炯助以餉銀一萬兩，使與法軍在河內一帶相對峙。劉退興化後，雲貴總督岑毓英編其部三千人為十二營，協防興化，宣光；越南王封授「三宣提督」，「一等義勇男」官爵。以他昔日蓄髮投奔「長毛」，度過一段「不兵不賊，依人度活，日討兩餐」無可奈何的生活，一躍成為清廷命官，越南封授「官爵」，殺敵有功，風光一時。（民國肇造，曾任中華民國廣東民團總團長。）

法國既組遠征軍，決定擴大對華戰爭，巡邊諒山附近，遭遇華軍阻擊頗有傷亡，要求中國立刻撤兵，賠償一切，要脅未遂，談判決裂，雙方正式爆發戰爭。光緒十年（一八八四），法國孤拔，乘坐旗艦奧蘭扎號，率戰艦八艘，堵塞閩江口，賡續向我偷襲，兩小時戰鬥，沉我兵艦七艘，死傷甚衆，法僅沉一魚雷艇，死水兵十二名。次月又率艦隻暨陸軍登陸基隆大沙灣，更分攻淡水；翌年陷澎湖，雙方均有死傷；如今，馬公留有孤拔墓，大沙灣也就是基隆中正路海濱，尚有遺蹟可尋，臺灣民間稱抗法之役是「西仔反」。

澎湖既失，臺灣孤立，餉絕援斷，一失難復，得法國約定，如劉永福不退保勝，澎湖亦須遲還。劉為顧全大局，率屬先退滇境，再徙粵地，結束于越南縱橫各地的客軍地位。因此，天津條約中，有「法軍退出基隆，並撤消封鎖中國海面的命令」，且有「越南法兵不侵犯中國邊界」的條款。清廷方有事西北，雲南回亂正熾，實力不足，丟失越南，是在挽救情勢危急的臺海封鎖現局。

不計生死　共禦倭夷

光緒二十一年（一八九五），劉永福調來臺灣鎭守南部，時空變化，情勢也就有著差異。清廷只從表面鑑於劉的往日威名，並未顧及他的「兵單力薄，火藥不足」，實係「用其虛名，以定民心，壯士氣」。甲午中日戰爭，簽訂馬關條約，「奉天南部及臺灣、澎湖所屬島嶼均割讓於日本」。澎湖先為日本攻佔，割臺已成事實，臺胞不服，勢所必然；劉雖慷慨自任，勇鎭臺南，領導官兵義勇，孤軍奮鬥，守土保民。從劉的「爲開誠布公、激勵軍民，共守危疆事」的致臺民抗日布告有言：「自問年將六十，萬死不辭；……願合衆志成城，制挺勝敵；……惟軍民共守，氣味最貴相投；淮、楚同仇，援助豈容稍異……本幫辦亦猶人也，無尺寸長，有忠義氣，任勞任怨，無詐無虞。……須知同心戮力自可轉危爲安；……。」更從劉永福與臺灣同胞抗日「盟約」來看，理想願望是「臺宜固守不交，不撤防營，不撤永福。南北洋大臣無不允許力助。永福在臺能支持得住，救兵即到。因此，盼望各宜自信，務須堅守下去，甘苦與共，生死與共。如有戰事，務必互相援助。緣一己之精神有限，衆人之見解當精，廣益集思」。且特別寬慰軍民於盟約中的，「開仗時，或傷或死，在所不免；如有受傷者，無論何人，必調理銀錢，斷不吝惜，照料不可不周，如不顧恤，天必誅之、滅之，衆人嚴議。臨陣亡者，必須首先搶尸，暫爲收殮，事平或運或葬，妥爲區處。陣亡者，查明籍貫、家人，必爲資運，且卹後人。如無家可歸者，始行選地安葬，立昭忠祠，春秋祭祀。若能衆人一心，兵民一氣，不計生死，共禦倭夷。」

歷史現實而殘酷，甲午戰起，既調廣東南澳總兵劉永福率師渡守，藩司唐景崧署臺撫，劉與唐共事越南，後竟不和。等到日艦二十九艘分泊臺灣北部海面，佯攻金包里牽制守軍，潛從澳底登岸，獅球嶺失守，副將黃義德潰退臺北，秩序大亂，唐景崧微服雜亂民中逃去淡水，乘德船鴨打號遠走廈門，日軍始來攻城。固然，拒約無方，外援又絕，而諸將爭功不和。所部大多怯戰潰散，日以樺山資紀爲臺灣總督，初率海陸軍僅三千六百人，時臺灣新舊各軍三百數十營，竟未全力抗拒，唐的匆匆一走，北路頓失重心，全臺鎭道府縣等官納印內渡的一百五十餘人，水師提督楊峻珍率部十營離臺，實力減少，臺紳丘逢甲、林朝棟、林維源等，也就不顧而去，勢益孤單。

無錢、無糧、無械、無彈

駐守臺南的劉永福，經常往返旂后與恒春之間指揮部屬，力抗由臺灣副總督高島鞆之中將率南進軍九萬人，登陸高雄、布袋、枋寮各處；血戰多地，互有死傷。樺山資紀曾貽書劉氏：「公以孤軍持絕地數月不下，公已無負於臺民。今困孤城，尺地以外皆敵軍，徒傷民命何益？倘率所部去臺，當以禮送公去」，這種分化勸降的方式，拒之；日軍陷鳳山，逼臺南，攻城相持多日，食盡兵潰，始登英船塞利士號內渡廈門，旋歸於廣東欽州。筆者從國立歷史博物館珍藏的福軍文獻，一是「公牘蒿簿」，一是「函稿簿」，俱是其義子成良的幕僚作業。在印信上刻著：「統帶福前左前右中右後等營大坪旂後砲臺砲隊關防」。條戳刻著：「統領福字各軍兼旂后大坪各炮臺會辦福軍營務處雲南即補州正堂劉」字樣，管轄大小十三個部隊，父子親情，追隨日久，他是一位福軍中舉足輕重的人物。

惟從兩本遺留的文牘字裡行間發現，劉永福來臺，清廷爲著「戰守有備」和「可阻敵謀」的構想下派調的。而帶領隨來的部隊，恰是一些未經訓練的新募粵勇兩營，武器撥發毛瑟鎗五〇〇支，馬梯呢鎗二〇〇支，曁一些砲械等件。官兵月餉還須由臺支給。劉的職銜從印信鈐的「鎮守福建臺灣總兵官之關防」得知，官銜是：「欽命幫辦臺灣防務記名提督軍門至依博德恩巴圖魯」。南臺要地兵力部署：恒春五營、旂后二營、鳳山一營、來港三營、白沙墩五營、布袋嘴三營、宵隆墟五營、四草湖五營、民團二十餘營；爲著解決糧餉問題，設有籌防總局，勸募收款，效果欠佳，由官銀錢票總局發行臺南官銀票，一些強有力者，相繼用票兌銀，落得紙票漸成廢紙。加之，械彈無著，蒐集銹壞鎗砲及一些鐵器，也是無濟於事。糧餉、械彈短缺，遂將六堆各莊義勇撤回歸農，等到臺南告緊，又「不分晝夜，迅速調集粵莊義民一千名，只發伙食，月餉仍有莊內自備」；申請修補營房，就以「秋令雨稀，似可將就駐紮」來作塘塞，凡事動用公家銀兩，均是「礙難開報」。

劉氏在無錢、無糧、無械、無彈的種種匱乏情況下，已到羅掘俱窮的地步；這時全臺富商內渡的，約有六千四百五十六人，臺南最多，臺北次之。加之，臨時收編的部隊，不足信賴，「私吞公帑，變賣鎗械」，以之共同禦侮殺敵，焉能收效？原有的部隊與武器，是「烏合陸勇，舊鈍手鎗，無准雷砲」，其間還有土匪、逃兵乘機作亂。資爲靠山的封疆大吏張之洞、譚鍾麟的覆電：「接濟臺灣餉械，已兩次奉旨查禁。」因此，「江南雖有餉械，礙難解往，無法可設，抱歉萬分。」

讀劉最後求援電文，悽慘已極，例如：「閩粵餉無濟，臺南已無法可籌；痛哭乞援，望切望速。」又：「福所以死守臺南，爲大局，非爲私也。」「福不負命，今餉械俱絕，民兵將亂，何以戰守？福死奚惜，乞爲大局計，痛哭流血，乞速設法救援。」張之洞覆電竟說：「奏派輪、解餉；恐爲敵人藉口，貽累大局；必須與倭商明，方能辦理。惟臺向不歸江南管轄，未便越俎。如閩粵能爲奏明辦理，則內渡後，江南可酌協遣餉若干；若須先行解臺，儻有倭人藉口啓衅，鄙人豈能任此重咎耶？務祈原諒爲禱。」並電易順鼎說明：「臺事奉旨不准過問，濟臺餉械更疊奉嚴旨查禁，此時臺斷難援。」終於，逼得劉永福掛著白旗，難以實踐「義當與存亡」的諾言。經過半年來的民衆及部分軍隊的搏鬥，日軍傷亡三萬二千三百一十五人之多，劉氏抗日還是有著代價的。

（民國八十一年十二月二十八日）

梁紅玉與毛惜惜

昔有「南人乘舟，北人乘馬」的臨界點，在今日的淮陰、淮安，古稱楚州。淮陰有稱清江浦，淮安俗稱淮城，是府治的山陽縣，具內外三城，盛產稻魚，飲食考究，寓公者衆，名人頗多，如漢代韓信，清代劉鶚、羅振玉，今人有留法學生組中國少年共產團遺害中華民族的周恩來等。而不讓鬚眉的女性中，南宋時代的梁紅玉、毛惜惜，其忠心義膽，壯烈行爲，其可歌可泣的故事，頗値記述：

談到梁紅玉，不得不令人憶及南宋抗金名將韓世忠，當其轉戰於江淮之間，力抗外寇，彼時因功授武勝軍節度使，御前左軍都統制，娶避金兵騷擾隨母流落鎭江的淮安女子梁紅玉爲妻，這時的她，是一位軍中的伎人。在建炎四年（一一三〇年）春，陝人韓世忠引兵八千，在鎭江東北約五公里大江的焦山攔擊十萬金軍，其妻梁紅玉登金山妙高臺親執桴鼓，擊鼓助陣，繼而誘金兵進入黏魚套黃金蕩，兩軍展開江上激戰，相持四十八天，逼得金兀朮受阻勢窮，走頭無路，後鑿大河接通長江向北逃遁，留傳今日乃有擊鼓戰金山的千古佳話。韓世忠後以京東淮東路宣撫處置使駐守淮安，扼守淮河七、八年，屢敗敵軍。梁紅玉隨軍親自織簾爲屋，與士卒共同甘苦，朝廷冊封爲安國夫人，後改秦國夫人。

有英烈夫人尊稱的毛惜惜，同是淮安的女子，出身寒素，淪落成爲一名官伎，客寓高郵縣城。時當南宋理宗端平二年（一二三五），別將榮全據城稱叛，有一天在宴飲尋樂的時候，召官伎毛惜惜陪侍侑酒，而惜惜不恥他的行爲，拒絕陪飲，觸怒叛賊的榮全，使用利刃裂割惜惜的嘴角，惜惜依然咒罵其惡行，絕不屈服，終被榮全砍殺致死，一直到氣絕方止罵聲。以一官伎的毛惜惜，忠貞義烈的行徑，清白正大的精神，雖慘死在叛賊之手，而她的不屈不撓的浩然正氣，確實代表一個中國人的正邪的分野，無間生死。高郵地方人士對她表示無限的崇敬，建祠築墓，讓後世永恆的悼念。祠成初名義娼廟，旋改名英烈夫人祠。當抗戰勝利後，筆者曾一度前往瞻仰，墓係石條砌成，圓如小丘，頗似杭州西湖西冷橋畔的蘇小小墳，惟缺瓦亭覆蓋；墓在南門城墻一側，傍著城河流水；祠在南門大街上，原係舊屋改建，墓邊垂柳與碑刻祠堂簡陋一間東向，兩者現都無影無蹤。

（八十二年六月）

鑑湖女俠秋瑾

中華民國的締造歷經艱辛，歲月易逝，瞬逾八十年；值此新春，念及創業維艱，守成不易；先烈先賢流血流汗，爲維護民主自由成長，捍衛國家民族於不隳，堪資記述者至夥，今舉鑑湖女俠秋瑾女士的無私無我的偉大精神，爲創建中國民國而以一己殉其初志的事蹟，舖陳筆錄，用資惕勵。

成仁時尚不滿三十七歲的秋瑾（一八七五—一九〇七），原籍浙江紹興，父親遊宦於臺灣和湖南，她生於福建福州，長於湖南湘潭，其口音習慣，純似一湖南人，不但在服裝外形和心靈方面都像男子，而且在行動上，也表現著男人般的威風氣慨，所以有「男裝美人」的雅稱。婚姻坎坷，中道仳離。由於革命救國思想的啓發，毅然以提倡女權爲己任，認爲「女學不興，種族不強；女權不振，國勢必弱。」首創天足會，提倡放脚運動。民國紀元前七年（一九〇五），國父孫中山先生由歐洲到日本，聯合十七省留學志士組織中國同盟會，她首先加入，被推爲浙省主盟人。日本頒佈取締中國留學生規則，秋瑾休學歸國，並表示：「吾歸國後，亦當盡心籌劃，以期光復舊物，與君相見於中原。成敗雖未可知，然苟留此未死之餘生，則吾志不敢一日息也。」（見致在日同學書中。）

到上海後，與其他同志創設中國公學，以安置歸國學生，並作黨人活動機關，刊行中國女報，親撰發刊辭：「以速進於大光明世界，爲醒獅之前驅，爲文明之先導」；所抱見解回到紹興，入居大通學校，配合革命活動，擔任浙江方面的起兵爲援的工作。民國紀元前五年（一九〇七），由於同鄉同志徐錫麟已赴安徽，大通學校乏人主持，她被舉爲督辦，主持校務。即以大通學校爲其中樞，來往各地，運動會黨及軍學兩界，使參加革命。她並招選壯士編爲敢死隊，定期依計起事。不幸徐錫麟（一八七三——一九〇七）在安徽起事的消息走露，乃倉猝刺殺恩銘發動大舉失敗成仁。秋瑾看報得知其事非常悲痛，經劣紳告密，清軍前來圍捕，她從容被捕解去紹興府署，旋又轉押山陰縣署，慷慨就義於紹興軒亭口。

鑑湖女俠秋瑾，自幼即好翰墨，人以女才子目之。她愛國忠黨，生死與之，在她給留在日本的女同志信中有言：「吾自庚子以來，已置吾生命於不顧，即不獲成功，而死亦吾所不悔也。」意志何等堅決，行動又何等的壯烈？女子死於謀求光復之事的以秋瑾是第一人。遺有子女各一，其女燦芝曾在臺灣任過民意代表，業經去世。

大家耳熟能詳的，秋瑾成仁前的一句遺詩：「秋風秋雨愁煞人」句，有人指出：秋瑾被捕時，審訊兩次皆不發一言，衙役硬要她作供詞時，她只寫了一個「秋」字；衙役不滿，還要她再寫，她才寫出「秋風秋雨愁煞人」七個字，此句是出自清朝詩人陶澹人的「秋暮遺懷」爲題的詩作。不過，秋瑾喜歡這個秋字，以秋風秋雨爲題材的詩作做得不少。如「秋日感別」、「秋雨」、「秋菊」、「秋雁」、「秋日獨坐」、「秋聲」、「秋風曲」等。另據：光緒三十三年六月二十日（一九〇七）清浙撫張曾勗復貴福電錄印，載的供詞僅是「秋雨秋風」，其女燦芝著作所列是「秋風秋雨愁煞人」。更有一說，秋瑾被捕後，接受三十個鐘頭的酷刑後（曾令其膝跪燒紅鐵鍊），清吏逼供默不作語，書此七字作答。筆者聞前輩曾說秋瑾被捕清吏施以酷刑後，授予用紙筆作供，寫「小婦人秋」字後停筆，再逼乃續書成「秋風秋雨愁煞人」而罷筆。如今，上海博物館中保存完整的「大通學堂黨案」資料中，並未發現秋瑾親書的絕命詞：「秋風秋雨愁煞人」。

秋瑾天性義俠，在日本學習日語，抱定即以反抗清廷，恢復中原爲宗旨，結成十人秘密會，經有戚誼的陳君之子與當時從事革命的陶成章（一八七八—一九一二）相稔，特爲專函介紹上海光復會會長蔡元培，紹興徐錫麟，當面見徐錫麟於紹興熱誠小學後，即由徐紹介入光復會，共同推動反清工作。世俗傳說徐秋兩人是表兄妹似不確實，彼此戀愛尤欠根據。由於秋赴日本求學，徐已返國，一在安徽，一在浙江，各自遂行革命任務，相晤短促，何來有暇談情說愛？彼時男女有別，當陶成章應秋要求介紹國內的同志機關時，尙且考慮「以其爲女子不便，然亦難竟拒之」。（見秋瑾傳）及之，徐再返日，秋後到，於病後入青山實踐女學校，方再會錫麟，爲之照拂徐妻王振漢者多多，實是道義之交。秋瑾就義後，遺體由同善局葬於臥龍山麓，後由其兄秋譽章秘密遷到嚴家潭暫厝。一九〇七年十二月秋瑾生前女友吳芝瑛、徐自華遵照烈士遺願，營葬杭州西泠橋邊，旋又遭清吏阻難，惡其葬於西湖，秋兄譽章被迫，乃將靈柩運至湖南秋瑾夫家。辛亥革命（一九一二）成功後，又從湖南運回，歸葬於西泠橋畔。中共竟將秋墓拆毀，今日不復一見。筆者去年重遊杭州西湖時瞻拜落空，後據報載秋瑾遺骸於所謂「文化大革命」時，幸由其守墓人事先密藏於龍井山間之說。一說民國七十年（一九八一）業已新築。一代英雌殉國後，遺體一再播遷，繼之毀壞，令人傷悲。

其同志小同鄉徐錫麟（伯蓀）一九〇七年七月六日於安慶起義失敗被害，先移葬杭州西湖孤山，一九八一年墓毀再於南天竺重建。又一、光復會領導者之一的陶成章（煥卿），於民國二年一月死於非命，也葬在南天竺附近。

（民國七十九年四月）

現代畫畫家林玲蘭

今年獲中國文藝協會現代畫獎的林玲（鈴）蘭女士，是該會歷屆得獎人中以現代畫獲獎的第一人。從她在國立歷史博物館的國家畫廊、國父紀念館中山畫廊、臺灣省立美術館等參加多次畫展當中，凡是有她的作品付展，一眼就可以看出這是林玲蘭女士的畫作。她的現代畫，充滿人生樂觀進取的內涵，線條多半用幾何圖形來表現，有時委婉而曲折，充滿剛柔粗細的力量，而在色彩方面熱烈奔放，具有自我約制，鮮麗多彩而不失一股莊嚴的氣氛。所以，她的作品面貌飽含著吸引力和一種無限的深度，讓每一位欣賞她作品的觀衆，自然而然地凝視、靜觀，而不忍掠影遽去。無怪自從回國定居以來，她的作品曾經爲國立歷史博物館、臺灣省立美術館永久典藏，並且還在中華民國青年美術創作展中獲獎。

在國內她參加一個屬於婦女組成的西畫家聯誼會的組織，是由留學法國曾任師大教授暨系主任的袁樞眞女士所領導。每年畫展，俱以新作參展，也遍歷全島各地巡迴展，均獲崇高評價，爲推動婦女界在藝術方面活動的具體表現，不失爲一位藝術工作者的風範。參展顯示其藝術創作的實力，且還無償的以其心愛的繪畫作品義賣，所得彙總去幫助需要的兒童團體，尤爲難能可貴，這也表露出一個不自私的藝術家情懷，能隨時顧及社會的大衆。

由於林玲蘭女士受邀返國，參與海外藝術家畫展，而使這一位旅居日本的現代畫家與國內藝壇接觸，逐漸爲國內愛好藝術人士所賞識。她國立藝專畢業以後，即去日本。在日本近二十年從事藝術的探索，醉心於現代繪畫的追求，她曾參加日本多項展覽，較著名的有現代日本美術展、亞細亞現代美展等，獲專業美術雜誌的推介與佳評，當然也獲致日本多次展出的獎賞，另外，韓國、法國對她的作品參展，也曾給予獎勵。

她的畫作，無論是具象或抽象的，均脫離不開幾何形組織與結構。具象畫將體驗的事事物物加以完美的詮釋、構圖，造形與佈局則隨其心境和不同時期而有不同的面貌，如早期線條與圓型的搭配，近期三角形立體的組合……等，皆吐露了內心眞實感受的再現。

抽象畫與具象畫的差異，在於握著形於無形，象非常象，在本質上應該是表達藝術創作者感情與意念，使之納入繪畫的主要內涵，因此，這種富有國際性色彩的抽象繪畫型態，以簡易繁，呈現著坦率與毫無拘束的自由思考。林玲蘭女士喜歡強調現代畫，是她近年追逐踐履的一條道路。她曾經笑對筆者談及，過去中國社會對興起未久的抽象畫，常常有很多欣賞者不思，不想，更不去悟，一看到抽象畫，不是說不懂，就是說看不懂，甚至指責這是一種鬼畫符的莫名所以。記得張大千看畢卡索贈送的一幅畫，稱是「鬼臉子」。試想五百年來一大千的國畫大師，初初都有這樣的觀感，社會一般看畫的人士的觀感，也就可想而知。林女士認爲自己的畫，是現代畫，並不特意說就是抽象畫或半抽象畫，而是把握著現代精神的一種現代畫。

她對現代畫有很執著的看法，她認爲：「我們既是現代的人，應該畫的是現代畫，這樣，方能適當地反映這一代人們的思想、看法、感受，顯現現代的精神，大膽地嘗試突破傳統，尋求新的表現形式，新的思想和理論內涵，以及新素材的開發。它超越時空，它不同於傳統的繪畫流派，很難從時代、國別、地域、材料上去區分，所以，現代畫的面貌派別特別多，幾乎不勝枚舉，但歸根結柢，現代畫與現代設計是息息相關的，永遠在追求無止境的創作，也會演變得愈來愈多，越新越妙，最重要的是要有具象不盡雷同的面貌與思想的內涵，讓醉心於現代畫的工作者，因畫面的需要，有所選擇，有所發揮，無止境的尋路前進，更加前進。」

藝術界的朋友讚她是一位「生命的歌手」，以她數十年孜孜於繪畫藝術不倦的深厚造詣，是值得稱道和讚佩的。而她不懈不怠的從事繪畫藝術的創造，更會宏觀藝術的天地，走向更遠更遠的道路，更遠更遠的國家，去追求靈感，開創藝術的源泉。

（民國八十年十月）

馬華女畫家源子玲繪藝

來自馬來西亞的源子玲女士，是一位華裔馬人，也是一位執著藝術創作的畫家，在燦爛光輝的十月蒞臨臺北市舉行個展。

筆者漫遊東南亞各國的時候，曾經逗留馬國將近一週，那裡氣候宜人，滿眼綠野繁花，農村寧靜，人民勤儉樸實；尤以華人長於經營，家家崇拜土地神祇，都會市鎮到處懸掛的招牌，兒童所講的中國普通話琅琅上口，幾疑身居國內的大城小鎮般那麼便利。從源女士的談吐和神情中，可見其南洋的爽朗性格和藝術修養；她曾獲得馬國政府的獎學金，留學菲律賓國立大學，專攻藝術課程，取得菲國藝術碩士的榮銜，回到馬國創設檳城藝術學院，自任院長，專心繪事，作品先後在馬來西亞首都吉隆坡，以及檳州、霹靂州、吉打州等地城市與泰國展出。有人讚譽她是一位畫界的「女強人」，以她充沛的活力，到處奔波，堅持理念為藝術創作而付出很大的毅力與信心，眞是可喜又可敬佩的不凡女性。對於這項讚譽她只微笑淡淡地說：我的雙親來自廣東鶴山，有人誇獎鶴山女性比較聰慧，我也確認屬於中國人的血統，勤奮刻苦既是老祖宗的遺傳，唯有熱中於我所酷愛的藝術盡到一己所能罷了。接著她稍為感喟：「在馬國的女性，不同於中華民國那麼受到社會平等的對待；可是，我對藝術前途還是有遠大的期待。」

源子玲女士這次十月來臺舉行個展，是由中國文藝協會、中國水彩畫會、臺北市中國畫學會，還有茶藝文化基金會與商業人士共同主辦具名邀請；其中一位曹董事長和他的女公子推動最具熱忱，基於我國與馬國之間經貿關係的日漸密切，兩國民間文化藝術交流的發展，是有其必要性的。

在源女士琳瑯滿目畫作裡，有油畫、膠彩畫、水彩畫、蠟染畫，林林總總，美妙異常。她的畫，有具象也有半具象，更有非具象的所謂抽象畫。她的構圖能夠不循傳統而別具一格，在人物方面，神態、姿勢很多有喜怒哀樂的感受，而所呈現的姿態，也多有變化。筆者由她的畫作中發現，在她所繪男男女女甚至幼童的面部，，有著輪廓變形的表現，這又象徵人的七情六慾形於外在的較具體說明，令觀衆印象深刻；絕不是千人一面，毫無表情的一筆帶過，看到變形的面龐，想起我國古老佛相的類似造形，也令人憶起畢卡索的筆下人物。

她所繪的裸女，帶有幾分含蓄美，如在她一幅「母與子」的水彩畫，年少媽媽臀部與股腿稍稍有點誇張，乳房豐滿，幼兒則在肩後窺視屬於他自己的糧倉；背景有叢密的熱帶林樹，還有水壺和植物果實；用棕色描繪體膚，翠綠籠罩身後，間或點綴著紅巾、藍帶、黃草、青果，色彩燦爛，層次分明，充滿南國風情，具體表達原始部落裡風土人物的純樸自然美感。另一幅裸女，在朦朧多彩中灼然見一少女，而這位美人，卻用秀髮掩遮著喜悅抑或羞答的面容，讓人難解，增加了想像的空間。

筆者所眼見源女士的繪畫，僅及於她的風土人物畫的部分，已經了然她的細緻；在線條、色調和用彩諸方面，表現確實具有一番功力。另外，她的著色並不過分渲染和強調、誇張，那麼自然地運用天然的藍、綠、紅、紫，絕不造作矯揉，並且，極富馬國風情特色。

源子玲女士此次來華舉辦個展，兩國在藝術創作上，可藉此相互觀摩，相互影響。據說國內畫家們亦將組團擇定明春前去馬國各地巡迴展覽，禮尚往來，兩國間的藝術交流將可更上層樓。

（民國八十年十二月）

追思遵彭先生

歲月匆匆，人生似長實短。前國立中央圖書館長龍溪包遵彭先生離開人世，竟已二十週年，英年早逝、令人扼腕。嘆天何其不仁？爲人、做事、治學諸方面均資楷模的賢能之士，未能讓他多活幾年，賫志以歿，實在是國家社會的一項損失。

包先生逝世二十週年祭籌備小組囑我執筆爲文紀念，我不敢推辭，因爲包遵彭先生是我景仰的人，因而追思亦至深切。究其實際，我敬佩包先生的爲人、做事、治學的態度既長且久，包先生並不知道我是他的崇拜者之一，也就不認識我是何許人也。

記得民國五十八年秋，他正式辦理移交由王館長宇清先生接收，我以一個外行的新人在館任職，自然列座其間觀禮。當包先生入室，我就趨前請安問候，或許他那時有病在身，抑或心有所思，視而未見的或認似非舊識就逕自走了過去，我只好默默地退在一旁，看他和少數人微微點頭。

包先生這一舉動，使我印象非常非常地刻骨銘心。因爲過去也曾有接觸，只是相互寒喧而已。不久人已故去，始終他是無有機會認識我是誰。

遵彭先生一生，從他從事學生活動，抗戰期間從事青年運動，來到臺灣以後，由海軍再回到青年運動的崗位，幾乎未離開文化工作。很巧，我從抗戰開始，在軍中、在社會，也是擔負文化與服務的工作，時間略同，空間絕不相同。我在後方前線，以致深入敵後，他由學校進入大別山區，以立煌作為中心，展開他的工作。那時的安徽中心在立煌，許多形形色色的男女青年，內中就有很多岐異份子，存心那在乎抗日？包先生是安徽人，在安徽省境服務，年青有為，敢說敢做，當時他還主編「安徽青年」，我則在魯蘇戰區的敵後主編「蘇北青年」，俱是月刊，極受青年們的歡迎。當時包先生曾代表去四川到中央開會，受到先總統 蔣公的召見嘉勉與器重，列為全國青年的模範。可以這麼說，早在五十年以前，包先生就是我所崇仰的人。

包先生一生是從艱苦中奮鬥出來的，事母至孝，對自己的妹妹以及有關家人，都竭盡他的所能，照顧他們，幫助他們，有時雖然有苦難言，仍舊堅持不懈，而對所有長官、同事、友好更莫不如此。所以，早有人稱他是一個孝子，是一位忠臣。社會信任他，政府重用他，很多人與他相處甚為親切，就是他為人成功的地方。

包先生做事，唯勤唯謹。從抗戰期間到遷臺初期所任工作，無法按步就班，仍疊有表現，他卓越的辦事精神、方法以及效能，都到了最高的要求。他所手創的國立歷史博物館就是鐵證。包先生所著「藏品舉隅」一書的序言的字裡行間試去窺探：「國立歷史博物館於民國四十四年建館之初，內部一無所有，篳路藍縷，全力從事於文物之蒐集。得教育部前部長張曉峰先生之扶植，除開館後接收戰後日本歸還古物，接管前河南博物館之新鄭、安陽、輝縣出土商周銅器、玉器、甲骨及洛陽一帶出土之陶器而外；十餘年來，洽請政府撥贈，國內外收藏家捐贈及出土發掘之文物，蒐藏日益增多」。寥寥數語心聲，這內中不知隱藏多少辛酸，眞是「寒天飲冰水，點滴在心頭。」原有的館舍，只是由郵政總局撥來的一座破木樓，開辦經費只有新臺幣五萬元，巧婦難爲無米之炊，當初無怪有人譏稱「眞空館」，於此就可想見當年初創時機的艱難困厄所在。包先生幸得館內同仁的輔弼，其作風只知有館的發展而不及計較其它，上下全心全力充實館藏爲目標，歷史文物與美術品的得能由少而多，館務蒸蒸日上，竟有一日千里之勢。

包先生接長國家博物館，生死不計，全力以赴，除了投入他本身工作以外，對博物館的理論撰述極多，如「中國博物館史」，先從「淵源」說起，再談「中國近代博物館發展之大勢」，並敘述「民國元年至三十七年全國重要博物館概況」，「當前在臺灣各博物館現狀」，最後是以「中國博物館學會與中國博物館事業的發展」作爲結論。其中，對國立歷史博物館是就他在創建十年中加以分析的，建館劃分三個階段，第一，是籌備與陳列。第二，是強調我民族悠久歷史與文化列舉展出主旨。第三，是專題展覽，把握館的特性與特質。然後敘述有關研究與展覽的重點所在，指出宣揚我悠久歷史文化，發揚我國傳統藝術，並特重視促進國際文化交流。另復列舉文物蒐集與典藏的實例與統計數字。在本書結論中，期望中國博物館學會能夠由集體的研究、合作，使得中國博物館事業獲得更佳的發展。

由於中國博物館史在民國五十三年六月出版，洛陽紙貴，從事博物館事業的人們，固然有著系統性的指針，人手一冊，即是對博物館具有興趣的學子與社會好學人士，也都在博物館事業方面有著一盞明燈在不斷導引他們前進。

其次，包先生早年還有一本珍貴的作品，就是「中國海軍史」，民國四十年二月出版的。分上、中、下三篇。上篇分七章，論「中國海軍溯源」，由春秋戰國以迄明代，並專節談「鄭成功之海外經營」。中篇是「近代中國海軍之創建」，分六章，述及鴉片戰爭、甲午戰爭、抗日戰爭，其中有關與日本海戰的清代甲午戰爭與民國抗日戰爭，時空有異，原因有別，均予條列縷析。而甲午澎湖臺灣之戰，特別論及日本迫使澎臺間海道中梗，臺灣益形孤危。抗日戰爭中，我敵力量相形見絀，採用阻塞戰、並實施奇襲。長江沿線，於馬當編成要塞陣地，編配海軍砲隊，復組漂雷隊，收攻守兼施之效。該項戰法乃用以弱敵強的新穎戰法，使讀史者深切體念對日戰爭的艱辛。下篇「海運之除舊與開新」，分二章，限於資料，讀來稍嫌簡略，惟述及向日本索回甲午戰役我鎮遠、靖遠等艦錨鍊彈丸，重歸故國，一洗五十餘年來之恥辱，此在中國海軍史上實具重大意義。

包先生治學過程，異常認眞。他說：「既已下定決心，乃不得不以極大耐心，廢寢忘飢，搜集獵取。有時爲借閱一部書，輾轉請託，受盡不少閒氣。碰壁、遭白眼、挨官腔，眞是常事。………」，終於在生活困頓中完稿。包先生治學的決心、耐心、信心、毅力可敬可佩，若是稍稍在心理上有一點猶豫，那麼他的許多著作就不會完成，他的毅力、勇氣，幾乎無人可以比擬的。

人生在世，擺脫不了兩個大關，一是老，二是死。既老就死，理所當然。但是，黃昏路上無老少，若是印證在包遵彭先生身上，他故去太早，令人惋惜。而他刻苦自勵，於積極工作的餘暇，貢獻國家，不倦不懈地開創文化事業，從來沒有爲個人利益保留什麼。包先生的精神常在，他的作爲，是值得世人永遠崇仰的！

（民國七十八年）

敬悼象先至友

曹象先先生，於民國八十一（一九九二）年四月八日上午九時五十二分逝世於臺南市成大醫院，生前執業律師，信奉基督。臨終遺言：「在世上的七十一年，活得快快樂樂，離開的時候，決不可勞煩大家。」子女恪遵遺言，以毛筆楷書影印，敬告最親近的親友，並在四月十一日，以莊嚴的儀式火化。

甓翁曹象先先生，悄悄的走了，止不住我的懷念與哀思。從此，不能再見他的形體與神采，而他的聲音笑貌，道德文章，卻永遠永遠留在我的心底深處，長相追憶！相信，多少與他相識的人，何嘗不是念念難忘這位好人？

我識象先，是在來臺灣以後，實際我瞭解他，要提早十年以前，曹氏在本縣是望族人家。象先先生的尊翁是名律師，鄉里重之。在城裡的住宅，給我印象最深的，結構嚴謹，質材細密，花園遍植梅樹，書齋藏滿名籍；他的岳丈盧翁與先父舊識，記得盧翁任縣立救濟院院長時，設有育嬰堂，內部設備齊整有致，做到衛生清潔要求。抗戰前我就讀江蘇醫政學院，暑假路過縣城，承縣長介紹邀往參觀，令我非常滿意；想不到一個縣屬的慈善機構有那麼科學、有那麼氣派，而二位協助護理的小姐，竟是盧翁掌上明珠。一身潔淨制服，態度安祥平和，有著白衣天使的亮麗，又能稱職。事在人爲，腳踏實地，佩敬之餘，我特地撰一專稿送交中國日報刊佈。後來，大小姐成了周大夫的夫人，周是我醫界老友，惜於動亂時遭難；二小姐盧棣嫁給象先，幹練精明，做人厚道，從事婦女工作及辦理傳播事業，成績斐然，而她相夫教子，一家和睦，過著勤儉樸素生活，堅強自在，女中豪傑。

象先來臺後，多半住在臺南寓所，偶或到臺北看看老友和他們的孩子，他寧願款待友好，而吝於接受他人小酌，始終保持一種施予人的美德性格。我們第一次相見是民國四十五年，那時我正在東港讀書，假日相聚，晤談契合；每過臺南，必然享受他們賢夫婦親手烹飪的美食佳餚。住寓明窗淨几，蘭花處處，壁懸名家字畫，室藏吳越古經，在面積上與他在高郵舊宅相差太大，他們賢夫婦甘之如飴，精神層面卻自得其樂，從無非分之想。他學法律，做法律的職業，由基層升到空軍供應司令部軍法主任，他爲扶助後進提前退役轉任律師，爲社會主持正義一絲不苟，熱忱助人，向不斤斤計較。很多同鄉初初曾得他的援引獲得枝棲，一再不厭其煩的，始終樂於爲同鄉盡其義務。

象先這位朋友，是有原則的，爲人不阿，做事認眞，我們之間是很談得來的。前年，我偕長女去臺南探視就讀國立成功大學的凱孫，晚間去水交社看象先，直談到深夜始別。憶在臺北他公子曹剛家中，我們亦談笑風生，多飲了幾杯，話題更多；他學問淵博，具獨到見解；尤以法律問題與當事人心態分析。非常人常識所可了然的，不愧他是專家。

近年，他去過大陸很多地方，談他遺著『甓翁吟草』裡，概略領悟到他懷鄉憂國的心境，茲抄錄數首來紀念他，並作本文的結尾。如：

一、答朱萬里兄（註：朱先生係同鄉，留日，勝利即來臺）

總角之交老益親，蹉跎未再結芳鄰，
欽君智者能通達，愧我庸人太率眞；
滬瀆去留承雅教，臺瀛出處費清神，
漁歌共唱還鄉日，甓社湖濱一片春。

二、步朱萬里兄開放探親喜作韻

兩岸風雲異，嚴關阻渡舟，
探親聞借徑，憶友夢登樓，
促膝移樽話，摩肩秉燭遊，
家園非似舊，一醒解千秋。

三、少壯輕離別，重逢在意中，
誰知相見日，已是白頭翁。

四、莫愁景色最宜秋，寂寞湖光繫小舟，
柳敗荷殘蟬亦噤，斜陽返照勝棋樓。

五、我住邗溝煙柳裡，南鄰上郡是揚州，

瘦西湖景長相憶，何日從君泛釣舟。

六、臨老還強鼓勇歸，逢人難掩鬢毛衰，

一心探訪秦郵景，六處猶存二已非。

七、吳山駐足瞰杭州，心事無端繫遠憂，

勾踐夫差俱往矣，鬩牆兄弟幾時休。

八、黃花崗烈士墓

烈士墓園四海欽，星辰日月照丹心，

成仁取義誠非易，浩氣長存亘古今。

（八十一年九月）

永懷師輩韋君鶴琴

昔有「淮海名州，廣陵首邑」之稱的高郵，是由於秦築臺置郵亭，首稱秦郵，漢置高郵縣；縣北百里大鎮臨澤，瀕臨流通入海的子嬰河，舊建子嬰祠，於此足證城鎮歷史悠久與古老；向來是水鄉澤地，稻米之鄉，居民勤儉篤厚，文風甚熾。

世居鎮上的韋君子廉先生，又名鶴琴；晚號潛道人，題宅敝廬，生於民前二十年，逝於對日抗戰艱苦時期的民國三十二年五月。正逢「兒女成行累轉多」，「關山何日斷烽煙」，藉詩自況生活于苦難歲月裡情景，享年五十有二。

余生也晚，家住僻壤，余知先生是一位飽學人士，先生並不認識我這頑皮無知的一個孩提。但先生的令媛們，有的臨澤（縣立二小）小學先後同學，事隔六十年，憶及其中第三女公子，衆稱「小洋人」的，竟成族人雨金先生的長孫媳婦，有一是同班陳同學的夫人，有或嫁後期同學的。先生介弟仰之老師，我曾受教，他的唯一女公子，亦爲小學同窗。

值得提的，鶴琴先生公子壽春君，播遷來臺後，一度同事，在他轉任教職十年間，交往密切，猶如手足。壽春賢伉儷獻身教育，認眞負責，薪火相傳，識者無不稱道其爲人，也無不欽慕鶴琴先生遺存的感召精神。

時光如流，值此鶴琴先生逝世五十週年紀念之際，我不能無言，在我民國十六年韓莊初級小學畢業後，旋入臨澤就讀高小，彼時鶴琴先生已離開校長職務，惟常見其瘦長身影蹀躞校園中，大家都尊呼大先生而不敢稱名。後以我長年就傅於江南，很少有緣接近鶴琴先生，而我心目中，對這位飽讀詩書鄉賢，有著高度的敬佩與崇仰。從所得資料裡，得悉先生民初讀過南京的兩江高師，就是國府那時的國立中央大學，是南方最有名的高等學府之一。在鄉十年間曾膺臨澤小學校長，所教學生對鄉里卓著貢獻的頗不乏人。先生曾又出任高郵縣師教職，輔佐縣立圖書館、創辦臨澤民衆教育館，另在浙江省政府，淮陰縣政府教育局作幕，崔堡鄉村師範兼課；戰時一度去遷在東臺的江蘇省政府工作，旋返從事公益的育嬰堂服務，直至臨澤於民國三十年陷落日僞手中，當時僞縣長王君脅迫接管育嬰堂，否則即予關閉，由官方沒收該堂所有全部田產，鶴琴先生愛鄉情切，關懷無人領養的棄嬰，百般勉強容忍這種近似壓迫的手段，使之默默愛世的心懷深具抑鬱。竟在盛年棄世，怎不令人惋惜、悼念。

鶴琴先生離開人間，今年五月就是五十個年頭，雖然先生的肉體早經物化，遺留人間的風格、精神與遺愛，百世常新。從他遺留的一本『敝廬初稿』，還有一本『潛道人節臨碑帖十種』，近半世紀以來歷經滄桑，不僅由他的哲嗣多方蒐集得來，而且，還尋覓到一本由鶴琴先生令先祖父茗莊居士韋柏森著的『秦郵竹枝詞』，集詩百首，那眞是極爲難得的一本寶貴的鄉土教材，讓我這位少小離鄉的遊子，得能重新領略到故鄉的地理景物，人情習俗。（據說尚有『菱川竹枝詞』，惜尚無緣拜讀）非僅懷想水連天，天連水的生活景象如：「低田萬頃運河東，早稻纔黃六月中，報由來源湖長水，鄉民日日怕西風。」「蓼花紅處有民居，三兩漁家結茅廬，落日放船人撒網，燒香港口取銀魚。」「以詩換蟹奈蟹貴，鄭家垛蟹饒風味，請公入甕紫泥封，我未醉時蟹先醉。」等篇。還有舊時社會民間建立的造福人群公益事業，記述不少：例如：「苦即何分死與生，總坊一一著清聲，孤舟泣免聽嫠婦，兩字堂名曰「立貞。」「雇人代乳育嬰堂，忍使呱呱棄道旁，莫到長成無用處，替謀飯碗早商量。」「放粥承天寺有年，何多寒顫候門前，任勞肯向窮閭送，免得來時貿貿然。」「不索船資日日開，全新篙棹共篷桅，乘風湖面皆平穩，落得多人義渡來。」這項急人之急，施予援手的義舉，福利公衆，更證助人爲快樂之本是人的良心的初現，發揮大愛的具體表現。

韋氏既是書香之家，也曾是官宦之後，從『秦郵竹枝詞』裡的詩篇：「滎陽作宦溯吾宗，善政當年達九重，訪舊我來豬草巷，古坊何處覓攀龍。」內中註釋的，韋氏四世祖諱經，公官滎陽（地在河南省境）有善政，詔建攀龍坊，在豬草巷。諒今早已湮沒無存，惜無年月可考。

鶴琴先生去世日久，詩稿倖獲保存：讀其原作，知其慧心，識得其人處世之道，誠具無上至高價值。論及身世有云：「八歲父母俱亡，孑然一身，伶仃孤苦。弱冠以困於經濟，求學不卒，迄今引以爲憾。」從其丁卯歲生日感賦詩中的：「躑躅三十六，惟愛眞面目，世途尚險詐，雲雨多翻覆」語句，窺其率眞而無大欲，因此，乃有「目甘淡泊甯雌伏」的心聲。還有在他三十五歲時所作「丙寅歲生日感賦」詩裡，就曾提到：「窮愁潦倒非無故，傲骨天生病聳肩。」堂堂男子漢，無欲則剛，尤其一個明禮知義的讀書人，一位有教無類的務實誠敬的教育者，絕不會爲五斗米折腰，所以，鶴琴先生有句：「敢詡誨人師孔聖」，「律己空餘骨未柔」，不愧熟讀聖賢書的有爲有守，不忮不求；臨澤小學的歷任師長們，俱能秉承這一種傳統辦學施教，備嘗艱辛，無怨無悔，承教的子弟們追懷師道，念念難忘母校的師尊，自會記得這位校長韋鶴琴先生的。先生之所以以「鶴琴」兩字命名，他的說明是：「鶴具超群志，甯甘守一隅，琴覓知音少，彈時琴自娛。」再就「人生貴自得，斯言信不誣。」「身外浮華雲外影，眼中權勢雨中漚。」等篇，言付諸行，始終不渝，實屬難能。

鶴琴先生的胸懷坦蕩，清廉自持，執善固執，一絲不苟，其正確的人生觀念，博愛的意識型態，無愧是十足表現一個讀書人的風格與氣質。至其性情，慕愛自然，寄情山水，由其詠遊姑蘇，西湖等履蹤所及的詩篇中，即可概觀，其愛鄉愛家與眷顧妻小的深情，亦充塞於字裡行間。

中國人是愼終追遠具有優良文化的民族，對「祭如在」的觀念執著，非異邦人士所可比擬。在紀念鶴琴先生逝世五十週年，非僅只重形色；我們這些素所崇仰先生的後輩，深體先生國學基礎厚實，詩文並茂，各體書法功力精湛，覽其節臨十種碑帖，譽爲書法大家而綽綽有餘，觀乎昔日手書行草，筆走龍蛇，灑脫非常。即其繪畫蘭、石、竹、菊，享有文人畫的骨髓，世爭多變，惜未眼同。

清癯高眺的鶴琴先生的身影，常在我追憶故鄉人物時出現。「昔人日已遠，典型在夙昔」，念茲在茲，濡筆稍留片斷的孺慕之思，用作紀念。

（八十二年四月）

捌、耕耘撒種記初意

表裡兼顧要內外一致

由於筆者爲軍人出身，所以，三句不離本行。軍隊固應注重儀容壯盛，行動整齊，而精求戰技，能夠遠征纏鬥，以致有所謂「內打進」、「外打進」的訓練教育方式。此無它，無非是講求致勝之道。

有人方成社會。人自稱是萬物之靈，說實在的，人是最兇殘的動物，也是最懂施愛的動物。人有七情六欲，更是有血有肉、會哭會笑、會愛會恨的動物，何況會說會寫，因此，人所表現的超過世間的動物多多。而人的表現，往往非僅於所見到的外象，內在的本質又是如何，往往是頗費考量和判斷的。社會上的人群，尤其在繁華的大都市，往往形成一種只要面子不要裡子的現象。比如，外表穿著堂皇，一些有頭有臉的混混人士，爲著要面子，儘管家無隔宿之糧，還要招待一位客人，不惜先進當鋪再去請客，可絕對不在家裡，深恐暴露家徒四壁的窘相，而穿著的一套服裝，也利用入浴時，脫下送洗，保持外表的衣著風光。這種個人虛榮表態，只是自我膨脹，掩飾內在的空洞，當然偏重於面子的爭取，就無顧於裡子是否充實了。

中國有一句俗話：「人人有臉，樹樹有皮。」人的面子就是外表，不惜打腫臉充胖子的人，在社會百態中屢見不鮮，中外古今皆然，尤其在功利社會中，更是司空見慣。

人是微妙複雜的綜合體，要求完美，希望表裡兼顧，內外一致，這是最高理想的實踐。可是，要面子不要裡子的，比率較多；只要裡子不顧面子的，也是常態。

稍稍深一層來探討，面子和裡子的問題，不僅僅是尊嚴問題，實在是榮辱的認知問題。這會牽涉到人格、心理、教育、倫常、道德諸種觀念和社會結構問題。

筆者的粗淺觀點，對面子和裡子，最好能夠兼顧，以存其眞，求其實。但是修養、環境、習慣、風氣，都與面子和裡子息息相關，難以強同，也難期求一致。我們是人，必須做人，當然有異於禽獸，縱有智識高低、貧富懸殊，最重要的還在於道德觀、人生觀、社會觀和認知標準的不一。所以，面子和裡子的價值標準，是有差異的。筆者認爲：個人的面子假如涉及尊嚴與榮辱，甚至生死，應該保持面子的爭取和維護，絕不能寡廉鮮恥的只講面子，而不注重裡子，這本是一體的兩面，內外兼備，不然，古人也不會告誡後人生不如死的諍言了。至於國家，猶如我們的娘親，愛國是天經地義的大事，「國家興亡，匹夫有責」，個人與國家是不能分離的。一個國家如果失卻面子與裡子，何嘗不是個人榮辱的喪失，從情感與理智方面著眼，國家富強康樂，人民安居樂業，兩者無可偏廢，爭面子要先從健全的自我著手，講裡子更要從全民的奮厲勤勞去努力。個人爭面子，不要忘懷他人也是有著面子的，與其說面子，不如說是爭取榮譽，因此不必刻意去計較個人的尊嚴。講裡子是要豐富自我，充實自我，非利非私，著眼於利益大衆，施予社會所需。人人如此，國家獲益，社會也就多福了。那徒有其表虛榮的面子，又何必計較，裡子更非一己之私利所可涵蓋的。

（民國八十年五月）

無畏現實的挑戰

在人生過程中，總不免有著成盛衰毀的四大階段，無法逃躲，也不能避開，我們若以宿命的觀點，人生的成盛衰毀四個階段，不妨認做天定。至於人生正如常人歷經的歲月，雖不致陽光普照，朗朗終日；也不致陰霾深沈，細雨連朝。陰晴圓缺，在人生際遇裡，是習見難以擺脫的。問題的癥結，端看你是否有著堅強的信心，化險爲夷；你是否有著無懼的決心，誓必有成。有著信心與決心，針對現實的苦難，力謀解決之道，所謂因人制宜，因事制宜，因時制宜，因地制宜，自可迎刃而解，否極泰來，化崎嶇爲平坦，化坎坷爲康莊，就看你手中所持有的鑰匙，能否投入你所要開的鎖。

有人說：生活就是戰鬥，在與一切敵人作生死戰鬥的當兒，就先抱定敵死我在的信心與決心，運用智慧，運用技巧，運用方法，運用時機，戰鬥再戰鬥，短暫與持久，視對象而伸縮自如，相信這勝算一定是很大的。人生在世，一切要學以致用，不能畏難苟安，逃避現實是一個懦夫的行爲。須知人生由少而壯，由壯而盛，不僅是在體力的成長，而尤在乎智慧的逐漸成熟，俗說：不經一事，不長一智。人的成就在於歷經世事的過程中，圓融妥善處理一切事物，自然而然的，閱歷越多，經驗就越豐富，新知也會日漸增長，遇事自會找到解決的竅門。

由於我生長在荒僻的農村，讀書做事一無奧援，完全憑著誠信忠貞做人與應世，差幸獲得平安。尤其，具有濃烈民族情感，爲著抵抗日本帝國主義者的侵略，從軍報國，其間危難艱苦，實在無法用言辭來表達的。勇敢的迎接挑戰，咬緊牙關接受試煉，從死神手裡掙脫過來，至少也在十次之多，事已往矣，不必再提，唯一的，在於智、仁、勇道德精神的發揮。

當我服務社會過程中，不能說沒有逆境，也不能說是沒有失意，社會人士與我同一處境的，相信是比比相是。我在民國三十六年一度離開臺灣，在臺北原有著安定的家和穩定的工作。三十八年重來臺灣，給我有著很多新的教訓，也對社會有著更新的認識，我懷抱著不信邪與不服輸的堅強心理，含苦茹辛，不卑不亢，在生活上先求穩定，再求變化，人再有爲，基本生活問題要先正正當當的求得解決，然後才能發揮自己的能力，去爲大衆服務，否則將會落空，那不僅個人歷盡滄桑，老婆、孩子也要陪你受罪。所以，我從不頹唐，也不怨天尤人，勤勤懇懇，堅持人生就是戰鬥的立場，謹愼、穩當、求新知、做好人，本著我所具有的四個基本法則，來優遊我的歲月，來作因應的方法：

一、認清目標：人生本就是役於人，而非役人的。父母生我，是希望我能秉持家教，做一個堂堂正正的中國人，毋辱雙親，毋喪家聲。自信從服役軍中以及服務公職，俱本著衛國愛民來盡忠職守，從不違背，從不懈怠，國家厚待於我，長官信任於我，就是認定役於人而非役人的做人處世目標，使我毫不迷惘，也無徬徨，勇往直前，義無反顧，落得我的清白和無愧。

二、樂觀進取：人們處於今日社會，受到情緒影響者多。所以要動心忍性，向遠處想，向大處想，否則，就會掉入情緒低潮的深淵而無法自拔的。天生我才必有用，遇事不順何必自苦？人生匆匆，更不必終日愁眉苦臉。應該認清自我，認清人生，抱持樂觀精神，奮發進取，完成一分事，就會有一分快樂，爲人服務，何嘗不是就是爲了自己，何況，一分耕耘，一分收穫，何不快快樂樂的抱定人生多樂，萬萬不可存有人人有苦的既定成見。樂觀在我，進取在我，我爲心中主宰，別人與我何有關係？

三盡其在我：才華高低，關係教養與環境的薰陶。一個人立足社會，需要很多很多的人在共同扶持，俗說：「人人爲我，我爲人人。」假如，只希望人人爲我，而我卻不去爲人人，這種自私自利的行徑，非是做人的道理。即就「天生萬物以養人」這句話來引申，我人應該盡其在我，有一分耕耘，自會有一分收穫。若不耕耘，又何來收穫？

四順乎自然：做人是表現一個人的堂堂正正，爲所當爲，不苟且，不亂來。至於立足社會，窮通貧富，應該是機緣與環境所造致，非關命運。萬事不可強求，萬物不能苟得，其成敗得失，應該順乎自然。得意時要收斂自謙，失意時不必怨天尤人，時時自我反省，自我檢討，寬恕他人，不必一味責人。順乎常情，合乎常規，刻刻設身處地去判斷。己所不欲，勿施予人，求得順乎自然。

總之，人是擺脫不了挫折，只是大小之分，因應之道的原則，在思，在忍，在堅定信念，在鍥而不舍的去克服一切橫逆，自會峰迴路轉，柳暗花明。

（民國八十年一月）

學歷不一定等於智識和能力

如今是知識爆炸的時代，走遍天下，知識第一，學歷第一。必然的你要就業，首先亮出的底牌就是學歷，冠冕堂皇的學歷，正如：「書中自有黃金屋，書中自有顏如玉」的一般吃香。由此社會上發生的一種怪現象，有人冒充學歷抬高身價，明明在知識上只懂得一點皮毛，卻自詡是××專家，××學者，人們在學歷上，也就去從學士、碩士、博士的頭銜的爭取。這也難怪，重視學歷，等於工業重品質，商業重標幟，在原則上是沒有什麼不對的。問題的癥結，是在於學歷是否與知識相副，知識能否與他的學歷相等，能力的高低又是如何相與學歷、知識衡量？筆者任教數十年來，所教學生當中，發現自憾學歷不夠，知識不足的情況下，苦學苦讀，勤勉不已的男女同學中，終有所成的眞是不少；而嬉戲四年混一張文憑，藉以代替嫁粧的，或是作爲晉身之階的，也不能算少。

究竟重學歷與重知識，對與不對？我認爲學歷與知識相輔相成，兩者並重那是最好；否則，寧可本著做到老學不了的精神與意志，力行不懈，畢竟知識是屬於自己的，別人掠奪不去，學以致用，方是最大的資產，可是，學歷只是形於外的一種形式的表徵而已。正如一位風華絕代，人見人愛的美女，外型動人心弦，溫柔婉約，令人想慕；可是，內在浮淺，缺乏智慧，表裡不一，名實難符，徒有外在，只是「花瓶」一隻，或是「繡花枕套」而已。男的又何嘗不是如此？例如：翩翩年少，俊俏倜儻，能言善道，深解人意，而胸無點墨，缺乏品德，爲害社會，盜名欺世。假設社會有此類型的男女，被欺受詐的又何止一、二人而已。所以，學歷與知識，均應爲世所重，正似男女應求內外一致方是。

當然，既有著高的學歷，復具高的知識，爲人所重那是不容否定的，任職做事，尤其要能力上有所表現與突出，才是完美。近日閱報，看到一條新聞，那是有關學歷與知識的。妙筆生花的記者大致有如下記敘：副標題是：『家世好，學歷好，被局內人員戲稱「說」得一口好工程，佔盡優勢』。由此可以臆測，這位家世好，學歷好的臺北市捷運工程局副局長，因爲年事尚輕，「今年還沒滿四十歲」，自不免實作經驗或許欠缺一點，就會有人既羨且嫉，其實有志不在年高年低，四十由副而正，做一位簡任主官，也沒有什麼了不起。何況，擁有麻省理工學院的博士學位，這不是蓋的。至於他的家世好，是一個人的幸運，我想，這對他來說，並不一定是膺選局長的唯一條件，大可不必在新聞用語中滲雜醋味，再來一段什麼「臺北短打」。本來，此君幼年曾有一面之緣，而他令君既有高學歷，也具高知識，爲國效其忠貞，算是鞠躬盡瘁；其令堂畢業杭州藝專、留學英國學音樂，在國內爲空軍眷屬服過很多務，盡到一位女性智識份子的職責，賴夫人在軍中是受到官兵高度崇敬的，非一般泛泛的「夫人」可望其項背，親子稍沾餘蔭，也是人情之常。（賴君的黯然辭職，離開崗位，爲罪爲過，尚難確認。）

沒有輝煌學歷，倒深具豐盈知識的，能力非常高強，近代不乏其人，試舉兩例。其一：先後指導碩士、博士論文三十篇，講學於政治大學政治研究所，私立中國文化學院研究部，民國十年即受聘爲上海商務印書館爲編譯所所長的王雲五（一八八八—一九七九），不僅在學術上的造詣與成就，曾爲商務印書館以董事長代行總經理職權，三十六年任行政院副院長。著譯頗豐，著的如：「中國圖書統一分類法」、「四角號碼撿字法」等，譯有：「社會改造原理」、「共產主義在中國」等；編有：「王雲五大辭典」，「中國史地詞典」等；若是談到雲五先生學歷，半工半讀入私塾，入「守眞書館」讀英文。沒有顯赫學歷，沒有放洋留學，竟兼上海「留美預備學堂」教務長，且曾有過行期半載前往九國考察企業管理。他的知識豐厚，學問淵博，比得上他的能有幾人？確實，學歷與知識，在他一生來說並不能對比的。也可以這麼論證，知識高低，並非欲與學歷絕對相埒，是一項不爭的事實。主要的，還要在能力上的表現。

其二：論列中華民國建軍史，陸軍軍官學校，由創立於黃埔，北伐成功後，遷校於南京，抗戰播遷成都，分校林立，三十八年後復校在臺灣。其間不知造就多少將材，有人將它比諸美國的西點軍校。當然，美中不足的，也曾出過一些敗類，惟不能因此就斷定的講，陸軍官校的教育是辦得失敗的。吾人固不能以成敗來論英雄，畢竟成敗是一種較比客觀的標準。失敗終於以身殉國的，多的不勝枚舉，試到忠烈祠瞻仰一番，即可窺其大概，（變節投敵的自不值得一談）恕不贅筆提及這些老學長的尊諱，藉免感慨系之。若談成功的，第十期後的郝柏村先生，堅守立場，力挽狂瀾的敢做敢當的作爲，與其忠貞愛國，輔弼元首的精神意志，怎不慶幸國家得此楨幹！現今所欲一提的，既非黃埔軍校早期畢業生，也非出身於更早的保定軍校，而其事業彪炳人間，殺身成仁，忠貞一貫的黃伯韜將軍，（一九〇

○——一九四八）擅長兵學，深研韜略，攻猛守固，迭建奇功，死時年四十九歲，政府明令追贈上將。筆者不願吹噓——我認識他（說不定他地下有知會說：並不認識×××。）而其人其事足爲軍人楷模。黃將軍先世原居廣東梅縣，至其父始移居天津，畢業於工業專門學校中學部，未踏進保定或黃埔的校門，只在江蘇軍官教育團深造，算是無輝煌學歷的一員，（入陸大特別班是民國二十五年的事）但他卻與江蘇極有淵源，筆者相與結識是抗戰勝利後在邵伯（江都縣境）軍次，領有整編第二十五師待命攻擊，平日好整以暇，寫得一手好字，談吐簡潔，手不釋卷。三十六年夏參加孟良固戰役，三十七年夏，參加黃泛區包圍戰；獲頒青天白日勳章，旋任第七兵團司令官，大捷不居功，深知謙抑。當他在江蘇境內作戰，曾經說過，江蘇人情溫暖，受到墨公提拔，（三十年任第三戰區顧祝同司令長官參謀長達四年之久）一定要好好的幹。及後任兵團司令官，私下表示：委座（指蔣公介石）這樣器重我，唯有一死報之。徐蚌會戰前夕，他率所部第二十五軍、六十三軍、六十四軍、一百軍、四十四軍，於匆促間由東海西撤，奈有畬灣大運河阻絕，邊戰邊渡，艱危異常，官兵溺死較戰鬥犧牲的多，更有老西北軍系的兩軍，在當時臨陣降敵，致使殘破的黃兵團，外援不濟，內守飢疲乏力，在強弱與衆寡間生死博鬥，縱有才能，斷定仍是滅亡的結局；黃氏終於十一月二十二日在碾莊壯烈自殺成仁，了卻軍人最後的責任，留給後世的唏噓！

每一個國家，每一個民族的興盛、繁衍，均是有賴於歷史的傳承，文化的發展，文字是記載歷史的工具，文化的導源，也非生即得知，乃在於語言文字的傳授，文字功能實大於語言。因此，求學在於求知，知也無涯，不是學歷所可限制，所可相等的。目今社會任職做事，重學歷固然無可厚非，實不可以偏廢知識與能力，一定要相互配合，方稱圓融一體。否則，表裡欠一，內外難期一致。

猶有進者，語言和文字是表達內在知識與智慧的最佳利器。切勿自悲自嘆學歷不如人而即自卑自棄。王永慶何人？我是何人？有爲者一若是。筆者始終認爲，知識萬能，學歷其次，能力爭先。高學歷不即等於高知識，更無論能力強弱。知識低和能力差，具有高學歷的所見不少。你說，你周遭的人有沒有如此現象的？低學歷反具高知識的，其能力高超，頗不乏人，問題中心在於自己的努力求知與熱忱服務。所以，學歷、知識、能力三者，很難說是一加一就是二，二乘三就是六那麼固定和板板六十四的鐵定。平衡發展最佳，知識與能力應該尤屬重要。

學歷與知識能力並重，用以濟世，用於助人，如此，國家民族方有發達昌盛的進步。若是，人所獲得的學歷和知識，應該想到是受國家所賜，社會所賜，家庭所賜，師長所賜，並非個人單方面努力就可倖致的。飲水思源，人倫大本，有高學歷和高知識的人，是幸運，也是福分；須知人的存活在世，不在乎人人高學歷、高知識；那些低學歷，低知識的人，一樣在社會上活著；主要的一點，是如何善用你的學歷與知識發揮能力，去服務人群，造福社會，在謀得國家利益大前提下，有所爲有所不爲的加以選擇，盡其本分，千萬別以高學歷高知識來爲非做歹，害人害己，更不必爲低學歷低知識而自暴自棄，否定個我。天生我材必有用，機器上的小螺絲，有他不能磨滅的功用，何必傷感？盡其在我，磨練才能，不作游民，自尊自重，何在乎學歷與知識的高低？需要堅持的，人人是要不斷的求知，充實再充實，無休止的去貢獻一己之長，用在你所生存的空間。

（八十一年二月一日）

玖、我心深處一小點

「露筋曉月」一景欠考

楊氏昆仲，誠吾邑後起之秀，不忘故土，自力自費創辦「鄉訊」刊物，用示不忘鄉情及歷史傳承，令人敬佩。

茲以縣史傳奇，高郵八景之一的「露筋曉月」，實有推敲商酌餘地，不揣冒昧，謹作介述，藉供鄉邦諸君子參考，俾便各抒卓見，以期八景既合歷史，又洽民俗，且增詩情畫意之目的。

高郵八景之一「露筋曉月」所在，位於城南運河東岸。約在民國二十四年間，寒假乘輪返里，河凍船破，遂作步行，途經露筋小村，居宅俱傍堤邊，北端一廟俗稱「露筋廟」，木製牌坊，廟貌莊嚴。同行告以：一女子夜行於此，不入民宅，爲毒蚊所嚼露筋致死，土人崇敬建廟祀之。從歷史與人道的觀點，事實極不可能。既有歐陽修頌揚詩句，米芾碑記於此，歷代相傳迄今，高郵州志，堂而皇之的記有明代都穆撰「重刻露筋碑記」，試讀：「州志露筋女不知何許人，亦莫解其時代。」都穆明知無有可能，仍謂「余則謂高郵之蚊雖盛，其暴未必至是，又似有疑者。」這位囿於「州之人遂爲立祠，其女之事貞矣」的觀點，加之，受著名流宋歐陽修少師憎蚊詩，有「傷哉露筋女，萬劫仇不復」之句，更有「米元章之過高郵，復爲撰碑，則其事傳於世蓋已久矣」的話，以誤傳訛，不求實證，因而傳其事，衍爲模稜兩可的後遺症，成爲八景之一，豈不怪哉？

露筋女既源於宋米芾露筋廟碑，說得神龍活現，有「女子露處於野，義不寄宿田家，爲蚊所嚼，露筋而死，後人於其址立祠以祀」的神話成眞，復有歐陽修文忠集之憎蚊詩：「嘗聞高郵間，猛虎死凌辱。哀哉露筋女，萬古仇不復。」蚊嘬見筋而死的露筋女，米氏倡導貞節以贊，勉強說得過去，筆者總以爲是空穴來風，一種不實在的藉題發揮。但露筋女倒不一定有其人其事，本祀五代時路金，因路有德於我郵邑，故爲立廟，（見清徐昂發畏壘筆記四十）庸夫俗子訛說女子蚊嚼露筋而死。若純以推動環境衛生誇大渲染還有一說，這是宣傳花招，引人一笑，信不信還得由你自行裁決。

附註：「露筋曉月」是故里八景之一，縱有宋代書法大家的吟詠，考諸事實，無根也不合情理；興起偶識其非的小評。

（民國八十年元月）

「中國的空軍」創刊五十年

文化的傳承在於有成，中國的空軍創刊於民國二十七年。筆者正從軍校畢業前赴戰場；陸軍十載，轉徙各省前線暨敵後任職，來臺計有二十年服務空軍。時光如流，斯刊已屆發行五十週年，依然是軍中的精神食糧，不可或缺。傳承文化有成，均賴大夥的共同奮鬥努力所致，惟念及當年參與寫作的，有題署「中國的空軍」五字的鄒桐士兄早歸淨土，曹旭東兄近亦步入黃泉，追思故舊，不勝懷念。謹註。

「中國的空軍」與我個人，有著牢不可分的關係。

記得抗戰初期，我在武漢接受軍事教育，得償從戎抗日的宿願。民國二十七年二月十八日，敵驅逐機二十六架、轟炸機十二架空襲武漢；我第四大隊大隊長李桂丹率E-15、E-16機二十九架迎擊，合力擊落敵機十餘架，不幸李桂丹大隊長於是役殉職。是月二十九日，敵機三十九架又侵襲武漢，陳懷民座機爲敵機五架包圍，機身中彈，乃與敵機互撞同歸於盡。這些空戰的壯烈史頁，「中國的空軍」均作了翔實的報導，人人爭讀，我也是忠實的讀者之一。想不到民國三十八年，我有幸擔任空軍新聞官，成了空軍的一員。在以後的二十個寒暑中，我也曾督導「中國的空軍」業務，且由讀者而成作者。令人欣慰的，吾女繼我之志，畢業於政戰學校新聞系十期，分發任職空軍，亦爲「中國的空軍」出版社貢獻心力。父女同科，這在我的家族史上而言，算是一種巧合。

最近二十年，我從事歷史文物的研究與發展工作，厚蒙關愛，能繼續爲「中國的空軍」稍盡棉力，作爲灌溉的園丁之一。

做人做事，善緣爲要。我與「中國的空軍」堪稱有幸，在文字上結緣，予我無限光榮。

辦官家雜誌不易，辦軍中雜誌尤難。「中國的空軍」從民國二十七年元月創刊迄今，已歷半個世紀，無論在外型與內容上，都在時時求創新求進步，能爲廣大讀者群所推崇，給人有著賞心悅目，益趣兼備的感受，是由於「中空」能秉持宗旨、理想與創意的原則，進而發揮它的教育性、歷史性、前瞻性與藝術性所獲的效益，使得空軍在發展過程中，收到提升軍中文化的佳績。

五十個年頭的歲月，若以個人來衡量實不算短，既往與現時，曾經爲「中國的空軍」如期出版，絞盡腦汁，用過心思的同仁，說上一句勞心勞力決不爲過，如黃震遐、朱民威、丁布夫、梁又銘、胡克敏、蕭強、曹旭東、阮日宣、陳啓源、陳裕慶、戴珍國等人，以及奉獻過心力的每位同仁，將不會爲人們所遺忘。

有著昨日不斷的奮勉前進，始有今日甜蜜的珍果。「中國的空軍」創刊至今，人爲的盡力固屬重要，而財力物力的投注尤其必需。記得有一位外國名記者曾經批評我國軍中一向不重視宣傳。雖是陳年舊話，或許由於當時風氣使然，也或許經費所限，說不定囿於保密防諜的觀念深入人心，而忽視此一最有效的武器施用。然而我空軍在抗戰期間出版「中國的空軍」，領導階層極具遠大眼光，是值得敬佩的。

對讀者提供誠懇服務的「中國的空軍」，社長劉雲浩長於領導、長於企畫，俗話說強將手下無弱兵，學有專長，且皆是具有高水準的通才。他們同心協力，辛勤不怠，克服困難，每月一冊充實又華麗的「中空」月刊，滿足了多少讀者的期盼和渴求，也溫暖了「中國的空軍」出版社每一位參與社務者的心靈，精神上的收穫，確是勝過其他一切的。

德國前國防部部長賽克特有言：「參謀，盡其在我；報效國家，他是沒有姓名的。」在此，我引用前人的話，來作爲我衷心的賀祝。「中國的空軍」有今日成就，曾經參與服務的人們，俱曾有過極大貢獻的，過去如此，今日亦復如此，讀閱「中空」月刊的人士，都會有著此一體認的。

（民國七十七年一月）

附載：「中空」！寄託著一分情感

「中國的空軍」雜誌，在我內心深處，像是多年未晤，情深意遠的舊友一般，念念難忘。記得我還在孩提時代，父親就已在空軍任職，我和妹妹在空軍子弟小學就讀，有時放學以後等家父一道回家，順便在他的辦公室稍作停留，書架上的雜誌成了我和妹妹消遣的讀物，雖然當時不完全看得懂每一篇文字，但圖片中的人物和飛機卻是我們所喜愛的。所以我從幼及長，「中空」就與我結下不解之緣，想不到，後來我竟然在「中空社」裡服務多年。

「中國的空軍」始終是軍中雜誌裡最富蓬勃朝氣的一分刊物，這並非偶然的；何況，它的人力有限，經費也不充裕，而它爲空軍官兵暨眷屬所喜愛，甚至海、陸軍袍澤們也都高興讀到它，再有社會青年甚至海外人士，讀到「中空」，也都有佳評。它所以深受讀者歡迎，固然由於保持了傳統原有的優良風格，且不斷革新改進，使之維持著一種清新明麗的格調。十六開本，圖文並茂，襯有瑰麗色彩的彩色畫頁，紙質厚薄妥切，字體大小相宜，編排得莊重裡帶著活潑，一掃草率與輕佻的瑕疵。而在校對方面，不斷地認眞要求，錯誤比別的刊物少，校勘工作要精準，確實是說來不易，做好更是挺難的。內容豐富，使得它的內在美與外形美搭配相得益彰。有人說：「美就是永恆的喜悅。」它在雜誌界昂然的踏入五十個年頭，我生也晚，卻曾經是「中空」的一員，分享它的榮譽和成就，實在充滿快樂，相與所有愛護「中國的空軍」人士，同享喜悅，來頌祝「中國的空軍」燦爛光明的今日和明天。

一種雜誌出版獲有地位和分量，決非偶然。財力和物力，依賴上級的支持與重視，是非常重要的。而人力的需求，尤爲辦好雜誌的關鍵所在。「中空」從五十年前的創刊，以及繼續不斷的出版，人爲的努力，應該是重要的條件。在曾經爲「中空」勞心勞力的人，有的已經離開人世，有的早經退役，當然，我知道的不多，就我在「中空」共同努力過的，我是時刻未忘，藉此爲慶賀出版五十周年的良辰吉日，稍作引申介紹，也表示我的一點感激愛護之忱，例如：第五任社長陳啓源，福建人，是我的學長，一期新聞系，是編寫俱佳的老手，任勞任怨，默默耕耘。從他手中使得「中國的空軍」由否啓泰，蒸蒸日上。第六任社長陳裕慶，江蘇人，也是一期學長，就是目前享譽國畫界花鳥大家陳逸。在他的手裡，對編務、發行更有長足的進步。

現任社長劉雲浩上校，廣東人，九期的學長，爲人誠篤，始終視辦雜誌爲一項事業，勤懇自矢。「中國的空軍」能有如此的進展和卓著的成績，負責社務的同仁賣力是不可抹殺的。劉社長善與人處，且有拉稿的本領，這是他的特長，更値得一提的，他是知名的國畫家，人物和走獸，尤見生動別致。所以，「中國的空軍」歷五十年而蓬勃發展，人的因素是不可輕視；所謂「爲政在人，事在人爲」謹祝它的茁壯成長，日新又新！（夏旦娃作）

夏日鄉居的喜樂

有人說「爭名於朝，爭利於市」，而喜與大自然接近的人，就莫如寄居鄉野，眞切享受山水之樂、樸素之美。無爭也無競，優游恬淡，尋回人生的眞趣。

無數的歲月，無量的時光，在似長實短的人生過程中，喜怒哀樂，有著成盛衰毀，有著春夏秋冬，有著陰晴雨雪。尤其生活在現實的日子裡，眞正的感受究竟如何？給你的影響又有多麼深遠？人言言殊，人的環境與體會，有著很大的差異。記得江南第一才子的唐伯虎，替人作的一首詩：「春遊芳草地，夏賞綠荷池，秋飲黃花酒，冬吟白雪詩。」在人生境界裡，任何時地皆可獲得精神的昇華，選擇你內心期求的一種灑脫。春既好，夏也好，秋又有它的好，冬更是一樣的好，以此來欣賞人生際遇，以此來度過悠悠人生，處處皆好，無地不美，這端在個人對整體生活的相處態度，萬有萬無均取於一心——方寸之微，雖渺小無奇，何所寄？何所託？天下之大，在於慧思去找安身立命之所，得到寄託的根源。

多少寒暑，多少春秋，多少艱苦，多少歡樂，都曾從身邊輕輕掠過。偶爾回憶，會使人從睡夢中一驚而醒，也會使人狂熱的哈哈大笑。如今，從平淡尋覓樂在其中的源頭，得慶幸自己是一位男子漢，雖不敢以大丈夫自居，而能起能落，能屈能伸，始終挺立在社會上不稍搖動，捫心細思，這要歸功於出生在窮鄉僻壤、小康家庭的美滿生活所賜。在勞碌一生中，念念難忘的，是炎夏鄉野的生活，故鄉夏日多采多姿，趣味橫生，永遠難以忘懷。

憶及淮河南岸，運東裡下河的一隅，那是我的家鄉，我的出生所在，沒有山，只有水，溪流縱橫，平衍無垠，是物產豐饒的魚米之鄉。

柳桃桑榆，是習見的樹木，端陽節後，樹樹濃蔭，麥已收割，滿田青苗，一片油綠掩蓋著大地。微風輕拂，美麗的綠原，愈發溫柔地綿延起伏，從遠處飛來的海鷗，羽白似雪，點點分散在綠色的空間，自由的盤旋、起落，翩翩掠飛找尋食物，那麼自在的與人類和平相處。賴以灌溉的風車，長方的葉扇，得風力之助，若疾若徐地在藍天下、塊雲中，轉動又轉動，將河水引導入田，解決禾苗飢渴之苦，也免除了農人胼手胝足踏車取水的辛勞。散在綠野像極了玉蘭花的白色車葉，轉動飛揚，朵朵盛開，炫耀在空寂無邊的大地之上；有時還會發出咿咿呀呀的輪軸轉動的自然音韻，破除鄉野廣漠的枯寂。

夏日農村僻野，一切歸於平靜，只有滿眼翠綠占據所有大自然的時空。一群男孩正是暑假居家，難得的季節，難得的休閒，唯一的念頭，便是排遣這炎夏的漫漫長日，屋裡的讀書、寫字、飲食、晝寢、夜眠、玩耍，實在乏味已極，要想使身心獲致解脫，只有遠離家人視線的監管，無羈無絆，自由自在，一條短褲，一件背心，一雙木屐，隨心所欲的攜帶心愛的工具，走向自然，走向綠色的原野。

火辣辣的大太陽，已經照耀在整個大地上，避開炙熱是一種本能的需求。叢樹蔭濃，有著深淺的差別，陽光透射細葉，葉葉透明，尚難完全遮蔭，那重疊交織的厚葉，罩蓋成一片暗影。躲在那些大樹葉叢裡，看著禾苗層層浮起的氤氳漸漸消失，明朗又清晰；碧浪盪漾，散放秧苗沁出的芬芳，有著新鮮香溢的感受。鷗飛點點，遠遠近近，翺翔高低，使得整塊的大地，猶如百花繽紛，增加動人的美感；不然，世間無花又無鳥，花不開，鳥不展翅，那有多麼單調的缺少機能，簡直要變成一個死滅的世界。這兒既有海鷗飛鳴，又有無數無量的白色車葉，在空際得風旋轉，吟唱不絕，平添藍天白雲中、青翠平疇裡的幾許和諧。河濱堤畔的成行綠樹，梢頭蟬鳴，唧唧不休，知了也在結伴高唱，相互和音，譜的是仲夏交響樂章，音韻、節奏那麼繁急緊迫，逼得人們在想這是炎夏，這是鄉野的一年一度的夏日，雖然未邀卻又重臨，人們無可拒絕，唯有百般適應它所能施予的權威或是恩典。

印象深刻的，「郭哥害我」甚或「割麥插禾」的布穀鳥的泣血哀鳴，已經不忍再聽；可是那一份浪漫情懷的後悔悲調，以及耕種及時的警語，永遠永遠流傳在農村的孩子、青年、老人的心底，形成夏日初臨的前奏。這時，莘莘學子還在伏桌答題，尚未給假還鄉，當然，也就錯失這動人故事的重提，沒法聽到布穀鳥的悲涼高亢的緊急呼喚。

暑假開始，跳躍在阡陌之間，跋涉於溪流之中，爬上風車的頂端，踞坐眺望，所能見的，無非是白白的雲、藍藍的天、無數飛動的風車篷葉、到處覓食的成群海鷗，還有低矮的村落農舍，青色禾苗滿野，網形溪河川流，三步兩座木板小橋橫搭在河上路頭；偶爾行人牽著水牛懶洋洋地踱步，也有小小木舟在河中輕悄悄的搖過。……。

午後，居鄉的男孩們更是活躍。清早用膠粘蟬的活動告一段落，嬉水生涯跟著開始。到處河流到處水，捕魚，捉蝦，手到擒來，瞬即滿載而歸；有時，河濱田埂，挖洞擒鱔捉蟹；永不會讓你雙手空空。最有趣味的，鴨群在吆喝中划過清溪，偶會遺蛋河底，成爲孩子們意外的得寶，那是從茫茫混水中撿尋得來；更有那惡作劇的，潛在水中抓著鴨腿，等著群鴨過去據爲己有的；這種近於盜竊行爲，記得我在童年，是雙親深誡不能嘗試的禁忌。

魚鷹捕魚，不問冬夏，只要水碧河清。縱鷹入水，常見潛出的兩鷹，合力捉捕大魚的鏡頭，煞是有趣；單鷹各自的表現，有獲即會浮上水面，漁夫用篙搭上船來，扼頸吐魚，隨賞小魚一尾，看那魚鷹志得意滿的神態，不斷拍著雙翅再次躍入水中。幼年我曾要求父親購一魚鷹，次日仍舊還給漁家，實在是飼養異類，並非人人能稱心如意的，因爲只看鷹能捉魚，若要馴養替你捕捉魚類，卻不是那麼容易的。

有時，還結伴遠到湖中蕩邊，欣賞綠葉紅荷，花開正艷，香飄入鼻，水白汪汪，清涼自在。興趣來時，乘坐小船划向菱荷聚生的深處，採蓮剝菱，無窮欣快。

夕陽西墜，將近黃昏日暮，一些嬉戲終天逗留野外的孩子們，須被家人千呼萬喚始肯回到自己的家，入浴更衣，吃罷晚餐，又在村尾會合。名是乘涼祛暑，實在說來並非循規蹈矩的坐在那兒搖搖蒲扇、拍蚊順帶享有少許清風，但是不玩捉迷藏，就在彼此打打鬧鬧，似乎精力和體力是永不會耗失似的。幸好，一些孤獨的老人，喜歡向孩子們講講陳年往事，將他個人的經歷說得最是來勁，尤以到過上海、南京的，不免對都市繁華如錦的誇大其辭。講到逃家外出當兵的戰場殺戮，更是加油添醋，說得眉飛色舞。這些，打動孩子們的心，也影響到這些男孩子們後來抱著志在四方的壯懷。

談著，談著，某一家殘敗的舊事。不是談到父母溺愛兒女失當，就是子女不爭氣的前前後後的眞有其人，這些活生生的例證，用說故事的口吻，讓孩子們屏氣傾聽。當說到街西染坊黃家大媳婦多麼美慧，又多麼孝順，可是婆婆又是多麼凌虐寡媳的種種，少數女孩已經倒在媽媽懷裡飲泣，男孩子們默不作聲的感到難受。再繪聲繪影談到黃家寡媳吞下生煙自殺身亡，頭七出現活龍活現的女鬼，曾經由此悄悄走向那邊新墳的眞實景象，指說劉大在巡更親眼見到的，當時劉大竟還唔唔不予否認。一些乘涼的成人當時默然無語，諒有同感；孩子們卻不斷的開始喊冷，緊緊的挨靠得在一堆，頓失那活躍熱鬧的場面。

這時夜深人靜，黑暗裡空際星光特別閃亮，遠處閃爍的磷火，此起彼落，在幽寂的夜空裡，四野飄浮。

鄉野夏日，離去已遠；童年舊夢，長久仍在胸懷留著印痕；喜樂有趣，想來還在增添很多的笑意。

（民國八十年九月）

小老三的笑容

笑容化解彼此的生疏感，它更能增進人們的情感交流，充滿喜悅，表現著一片祥和。

小老三還離週歲一個多月，他就歡喜笑，哭的機會不多，所以，特別引人憐愛。本來，一個健康的嬰兒，就會凸顯著他的活潑、好動、表情豐富的精力；而他的一言一笑、一舉一動，讓關切他的親人，更加視之可喜可愛。

年關將近，小老三生活在外婆和姨媽身邊，便於他的媽咪處理公司業務。他的二舅返家機會既少，從來沒有見過這一位小外甥，很巧，當彼此初見的那一刻，小老三圓睜著黑漆的雙瞳，那麼聚精凝神的注視著他的二舅，相近二分鐘的時間，才露出可愛的淺笑，接著以一幅喜樂的表情，向著這位娘舅表示親近。二舅摸摸他那烏黑的一頭秀髮，猛有所悟的說：「鼻子活像他媽小時候一般」。塌塌的鼻樑，本是他們兄妹彼此取笑的話題，似乎憶起幼年兄妹相處的歡樂情景，重又說著：「小老三哥哥的模樣就像大舅」。兄妹們離多會少，唯有在偶爾重逢的回憶當中，重拾他們自己的童年舊夢。

小老三長得白白淨淨的，臉蛋橢圓，雙目透明，兩道彎眉秀裡泛黑，腮膀紅潤，禁不住他二舅發生疑問：「是女孩子嗎？」實際是一個小壯丁，相信免不了頑皮搗蛋的。

小老三是么女的第三個孩子，他們夫婦克勤克儉，開創自家的事業，又得照顧三個孩子的生活起居，確實是夠勞累的，他們懷抱著樂天知命的人生，點點滴滴的謀求理想的幸福，不怠不懈地去追求實踐，過著快樂的溫飽生活。

小老三是我稱呼他的別名，而他的外婆卻有時說他是一個「馬屁精」，因爲，他一看到他爸下班回家，小嘴吐出清晰的「爸」字，他爸眉飛色舞，喜不自禁的從搖籃裡把他抱了起來。這下，父子俱樂得忘卻一切，人間充滿著親情，充塞著愛。父子有天性，從愛的孕育與表露中更顯示無遺。

小老三的名字叫「全」，似乎目前么女有二男一女，一家的生活美滿，他們自己爲人父母的心滿意足，一應俱全。另外，或許還有筆劃的姓名學的迷信存在，也或許將來啓蒙入學時候，寫來利便因素的考慮。原先我替他命名華宇，因爲他的哥哥平宇，兩相稱呼不致特別。目前根據家族輩分排名的，往往已非昔日那麼鄭重其事，在社會倫理上，似乎今人不如古人那麼的重視。

我有這麼一個想法，做媽媽的辛苦親自撫養的嬰兒，較比委託他人帶的孩子，其間所具濃郁母愛的享有，是要多得又多。小老三還沒有到能講話會走路的程度。但是，牙牙學語，表達他的情緒和需求的，只有最接近他的人—爸媽、大姨、外婆，已能九不離十，明白他的欲求。聰慧的他能會意做出一些惹人喜愛的簡單動作。類如：問他外公呢？姨父呢？他會轉過頭來凝神注視後，浮出嫣然一笑，在他小小心靈上已經銘刻著外公、姨父等日常親近的人們笑貌身影，而平常對他吼叫的人，在指認時，就不會顯現著親切的神態和表情呢。

他另外的小動作，已經學會不少。什麼瞇瞇眼啦、小雞嘴啦、逗逗飛啦，假如你說：「拍拍手」！他的兩個小手掌連續一合一張，蠻有鼓掌讚賞的模樣。從他咿咿嗚嗚的單調語音中，表達他的飢與喝，同時，也會領悟他的喜悅偷快的感受。遇到不遂他心意的，就會焦急不安，形之於色。

雖然，他還不到會走的時候，可是，一放進學步車裡，走動自如，有時恨不能飛，東西南北室內奔馳，優哉悠哉，好不開心。有的時候，他會亂取茶几上的報章雜誌，東丟西甩；但也會撿一本他哥哥姐姐的兒童讀物，煞有介事的，翻開一頁頁的五彩繽紛的畫圖，相信那有彩色，才會引得他的特別注意。

搖籃裡蹲久了，無論是坐著或是躺的，尤其除去睡熟絕不甘心情願的臥著，一骨碌爬了起來，想從欄杆空隙攀登，常常看到他凌空縮腳，想去超越解脫束縛的出來。如果你將他抱起，若是放在地板上，或是站立在沙發旁邊，自然而然的，動作快捷，一無牽掛的，就在地上爬將起來。活像一隻小狗，也似一隻猿猴，樂得笑哈哈的爬呀，爬呀，那麼的自由自在。

洗澡也是小老三的自由解放的神仙生活，既可雙手撲水，也可玩玩水中漂浮的玩具。一絲不掛，暖暖洋洋，自得其樂，等到毛巾拭臉，滿臉不高興的只想拒絕，但由不得他，當大毛巾裹著他小小身軀時，知道沐浴的時段已告結束，也就乖乖的聽從擺佈。

音樂對孩子薰陶功夫很大很深的，小老三有著喜歡音樂的興趣，不同凡響。唱「小小羊兒要回家」，「咪咪小花貓」，他就安靜下來聞歌起舞，或擺著雙手，或搖著腰部款擺弄姿，讓人歡欣不已。

唯一的，小老三有一點鬧覺。若是吱吱喂喂的，甚至發出哭聲，那就是他將睡欲眠時；他喜歡親人的撫愛，只要直抱不要横躺，他的十公斤的體重，被哄著拍著，直到熟睡入夢。親人的累乏，他幼小心靈，似無半絲一毫的體會，只有在甜美的夢鄉中，展現著他的笑靨。

（民國八十年十月）

附錄：一、八十將屆的簡述
二、闔家老幼的留影

附錄一　八十將屆的簡述

家居生活的追憶

家在裡運河東，農村小康家庭。我出生在荒僻農村，過一段童年的孩提生活，及長求學受職，到處奔波，艱辛備嘗；沒有想到的是，衣食豐足的臺灣，讓我度著幽閒的歲月，伴著晚年。

淮南運東，鄰近揚州的高郵，在縣北的子嬰河畔，蕭陵鄉夏家集，是我的故里。姓夏的始祖裕龍公，先世由婺源遷杭州，再到蘇州。明洪武朱元璋，擊敗吳王張士誠，費時三月，遷怒當地居民，將我始祖昆仲三人，也遭驅逐到高郵縣北墾荒（一在鹽城樓夏莊，一在泗陽洋河鎮）。按照班輩，我這一代，應該是十九世。耕讀傳家，勤儉維生。五世到十一世祖曾居揚州夏家橋，後復遷回夏家集，想是留有祖產耕地的因素，在重土難遷的觀念下又返原籍。

就我記憶所及，我生長的村莊，西有一大一小的廟宇，大廟名國慶禪寺（東嶽廟改稱，又名蕭陵古社），元代至元年間初建，據說現已片瓦無存，唯有剩留的一隻石獅子，移在莊內軋花廠的門前，那石獅子曾是我昔年作「騎馬打仗」狀的道具，印象殊深。莊分河南河北，有橋有街，船隻穿河駛行，增加人來人往的熱鬧。我幼年時，莊北還見到破落不堪的花園巨宅，鑿井人家就有七戶之多；宅院桃紅柳綠，田裡一片青青麥苗，春天特感美麗，是孩子們踏青放風筝最佳的活動場所，無拘無束，自由自在，享受著田園與家庭天倫的樂趣。這段美好的歲月，可惜的是很早又很快的結束。

接受啓蒙教育。莊裡的一所縣立初級小學，因廟裡主持和尙與校長不和，以致反對在廟內設立學校，倆方水火不容而纏訟，結果學校遷到校長住所的莊上，和尙終被施主們加壓放棄主持；所以，我沒有先兄那麼順利，入學開始便進學校，只和姐姐進私塾就讀；受到姐姐的欺侮，又常常更換老師。等我姐姐入城讀梁逸灣女子小學，我獨自越莊受教於一位鬚髮俱白的老秀才帳下。提起老秀才，很受鄉里尊重，但兒子不爭氣，有吸食雅片的惡習，祖孫兩人相依爲命；老秀才情緒欠佳，時常責打學生來發洩滿腔怨氣。有一次無緣無故，用戒尺打我的手心。向來我是不吃硬也不甘受冤屈的，我大聲吼他什麼理由打人？他木然的仰在椅上，我就收拾書包回家。媽從來放心我的讀書守時守分，一看我老早回家，發現我的臉上受屈淚痕，就輕聲溫語問我倒底是怎麼一回事。我就老老實實道出經過，媽說等爸回來再說，要我去揩一把臉。等一下爸從茶館飲茶回家，跟著主聘老師的族兄也進門來，他們在堂屋裡交談，我就呆坐廂房等我爸爸的決斷。談了片刻，維祺哥就來勸我再去上學。保證老師不會打我。我一語不答，接著爸媽也進來勸我，並答應年假以後就隨堂哥進他主持的韓莊小學念書，好在爲日不多，我就乖乖地隨著維祺哥再去私塾。在我轉學以前，我那位年邁的老師，就從來沒有半點難堪的顏色加諸於我，當然，我一本既往的，循規蹈矩的敬畏如常。我讀高中時，偶聽鄉人談及，前清中秀才時，返鄉先要拜客，狃於舊習，文人輕視武人。爸是武秀才，未及考試舉人，先祖病故，爸從此無父無母，困苦謀生。當去拜見後爲我師的秀才時，竟拒不見客，大概認爲我父胸無點墨，又太年輕，我父只好悻悻離去，事隔若干年，兩者境遇懸殊，相信彼此一無芥蒂。鄉人提及往事，深恐彼時我父藉此報復，讓老秀才連書都教不成，事實並不如此，在我離開私塾後，我父還去拜會面致歉意，一直等老秀才去世後，依然對他的家屬還有照顧。

提及先父，我心酸楚潸然淚下。我家原住董河，祖父遷到夏集。祖母在我父親九歲時病故，祖父因此消沉染上煙癮，等我父親十三歲應州考時去世。我父雖有兩兄一姊，家道小康，無如妯娌相處失和，對我父這一位孤哀子漠不相關，親情蕩然，被迫離鄉背井，外出從軍。大伯二伯先後死於非命，大伯母改嫁，大伯兩個兒子媳婦，均吸鴉片，以致家不成家。姑母溺愛獨子，也落得悽苦終身。我父個性堅強，慷慨好俠，先娶表姐爲妻，育女未成，彼此又多齟齬失和，我的前娘鈕氏服毒身亡，鬧得雞犬不寧。父親終於信佛誦經變化氣質，對子女教養善盡職責，卻對我們慈愛優柔的母親，動輒打罵，我童年時印象即對此非常深刻；總覺夫權父權過於擴張，對一個家庭和睦來說，是不大相宜的。父親抱持信實厚道，榮譽責任，是我最崇敬的人。他長年大江南北奔波，務農經商，刻苦自勵，使一個破落的家庭，又萌生機；五十歲不到，膺任保衛團團長，維護地方安寧，勸善懲惡，外地流入的敗類，也就自知收斂，不敢橫行無忌的胡作亂爲。爸四十、媽三十生我，存活的原有五人，如今兄故妹亡，兩姊流落異鄉，受盡屈辱苦難。我的雙親生平，安逸少而憂患至多，父死骨骸亂葬於田土，母親遺骨已不明所在，在我，實未做到愼終追遠的人子之道。悲痛，眞是悲痛，我受到良心的譴責。

求學過程—私塾、初小、高小、初中、高中……。

我讀初級小學三年，應該是十一歲，民國十六年端節將臨，國民革命軍先遣部隊，由城裡一位健壯的董先生率領，撐著青天白日滿地紅的國旗，經過我們村莊北去，說是搜索游兵散勇（此君爲我鄉張姓女婿，有稱曾任國父秘書的），我們這一群小學生，在老師領帶下，列隊搖旗吶喊，燃放鞭炮歡迎，並順便圍著鄉農老者，替他們剪去辮子，大家還唱著打倒列強的歌，很是興奮有趣。翌日中午，又來列隊歡送這一批國民革命軍，軍隊行列走過，獨未見到這位董團長隨隊，老師一再的問：「團長呢」？士兵答說：「在後邊！」等著、等著，不幸消息終於來了，董團長已爲他所統率的部屬所戕，這批本就是國民革命軍的敵人—軍閥孫傳芳被擊潰的部隊收編的。董靠著縣城的平民工廠藝徒光復高郵，又帶同他們用一條汽船和一面青天白日滿地紅國旗，吹著衝鋒號進入興化城。自以爲勢如破竹，沿途收容敗兵，開往鄭家渡收繳民有的自衛槍枝，一個要，一個不給，準備動武；這些新編的雜牌部隊，烏合之衆，部勒維艱，董團長年少氣盛，根本不知如何統馭這群野馬的亂兵，他用皮製馬鞭抽打不聽他號令的人，狗急跳牆，佩有武器的兇勝虎狼，就以鎗膛子彈還擊，擁戴董的極少，眼看董已斃命，叛衆呼嘯回走，各奔前程。算是我少年所見革命過程中，一支小小的插曲。

我進第二小學，也就是臨澤小學，高級從五年級開始，看到國共的公開宣傳鬥爭，也看到雙方爲一個女人而展開爭奪。如今，國民黨的張老師最終老死臺灣，校長徐守白先生，留學莫斯科，是一位馬列主義的信徒、共產黨的忠實黨員，他家庭富有，向來過的是資產階級的聲色生活，抗戰前後與當時，替中共賣過很大的力，做過河南省公安廳的主任秘書，豪華一時，其岳父在浙江也因而大做中共高官。誰料中共來個「文化大革命」，我這一位校長因此送掉他的老命。

北伐統一全國，我們鄉間萑苻未靖，某一個晚自修時，張校長突然緊張兮兮地，帶領我們鄉下孩子的住宿生，先躲在學校夾牆，又怕不妥，再領著我們在學校後門外繞來繞去，毫無目標的，要躲到那裡才算安全？途中遇到保安隊的官兵，荷槍實彈正游動街巷，看到是一群小學生，大聲呵責亂跑些什麼？校長一聽頓然轉頭，帶著我們回到宿舍。其實，我們鄉下孩子，人人已會玩鎗，這時沒有隨身攜來，只好沒頭蒼蠅隨著亂竄。但是保國衛民的保安隊沒有確實驚訊，也跑來跳去，虛驚一場，想來可笑。

初中在鎮江，高中讀南京，正值北伐勝利完成統一，實際有些省分只是表面的，形式的，五色旗換成青天白日滿地紅的國旗而已。帝國主義者，在其利益追求下，希望中國永遠分裂分立，不需統一團結，白色的就利用擁有實力的軍閥、軍頭，陽奉陰違，各自稱王作帥；赤色的手法高超，利用嚴密的組織控制大衆，以外來的馬列思想麻醉青年們純潔的心靈，更使御用的黨，統馭著流寇和叛徒，成立武裝，如火如荼地，在湘鄂贛閩四省擴展地盤，蹂躪地方。江蘇位於東南，有揚子江、太湖、裡下河的水道縱橫，富產魚米，雖然，赤化於無形的秘密活動，武裝暴動的累起累敗，被殺與殺的人難作統計。軍閥餘孽如閻馮，在民國十九年稱亂的中原血戰，雙方動員百萬之譜，自會禍延江蘇的大江南北，他們巧立名目稱做「天下第一軍」，搶劫、騷擾、綁票、勒贖，四鄉騷然，富有的家庭子弟，因外出讀書途中遇害的大有其人，這不過是軍閥叛離中央殃及無辜的一個例證。

「九一八事變」，日本帝國主義者公然侵略，已經是明目張膽的胡攪。「一、二八」淞滬戰火的點燃，迫使青年愛國運動愈益蓬勃，縱有「救國不忘讀書，讀書不忘救國」的號召和呼籲，無濟於事，江蘇省主席葉楚傖滿臉的淚水，苦苦勸慰學生要鎮靜要忍耐，說等於白說，依然罷課，街道遊行，查封日貨，行動激烈，最後學校當局放了寒假責令家長親自帶領學生返家度歲，稍稍冷卻一股愛國的狂潮。那幾年鎮江如此，南京如此，上海如此，杭州如此，全國省市各地也無不如此，彼此都喊著「救亡圖存，一致抗日」的心聲。

徒喊口號，不如做一點實際為國為民的工作。陳果夫先生扶病服務，出任江蘇省主席。他施政方針，主要的是導淮入海，綏靖地方，以及撲滅黑熱病不使逾淮南侵。我想步入基層，爲農村苦難平民做一點裨益實際的服務，要比在苦悶中狂喊亂叫好得多。我決心考入江蘇醫政學院專心向學，較有意義。果夫先生每週到校講話、巡視，指導。學校設在北固山下，鐵甕城邊，牆外廢棄的護城河，採用勞動服務方式，動員機關的所有員工，一律加入挑土挖泥行列，疏濬成湖，碧水泱泱，岸邊垂柳任風搖曳，在東有城牆屏幛的山丘下，小舟輕盪，樂在其中。暑假間有師生入水游泳，染患吸血蟲病，當時的用藥需購德國製品，治療拖延時日，教育長胡定安博士下令全校師生禁止入水游泳，並用木牌寫著黑字公告遊客，樹立岸邊，提醒大家。在校期間，食宿公費，還發制服，管理有大隊部，區隊長是一位少將。

蘇北黑熱病防治總隊設在漣水城內孔廟，由童、奚兩位先生總其成，專職於淮陰、漣水、泗陽、宿遷四縣的黑熱病（KAIA「AZAY）防治工作。我被分發在宿遷的一隊實習，隊長錢壽祺先生，江蘇無錫人，浙江醫藥專門學校畢業，是一個富有經驗的好大夫，他對我教導很熱忱，留我在他的身邊共同工作。我們的隊部由縣城先到卓圍子，再進駐六塘河濱的大興集，開展防治，撲滅傳染病媒白蛉（蚊類小黑蟲，又名猜猜蠅），每週兩次門診治療。另外，曹集又有一站，二個防治人員，另有工友幫助做些雜務。每週不是隊長便是我，無計陰晴風雨，輪流騎車到站協助忙碌的醫療。有時，深更半夜的急症患者，前來求助診治，這種例外的服務，我們也得爲當地病患診斷給藥，事實上不能見危不救，必需慈悲爲懷，稍盡義務；因此，四鄉農家都知道集裡有一個省政府的防治隊，收費特別低廉，集期門庭若市，騎馬坐驢的，乘車步行的，男女老幼俱有，老年人和兒童治癒率較低，年輕女性月經停潮，年青人最易醫好，只要沒有併發症，主要的注射「新斯娣波霜」，三月奏效。由於我們這一群是來助人的，識與不識都很禮貌、親切，喊我叫「小蠻子」，並說我「俊」，就連我們奔馳於青紗帳裡的路途，從來沒有遇過「混世的」對我們有一絲騷擾。

記得西安事變發生，那時報紙到手已經過了兩天，收聽中央廣播電臺的播音，是心靈上最大的安慰，化解很多疑慮。

軍中生涯三十年

「七七」蘆溝橋事變發生後，連日大雨傾盆，到處積水，國軍分路北調，有于學忠，孫連仲的部隊、輜重，大砲，冒雨前進，大興集是每日行程的宿營所在，官兵俱在雨水中跋涉。令我想到「養兵千日，用兵一時」的古話，吃苦耐勞，服從負責，是軍人的本份；受過五年的學校裡軍訓教育的我，心想假如一旦去做軍人，是否能和這些久經戰陣的官兵一般，無怨無悔的，一步步走上戰場，去和日本鬼子拼個死活？

江蘇省政府北遷揚州，主席由陳換顧，並沒有忘懷我們這群無名的防疫者，奉命結束業務，將醫療器材和員工用的鐵床辦公桌椅，代步的英國製三鎗牌腳踏車等項列冊，向鎮公所移交清楚，整理行裝隨隊長到漢口報到。離開以前，我特地騎車由駐地經漁溝晚宿淮陰，第二天趕到漣水，約我同學好友陳煥章一道去後方，準備投考軍校共同殺敵。他很果決願意同行，隊長夫婦和女公子珍珍（三歲不到，聰敏伶俐），我、煥章，另外，一位姓馬的，還有一個小工友，由宿遷城邊雇一帆船北去，在運河站搭乘隴海鐵路列車西行。那個時候，不僅車廂滿載傷兵病兵，逃難的男女老幼，就連車頂上面也坐滿的是人。我們人多，先將隊長夫婦和孩子擠進車廂，再搬行李上去，等我坐定車動，方始發現我的手提箱並未隨同上車，內中有冬天必備的帽子、圍巾、皮手套、少許錢財，身外之物不足珍惜，最可惜的，是我寫作已經刊載的剪報，直到民國五十年以後，由此才再逐漸存留報刊所曾發表過的文稿。

到武漢後景象大變，滿街都是下江逃來的青年。錢隊長到三十六後方醫院就醫務主任職務，煥章和我經院方發表上尉醫官，是主任的助手。沒有幾天，我就考上第六部主辦的湖北省地方自治人員訓練班，當時認爲到鄉間工作也好，受訓完畢正待分發，我的衣物被竊一空。青年軍團正式公開招考，我無牽無掛進了珞珈山武漢大學宮殿式的校舍，首先剃光頭，外穿一件灰棉大衣，看看別人，再看看自己，就像四大皆空的和尙，不禁啞然失笑。那些還沒有輪到剃頭的，半夜開溜。其次，我們那位隊長楊天威（軍校八期，曾任過師長）好強逞性，將學生集合山頂，冷雪寒風，凍得人人發抖，他開口大吼：「你們天天喊抗日，現在機會來了，卻這麼畏縮；怕冷怕寒，那還打什麼日本鬼子，你們不如退學好了！」隊伍裡的一群入伍生，呑氣呑聲，淚流滿面的挨訓，深感委屈。這位師範畢業，軍校八期高材生，知道練兵作戰，帶學生先來下馬威，給志高氣昂的大專學生就是當頭棒喝，讓還有尊嚴的智識青年，簡直無地自容。我們由第二隊改稱第六隊，由珈珞山搬到武昌城內左旗，對面就是蛇山，接替軍校十二期空出的營房，就這樣吃過日本飛機投下的很多炸彈，死掉不少的同學。初過軍中紀律生活，操課無大特別感受，就是整理內務、清掃廁所，夜間衛兵，負柴載薪，不習慣也得習慣，只有服從。另外，勤打野外，洪山多茅草砂礫，褲不及膝，衣是露肘，全部武裝，一個命令，一個動作，爬呀跳呀，翻呀滾呀，汗血交流，誰敢落後？整隊回營，齊一步伐，唱著少年兵歌。一進營門，隊長看來不滿意，一再重來，繞場跑步，別的隊伍早經解散吃飯午睡，偏偏我們第六隊在隊長「天威」之下，誰也不敢吊兒郎當，大隊長索本勤（山西人，作戰陣亡）想過來緩和一下，看一看無奈的走開。我們這一隊的訓練嚴格，要求特多，少數跛腳鴨的同學，向不整理內務，睡地板省時省力，午睡斜倚在操場邊沿的電線桿上，洗臉只將毛巾沾水抹一抹，節省時間的手法被發現，討來隊長的罰打手板，鎚胸腳踢，常見的便是那幾個寶貝。

入伍教育，我隊得很多第一，被稱榮譽隊，放過多次星期天的榮譽假，曾被指定做儀隊，隆重的列隊歡迎副總裁汪兆銘，還有副委員長馮玉祥蒞校精神訓話。

蔣委員長，總司令陳誠，經常向我們訓話，提早集合，文風不動的筆立。抗戰初期能聆蔣公訓話的，我們是最幸運的一群。分科教育，隊長換了，食、住，上課都換了地方，習慣自然，輕鬆好多。實在的，軍事生涯開始時，我也有情緒性的哭過，恨日本的侵略，想到淪陷後的家人。有一次從九江來看我的陳君，鄰居又是幼年玩伴，逃難做木工，瞧我丘八模樣，光頭跣足，一身並不鮮亮的草綠軍服，先問我苦不苦？又問我要不要錢用？我答覆他所關懷的問題。繼又談到想不想家？有無信息？彼此都很年輕，談著談著，相擁哭了起來。

在校特設武漢衛戍區政工人員訓練班，在我多一層領悟，分發序列於江西的第四軍九十師，由南昌夜間輸運到德安、馬迴嶺地帶。眼看道旁民宅俱經炸毀，人畜屍體散佈林野，有的身首異處，臭不堪聞。遠處砲聲隆隆，空際敵機不斷巡邏，發現人馬火煙就炸，有時食不裹腹，人民逃避一空的留剩架上的扁豆，樑上的蜂蜜，也成佳餚。清晨觀看廬山面目，白天就得避居山洞，動員民眾的工作，在火線的邊緣，除去一些廣東兵，無員可動，無話可說，久避山洞裡的生活，陰冷潮濕，患染惡性瘧疾，沒藥可醫，坐使病情加劇，不思飲食，日夜高燒，住野戰醫院，屋內稻草一堆，稀飯滿桶，任君食臥，呻吟嚎哭，找不到別人來理會的。我勉強撐持回到南昌，得到駐平江我的老隊長寄來一張傷票，我不願住院，萬想不到吃狗肉竟有神效，燒退身輕，頭髮脫落，不斷思食，似乎是吃飽趕不及飢餓。稍痊調往砲兵五十四團，官兵北方人多，建立不久的戰車防禦炮部隊，俄國顧問老少俱有，個性不同，先駐湘潭，長沙大火當日，移防零陵，後又南移廣西興安；沿途人仰馬翻車覆，風雨連朝，苦煞征人。訓練與作戰，在時空上兩有差別，這一段一年多的時間，武漢到江西，又從湖南到廣西，戰時生活平順，居住山谷鄉野，偶爾爬山越嶺看一場露天電影，眞是一樂。遇到空襲卻未遇害。北方籍的士兵，患夜盲、潰瘍、瘧疾、痢疾的特多，死亡無數。醫療、營養俱感不足，只有聽天留命，生活雖苦，日食八寶飯，冬著夏衣，還有蚊蠅、蝨、蚤的日夜侵擾，我們抗日的信心並無一絲動搖，部隊操課正常，調防與作戰中，藉機逃跑的、長途行軍中暑的，極少極少。

民國二十八年秋，奉調參與隨棗作戰，打擊日寇坦克部隊在平原上所逞的威力。經長沙，過洞庭，由宜昌北進，駐紮棗陽的鄉村，過一個吃不完紅棗的年節。部隊離開興安在風雨中由南北調，長途馳援，卻在隨縣城外擂鼓墩初試啼聲，俘虜日軍一輛坦克和幾匹高頭大馬。戰車防禦炮在中國戰場上，部分原駐廣東高要守護江防和西北的陝西與河南一帶，如今，實戰建立戰功，大家都很高興，其他九團處於無用武之地的狀態下操課備戰，待機殺敵。

年後，奉調重慶，參加中央訓練團新聞研究班，接受專業訓練，名師如雲，學員八十一人，俱是學養有素的軍中精英。我僅是愛好文學，愛好新聞學的青年軍官之一。從前線帶同一位陝縣的小兵，兩人步行，過了襄樊，一步一步走向當陽，正巧路邊一部卡車要去宜昌，既無軍品，也沒押車人員，我向駕駛兵再三拜託，付給他一兩黃金，讓我與他同座，隨行的小兵，我再三謝謝他，並給他足夠的路費，要他返回部隊。座車沿途急駛，是好幾年沒有的福分，雙腳的水泡起而又消，自己很覺得意，優哉悠哉，瀏覽鄂北風光，車少人絕，戰地滿眼悽愴，日落於昏黃街燈中抵達宜昌，等船又是煩人的新課題，先撥長途電話報告行止；有一天敵機轟炸，我隨城裡老幼跑到小溪塔躲避，炸彈轟轟，國軍高射炮不斷向著敵機開火，炮聲隆隆。入夜返回，街道一片廢墟，灰燼未息，受難者家屬哀嚎不已。我在戰場，看多慘不忍睹的景象，看到死者的暴露屍骸，野地也多新墳纍纍，誰是誰？都該是父母的愛兒—一群爲國犧牲的青年，我對之似乎無動於衷，神經已到麻木的程度。戰爭本來是，死的死了，財產毀了，凡是日本侵略的暴力所及之處，何省何地沒有？唯一的，只有蓄志報仇，不死就活。

這一年辛苦備嘗，是我人生的一大轉捩點，正應先父代我託咐明眼相命的說：「任運竹節，勞碌難免」，啓示著我的命運是一條險阻重重的人生道途，但必需要走的。

浮圖關跨著長江與嘉陵江，是重慶西郊的要點。關城有夜雨寺，七牌坊。俯視街道建築林立，遠眺原野景色秀麗，既安全，又幽靜，正是年代戰亂最理想的習學處所。有戰地新聞採訪與隨軍簡報班的劃分，課程依據編列講授，切合需要，邊學邊做，有畢業於日本學新聞的和從事實務有年的學長負責輔導，非常適當。這時，中共份子已經加強野心的活動，周恩來、郭沫若輩，曾經是我們直接長官之一。年紀稍長的四川人段謨，自動的聯絡軍校畢業的幾位少年，發言、撰稿，一均秉持正義，阻塞謬論邪說的流傳，來自西北的邵德潤學長（政大畢業，浙江人，筆名聞見思）特編印一冊用語銓釋，拆穿中共謊言濫語。有人稱我們這一群是「少壯派」，想來是愧不敢當的。

六月間分發，陳辭修先生召見，派我去魯蘇戰區隨韓德勤副總司令部行動，並寫一封給韓的信，囑咐我說：「是我的學生就是他的學生」，愛護之情，永世難忘。

從重慶搭船到宜昌，換船經安鄉，公安，在小船孃搖著輕舟導引下，越過洞庭湖的佈雷水域，抵達大火焚燬後的劫餘長沙。鵝羊山、猴子石，在守湘江江防時曾有短暫時間的駐留，特往舊地一顧。翌日又搭汽輪去湘潭，轉往易俗河，坐轎去石塘山，住宿一夜，步行往醴陵五里牌，接回內人，在淥口過的端陽節。稍作停頓，沿著拆除的浙贛鐵路東行，時值暑夏開始，氣候轉熱，每天流著汗，跑痛腳板底，經醴陵、萍鄉、宜春、彬江、新喻、清江、樟樹、豐城、向塘、進賢、東鄉、鷹潭、貴溪、弋陽、横峰、由上饒換乘火車，經過玉山、衢縣、龍游、湯溪，抵達金華，稍事休息，得與先到的同學晤面，一方面換掉軍裝，整理該帶的與不該帶的東西，爲潛入淪陷區先做準備。實在此路行來，橫穿江西，坐船坐車機會極少，每天步行的時候多，「未晚先投宿，雞鳴早看天」，正是派赴敵後一段行程的寫照。鷹潭遇到敵機投彈，所幸有驚無險，平安過去。坐火車到義烏，改坐汽車到東陽，經嵊縣，到新昌，再抵溪口，山明水秀，那是蔣公的故鄉。坐竹筏到江口，換坐腳划船，直到寧波。巧當日軍進犯寧波的前一天，搭乘英輪阿維瑪俐號，北去上海，住宿法租界，又作摒擋。在滬僅與少數親友聯絡，對所攜必要證件作妥善的隱藏攜帶。

一天午後，酷熱難當，我穿著綢製衣褲，偕同內子到十三號碼頭，準備搭船溯江西去，日本便衣攔住檢查，我非常鎮靜應對，內人也機警答問，原想扣留我們一再逼問的—爲何由江西到上海，再去泰縣？幸好兩位巡捕從旁鼓勵我們不要在乎。我提著的兩盒福康餅乾並未強迫拆開，勉強放行登輪，天將近黑，巡捕提醒我倆混雜在人叢裡不要講話。輪開彼此交談，那又是一個境地。天亮在新港登岸，日軍武裝士兵檢查，脫帽深深一鞠躬，揮手放行，就像被赦的囚犯獲入自由世界，雇著獨輪車，吱吱吭吭向著黃橋走，看到國軍保安部隊，看到青天白日滿地紅的國旗，更加興奮。發現兩位陌生青年，一直緊釘著我們搭訕，我怕遇到的是新四軍，也許他們錯認我倆是共黨份子，由黃橋到姜堰，在駐軍張旅長接待下，我出示證件，經他請示韓副總司令，要他專人專輪護送東臺，這晚開懷暢飲，解除勞累與不期的煩惱。

副總司令召見，拆閱陳辭修先生簽名蓋章的信，慰勉一番，並介紹他的機要秘書，國軍政治部主任，中統江蘇負責人，我和內人總算安全抵達敵後，開始我的任務遂行。先住旅館，後遷駐軍團部，韓先生發表我做秘書的派令送到我手。實際我並未替他效什麼勞，倒有益於我的工作施展，我更多一分額外的收入，解決遠水不濟近火的拮据。顧錫九將軍在李守維殉職後，責任加重，和我非常投緣，邀我參加青年運動，並主編「蘇北青年月刊」，更由於擔任實際責任的劉穆菲先生，在重慶時有一長談的機會，歡迎我、信任我，並且，搬到他們的單位同住，得到很多的方便。

蘇北局勢，日漸險惡，許多人先後離開，我抱定絕不逃避責任，疊經各方的敵人，交相迫害，我總隨著省政府的播遷而行動。我一方面從事自己的本職，一方面執筆撰文就地發表，多少曾引起他人的不快，公正執筆，我也不畏懼誰的反對。輾轉淮東的堅持生存，艱苦撐持到民國三十二年春天，日僞穿梭反覆掃蕩，國軍奉令西撤，進駐豫陝另有任務，省府流亡安徽，仍不忘指揮留在敵後的部隊和機構，又在皖省開辦學校，收留流亡青年學子，並做有限的訓練新的部隊。我常川往還皖豫與江蘇之間，居無定所，衣食難周，仍和很多抗戰朋友們，有苦同嘗，有險同擋，日本宣佈投降後，蘇省軍民再作更險惡的繼續奮鬥。可是，虎已落在平陽，而狼群的兇殘，接踵而起。我一度來到臺灣，幹我本行的新聞有關的職業。二二八事變的摧殘，我又重返江蘇，再拾舊的生涯，其中險阻艱辛，友好犧牲的情景，歷歷仍在眼前。三十七年冬，隨顧將軍在南通接辦報紙，原名「綏靖日報」，李宗仁以代總統之尊，囑改「正義日報」，遷往蘇州出版。四月二十一日，中共軍隊過江，二十二日出刊後，隨軍撤往上海，終於無從復刊。

我的噩運，我的掙扎，再行奮鬥！

我於上海陷落後，輾轉在浙江江山，隱居杭州，再從上海搭乘帆船航海，平生首次爲著死裡求生，竟不顧海上的險惡風浪，與所謂海上游擊隊的趁火打劫，冒險抵達定海再獲自由。浙江保安部隊，雖未明目張膽的勒索，總算嘗到這些游雜部隊紀律敗壞的苦果。世間還是善良者衆，惡劣的人少，我到臺灣後恢復戶籍，內人攜同二女一男稍後渡海到達沈家門，沿途驚險苦難，終於安全抵達，一家又復團圓。世態炎涼，人情冷暖，是我親身初嘗它的滋味，教訓經驗，從困頓中體會得益加深切，明徹認知是跌倒自行爬起，抱著不因挫折而喪志的人生眞諦。幸在空軍得一職位，一家大小免於凍餒，苦多甘少，夫妻二人有著寒天飲冰水的感受。搬入北投空軍眷舍有了新家，孩子隨我的交通車到空總就讀子小。動亂中的長女，換過五個不同地點的小學，方始完成階段教育，在她一年級時演講比賽，還獲得全縣小學第一名，三年級撰稿，在中央日報兒童週刊發表，得到伍元的稿酬，確實給她有著莫大的鼓舞。我在空總經常公差，曾有蹈險犯難的遭遇。定海、金門、澎湖、臺東、花蓮、臺中、新竹、桃園，均爲足跡所及之地，爲此寫了不少報導性的文稿。四十年春調往新竹基地，開始和廣大官兵直接接觸，空軍各項專長人材俱全，使我認識科技兵種的特質，我在飛行大隊、聯隊合計六年，毛尙貞、劉古班、陳祖烈等相知最切。曾爲地勤官士兵，創設室外茶座，他們免得夜晚外出。也爲失學的機械兵辦過國、英、算的補習班，不取費用還供給教材，教官龐賡武最最叫座。我讀東港參大，先正規班，後研究班；政戰學校高級班，圓山軍官訓練團，年年受訓，年年獲獎，學無止境，多求新知是人生難得的美事。臺北通信大隊，官兵千人以上，大致分無線、有線，印字電報等，領導不易，大隊長、副大隊長，各具出身背景，統御很有方法。政治教育採抽題問答的給獎方式，是金永祥根據我的理念構想實施的，頗著實效，國軍政士由此產生的不少，助長士官兵的前途發展很大。氣象聯隊官士文化水準較高，學術風氣自然形成，配合部隊的作業，基地，外島，偏遠地區無所不在，我喜與他們接近，見面多與交談，小單位和個人問題，都盡心盡力爲之解決，最著重單位分駐的特別重視他們的福利，以及眷屬們應該享有的權益。有兼負空飄心戰傳單的外島氣象部隊，特予關注，鼓勵他們兼負的作業功能，郭偉立將軍是支持最力的人，如今，仍是長官部屬竟成爲一對好友知己。

部隊生活過後，我在雷萬鈞辦公室一二組工作三年，作戰司令部兩年，空總政戰部二處兩年，指導單位較多，引爲榮幸的，建立空軍廣播電臺清水分臺，如今效率依舊很高。空軍二供應區部近兩年，政工業務卓著成效。二十年來的光陰，在轉換工作崗位與忙碌業務處理中，匆匆過去，苦樂參半。我是向來不畏工作多麼辛苦，微感遺憾的，有這麼一個人，既不懂政戰在軍中的重要性，更不懂空軍歷史特性的，耍權術、亂分寸、小人行徑，胡作妄爲，唯我獨尊，自私自利，毀了他自己，開罪很多人，辜負最高長官一片培育愛護的苦心。有時，長官還爲這個非空軍的空軍，背上黑鍋而不自知的。

我是考入空軍做政工的。我榮獲勛獎章，計：忠勤勛章、甲二楷模獎章，懋績甲二獎章、甲一楷模獎章、甲種一等懋績獎章、飛虎一星徽楷模甲一獎章、飛虎一星徽懋績甲一獎章、一星忠勤勛章，勤奮未敢懈怠，獲頒兩座勛章，六座獎章的榮譽，微不足道，就我個人來說，服務就該犧牲奉獻，得到嘉獎、記功、獎章，勛章，只是一種鼓勵，一種耕耘的紀錄而已。其間曾得國防部總政戰部主任蔣堅忍將軍，面頒「政工之光」紀念章，那鎏金一點的臺灣，鑲嵌在全國地形旁邊，光輝燦爛象徵是大家流血流汗所贏得，倍感個我的光寵。同日奉頒的，尚有老友尹元甲，我們結交於抗戰的敵後，主編

「戰報」，每日發行兩大張，承他不棄，當時常常發表我撰述的專稿，副刊載我文藝的寫作。來臺以後成家，在「青年戰士報」總編輯任內退役，又進臺灣新生報任副總編輯多年，一生從事新聞工作，令人敬佩。

五十八年一月一日限齡退役，由於中校改敘空軍上尉三級受到影響是一主因，官兵熱烈歡送的情景，感動深切，我繳交出入證後，從此解除我三十年來軍官身分，未再踏入空軍的營門一步。解甲不能歸田，而國家已給予我的少將編階優遇，戰士授田的補償，我是心存感激的。附此，我的孩子五人，都曾受過空軍子弟小學的教育，老師們的辛勤，孩子和我俱念念難忘。中國空軍出版社多任社長和編輯同人，一向沒有待我視如外人，我不時仍替「中國的空軍」撰稿，當做回饋。在精神上，我永遠永遠還是軍人、老兵、榮民、軍校學生，自認這是我一生茹苦含辛的光榮記錄，其它，是無可來替代的。

自覺未老，仗著一股服務人群的熱忱，退役後的謀職，煞費周折，開始到內壢仁美國中教健康教育和國文，是生死之交張玉楨校長向縣府申請核准的，另仍在育達商職夜間部教公民和國文，算來計有十年時間。七月得陳有爲君的介紹，承王宇清先生延攬代理國立歷史博物館的研究組主任，從額外編輯、編輯，眞除主任。晚間兼任國立臺灣藝術專科學校業科副教授，教中國近代史，一教二十六年，（一度在臺灣警察學校兼任教授。）直到今（八十二）年七月告停。我到博物館本著我是新兵，我是學生的決定，虛心受教，一切從頭學習，從新做起，耐心磨練與忍受挫折，將軍中的習氣，做法，思維方式，重加調整來適應這富有學術性機構的情況，因此，多讀書，多做事，多看文物，多請教專家學者，並且擺脫過去地位、資歷的虛空觀念。我所心儀的，組裡的林淑心、黃永川等人，在工作中給我協助很多，他們得能升任主任職務，絕非偶一的機會。我的館長王宇清博士，另有高就辭職，姚夢谷先生因任國大代表，雖長於藝術理論的天賦，是客卿而未竟其功。三任何浩天先生喜歡做事，眼光遠大，不僅將國內的古器物、古書畫以大量保險費用邀集展覽，而國際文化交流的雙向展覽，也都辦得有聲有色。對近代的陶藝展覽、書畫展覽，以及配發駐外機構的文物箱的三次籌製。在研究組方面，配合各組竭盡心力來做計劃作爲，期能完善，就記憶所及，參與主辦的，如：臺灣史蹟史料展、歷代名家書法在日本展出、中國古代服裝在韓國展出，中國書畫世界巡迴展覽、雷諾印象派畫展、畢卡索畫展、貿易瓷展等。不斷籌劃、不斷的展覽，其主題本著歷史的、藝術的範圍，將歷代陶瓷的、書畫的、玉器的各項特展推出，收到社會教育的效果。揚古復又創新，顧及國內老、中、青三代作品選精展出，就連國內外的攝影藝術與兒童繪畫，也給予隆重的公諸於世。在此期中有最大最長，最具歷史意義的兩幅巨畫，一名「八年抗戰史畫」，一是「寶島長春圖」，由知名畫家集體於不眠不休中完成的，限於人員編制小，經費短缺，展覽空間不足，仍在克服困難，勇往直前，使得博物館活潑起來，動起來，富有生機蓬勃的氣氛，使得國際博物館密切的不斷互相聯絡，推動交流與巡迴展覽。

自民國四十四年，張其昀部長撥新臺幣五萬元創立，館舍重建修整，文物書畫收藏日豐，從無到有，由被人譏評的「眞空館」，列入國際知名的博物館之一，俱賴館內工作人員勤勞苦幹所致。學者葉程義，藝術家劉平衡俱中途離去，行政富有創意的蔣善達，未獲更進一步發展長才的機會，我認爲是一大遺憾。

文化藝術發展當中，其中國內畫家張大千、黃君璧、溥心畬、趙松泉、林玉山、呂佛庭、陳丹誠、傅狷夫、歐豪年、李奇茂、楊三郎、廖繼春、李梅樹、吳炫三、席德進、何肇衢、金哲夫等人，協助館務發展，受人尊重，實際他們這一群藝術家都是富有潛力，造詣深厚，經得起考驗所致。館長中迄今繼何先生後任的已有三位，各有作風與表現不同。我延長退休，終止於簡任一級公職，合計又是二十年，歷史博物館業務的陶冶，頗多助益，終於限年卸職離開。但我感恩於先賢留下和創造中國的歷史文物與藝術品，甚至有一些世界各國的，給我有著無限的充實與裨益時機，博物館事業所給予我的新知，幫我有更多的領略。人生有涯，知也無涯，我慶幸自己從軍中退役後，得有邊做邊學的環境，誠是我的一生當中最大的收穫，使我胸中的境界，更能向前推動一步。

喜樂年年，今年稱心如意。

在人生歷程，似長實短，從成長中幾經艱困憂患，我總覺得，犧牲奉獻，是愛國家，愛民族，愛社會，愛家庭的人，理所當然。所以，我始終以樂觀的胸懷，嚴以責己，寬以待人，宏觀世界的一切，不太重視物質而以精神享有爲先。光陰飛快，孩子們要在農曆年底爲我做壽，我只答應寫一篇八十簡述，將一些往事稍予追懷，留給他們做一個紀念。我倆五個兒女，均已成家立業，夫婦相敬，孫輩長進，勤勤懇懇，和氣相處，特將他們全家福的照片一併印入拙著附錄，作爲全家幸福美滿的標幟，尤具意義。這一年來，我曾遠去西北高原旅行，見聞新穎，開我茅塞。國家厚待我，兒女孝順我，老伴陪著我，朋友愛護我，悠哉生活，也該享有。過去是「保持現狀，就是落伍」，西林兄改稱：「保持現狀，就是幸福」，時空變化，此話別創新意。如今，最小外孫女玉兒已滿週歲，牙牙學語，滿屋奔跑。宇璇兩孫，旅居南非，念茲幼小，想念特別殷切；全孫活潑聰慧，偶一分離輒常夢寐相思。誠孫一年級，能說善道。蕙孫敏思好學，誠如小鳥之依人。康孫在美高一，學業維持第一。佳孫教學多年，即將嫁做新婦，蓓孫留學美國，習學專長。雅孫篤實孝親，讀書勤勉。凱孫將在成大畢業，思孫輔大，他家二十年來，同住比鄰相伴，眼看他們在父母呵護中，從襁褓到成年，朝朝夕夕相見，成長茁壯，後生可畏。我的晚景愉悅，責任與義務業已善盡，夫婦相互扶持，親友彼此關注，樂享天年。特撰四句非詩像詩的話，藉此作結：

行年近八十，白髮添幾多；

說句自家話，只望兒孫賢。

民國八十二年十月二十日

附錄：二、閤家老幼的留影

作者長城留影

嘉峪關．嘉峪關．
我站在關城之前。
雄姿挺峙在河西走廊上，
長城環抱，蜿蜒伸展，
隘口，要道，依稀日昨。
如勇士臂膀，也似蒼鷹的雙翼，
呵護著暢達西域的捷徑；
右親黑山，左近祁連，
坡陡谷深，積雪常年，
漠漠平沙，寂寂黃草，
白雲悠悠永在，
藍天映照洪荒。
再向遠處，
再向遠處，
依舊是我們的大地山河。
摯愛的國土，
懷念的家園；
如今—
我恰像一葉飄萍，
無從寄附。

城角一隅

雄關全貌

我們一家的留影　艱困的歲月，已經過去，留著時光，
過著優悠自在的生活。作者和夫人在美長男家攝影。

五福雙壽　　　　趙松泉繪

大女兒和她的先生，以及他們的一兒一女

次女全家的合照

遷居美國的長子一家

第四個孩子的全家福

么女全家分住國內和南非

這張是我夫婦在大陸所攝照片，唯一留存攜出的。民國三十八年五月在西湖岳王墓前，著黑衣的是我妹妹，不幸早死於勞累過度中。女孩是長次二女，懷抱的是長男，現都已成家立業，生活美滿。

民國三十八年重來臺灣後，我們夫婦帶著三個孩子遊圓山動物園，看白色長臂猿和揚子江鱷魚。此幀爲在臺灣寄寓生活中最早攝的一張。

民國四十六年二月攝於臺中市忠貞新村時么女八個月

民國四十二年攝於新竹空軍眷村，次男初生。

跋

《西北高原行》一書的出版，我有說不盡的喜悅和感激的心情。

年近八十，入世過程中算是高齡，慶幸體能良好，當然是託老天之福，雙親所賜。家庭和樂，兒孫盡其孝道，讓我擺脫不必要的牽掛，優悠自在，活得健康，活得尊嚴，活得快樂。去歲八月，又在次女麗華伴護下，遠去西北旅遊，從東南海隅寶島的天涯，飛往那邊陲的新疆口外，在感受上自有諸多差異。因此，返回臺灣以後，就我履跡所及的新疆、甘肅、陝西、廣東等地見聞，撰述近四萬字的文稿，部分已交報章雜誌發表；同時，整理修正積存的一些有關文物、藝術、古蹟、名勝的遊蹤觀感，約近三十萬字，劃分九章，另附加我的過往歲月的簡述與家人照片等，作為雪泥鴻爪的回味，一方面既將我的觀感留在筆墨，一方面有多是回憶我平凡的往昔。

人生有涯。荷承鐵肩宗兄祝我夫婦雙慶，特贈自撰自書的嵌字聯，其辭是「美意延年書成緯略，馴致積學鶴算恆新」。給我很深的鼓勵與至多的欣快。一切友情的施予，彌值珍惜，其實，何敢言壽？又有何項德能偏勞親友為我道賀。

尤其學友際明、鳳來、奎英、善達、沛中、兆庚邀約同鄉至好齊來稱觴，錦上添花，利我利人，俱足道謝萬分，本書適巧出版，特附帶一筆。十年來。《西北高原行》是我刊行的第六本拙著，感謝文史哲出版社負責人彭正雄先生印行。國畫名家趙松泉先生題署，中國文藝協會理事長夏鐵肩先生與文壇巨匠應未遲先生作序，鄉親蔣善達、黃懽兩位先生校正原稿。封面是由現代畫畫家林玲蘭女士新作「任重道遠」提供的。使我深切體會，一本書的應世，非僅寫作的取材內容與辭章表達的方式，還在於知己的友好多方鼎力協助，才告美滿的。目前，是以電腦打字，小姐們、先生們運用技術操作，具國學專長，使得本書如期出版，尤著功勞，併此感激。

書的完成，在我是一件慰藉的事，當然，也該對有助於成的人士，心存敬意與謝忱。

民國八十三年一月十五日